KOMMISSION FÜR ALTE GESCHICHTE UND EPIGRAPHIK
DES DEUTSCHEN ARCHÄOLOGISCHEN INSTITUTS

# VESTIGIA

BEITRÄGE ZUR ALTEN GESCHICHTE

BAND 30

CHRISTIAN HABICHT

# Untersuchungen zur politischen Geschichte Athens im 3. Jahrhundert v. Chr.

C. H. BECK'SCHE VERLAGSBUCHHANDLUNG
MÜNCHEN 1979

CIP-Kurztitelaufnahme der Deutschen Bibliothek

*Habicht, Christian:*

Untersuchungen zur politischen Geschichte Athens
im 3. [dritten] Jahrhundert v. Chr. [vor Christus]
/ Christian Habicht. – München : Beck, 1979.

(Vestigia ; Bd. 30)
ISBN 3 406 04800 5

ISBN  3 406 4800 5

# VORWORT

Die folgenden Untersuchungen zu Problemen der politischen Geschichte Athens im 3. Jahrhundert v. Chr. sind als Vorstudien zu einer allgemeinen Darstellung Athens in hellenistischer Zeit gedacht. Sie werden hier in der Erwartung vorgelegt, daß die Diskussion der in ihnen geäußerten Meinungen jenem größeren Ziel förderlich sein könnte. Einen aktuellen Bezug hat nur das vierte Kapitel, das der neuen Urkunde für Kallias von Sphettos gewidmet ist und sich mit einigen Thesen im Kommentar ihres ersten Herausgebers auseinandersetzt.

Einzelne Teile des Buches sind an verschiedenen Orten mündlich vorgetragen worden, darunter die Substanz der Kapitel 1–3 und 8 im Frühsommer 1977 auf einem Kolloquium, das die Kommission für Alte Geschichte und Epigraphik des Deutschen Archäologischen Instituts in München veranstaltet hat.

Zu danken habe ich den Kollegen, die einzelne Teile des Manuskripts gelesen und mit Kritik und Anregungen bedacht haben: R. M. Errington, I. L. Merker und L. T. Shear, Jr. Der Kommission für Alte Geschichte und Epigraphik und ihrem Direktor, Herrn Kollegen Edmund Buchner, bin ich für die Aufnahme dieser Studien in die Reihe ‹Vestigia›, Herrn A. U. Stylow für die redaktionelle Betreuung des Manuskripts zu Dank verpflichtet.

*The Institute for Advanced Study,*
*Princeton, N. J., im August 1978*                                    *Ch. Habicht*

# INHALTSVERZEICHNIS

# ABKÜRZUNGEN

Zeitschriften sind nach dem System von ‹L'Année philologique› abgekürzt mit Ausnahme der folgenden:

AM  = Athenische Mitteilungen
HSCP = Harvard Studies in Classical Philology
IM  = Istanbuler Mitteilungen.

Außerdem finden neben den sich von selbst verstehenden Abkürzungen die folgenden Anwendung:

Agora Inv. I 7295 → Shear, Kallias, S. 2–4
Beloch, GG = K. J. Beloch, Griechische Geschichte², 1912–1927
Bengtson, GG = H. Bengtson, Griechische Geschichte⁵, 1977
Berve, Tyrannis = H. Berve, Die Tyrannis bei den Griechen, 1967
CAF = Comicorum Atticorum Fragmenta, ed. R. Kock
Davies, APF = J. K. Davies, Athenian Propertied Families 600–300 B.C., 1971
Dinsmoor, Archons = W. B. Dinsmoor, The Archons of Athens in the Hellenistic Age, 1931
Dinsmoor, List = W. B. Dinsmoor, The Athenian Archon List in the Light of Recent Discoveries, 1939
FGrHist = Die Fragmente der griechischen Historiker, herausg. von F. Jacoby
Ferguson, HA = W. S. Ferguson, Hellenistic Athens, 1911
Flacelière, Aitoliens = R. Flacelière, Les Aitoliens à Delphes, 1937
Habicht, Gottmenschentum = Ch. Habicht, Gottmenschentum und griechische Städte, 1956 (²1970 für die Seiten 243–275)
Heinen, Untersuchungen = H. Heinen, Untersuchungen zur hellenistischen Geschichte des 3. Jahrhunderts v. Chr., 1972
IG = Inscriptiones Graecae
Kirchner, PA = J. Kirchner, Prosopographia Attica, 2 Bde., 1901–1903
Lévêque, Pyrrhos = P. Lévêque, Pyrrhos, 1957
Maier, Mauerbauinschriften = F. G. Maier, Griechische Mauerbauinschriften 1, 1959
Manni, Demetrio = E. Manni, Demetrio Poliorcete, 1951
Meritt, Year = B. D. Meritt, The Athenian Year, 1961

Meritt–Traill, Agora XV = B.D.Meritt–J.S.Traill, The Athenian Councillors (Agora XV), 1974

Mikalson, Calendar = J.D.Mikalson, The Sacred and Civil Calendar of the Athenian Year, 1975

Moretti, Iscrizioni = L.Moretti, Iscrizioni storiche ellenistiche 1, 1967

Niese, Geschichte = B.Niese, Geschichte der griechischen und makedonischen Staaten seit der Schlacht bei Chaeronea, 3 Bde., 1893–1910

OGI = W.Dittenberger, Orientis Graeci Inscriptiones Selectae, 2 Bde., 1903–1905

Pélékidis, Ephébie = Chr.Pélékidis, Histoire de l'éphébie attique, 1962

POxy = The Oxyrhynchus Papyri

Pouilloux, Rhamnonte = J.Pouilloux, La forteresse de Rhamnonte, 1954

Pritchett–Meritt, Chronology = W.K.Pritchett–B.D.Meritt, The Chronology of Hellenistic Athens, 1940

Rhodes, Boule = P.J.Rhodes, The Athenian Boule, 1972

J. und L.Robert, Bull. épigr. = J. und L.Robert, Bulletin épigraphique (in: REG)

Roussel, Histoire = P.Roussel, Histoire grecque (in: G.Glotz, Histoire générale) IV 1, 1945

SEG = Supplementum Epigraphicum Graecum

Shear, Kallias = T.L.Shear, Jr., Kallias of Sphettos and the Revolt of Athens in 286 B.C. (Hesperia-Supplement 17, 1978)

Sylloge = W.Dittenberger, Sylloge Inscriptionum Graecarum³, 4 Bde., 1915–1924

Tarn, Antigonos = W.W.Tarn, Antigonos Gonatas, 1913

Tod, GHI = M.N.Tod, Greek Historical Inscriptions I², 1946; II, 1948

Wehrli, Antigone et Démétrios = C.Wehrli, Antigone et Démétrios, 1968

Welles, RC = C.B.Welles, Royal Correspondence in the Hellenistic Period, 1934

Wilamowitz, Antigonos = U.v.Wilamowitz-Möllendorff, Antigonos von Karystos, 1881

Will, Histoire = Ed. Will, Histoire politique du monde hellénistique 1, 1966; 2, 1967.

# I. ATHEN ZWISCHEN LACHARES UND DEMETRIOS

Es ist noch immer eine strittige Frage, in welchem Jahre Demetrios Poliorketes, einige Zeit nach der Schlacht bei Ipsos, Stadt und Hafen von Athen zurückerobert hat, wie mithin die von Plutarch [1] näher beschriebene Einnahme Athens zu datieren ist. Die beiden sorgfältigsten Untersuchungen des Problems, von W. S. Ferguson und von G. de Sanctis, sind zu unterschiedlichen Ergebnissen gekommen: Ferguson entschied sich für das zeitige Frühjahr 295,[2] De Sanctis für die gleiche Jahreszeit 294.[3] Beide Auffassungen haben ihre Anhänger gefunden.[4] Das Problem ist nicht nur für die Geschichte Athens von Bedeutung, sondern mit ihm ist das weitere verknüpft, wann Demetrios das Königtum über Makedonien gewonnen und wie viele Jahre er dort regiert hat. Auch das Todesdatum Kassanders und die Chronologie seiner Söhne sind mit der strittigen Frage mittelbar verbunden.

Sowohl Ferguson wie De Sanctis haben die in einem Papyrus aus Oxyrhynchos enthaltenen Fragmente einer Chronik schon eingehend besprochen, die insbesondere von den Verhältnissen in Athen unter Lachares berichten.[5] Es war dessen Regiment gewesen, das Demetrios durch die Eroberung der Stadt beendete. Hinzugekommen sind seither einige Inschriften, die zwar keine unmittelbare Lösung des Problems gebracht haben, die aber auch nicht näher daraufhin befragt worden sind, ob sie zu einer Lösung etwas beitragen könnten. Endlich hat soeben J. Traill einen wesentlichen Beitrag zur Sache durch den Nachweis geliefert,[6] daß das Ehrendekret für Aristolas und Sostratos nicht ins Jahr 299/8 oder 298/7 gehört,[7] sondern am

---

[1] Plutarch, Demetrios 33–34. Pausanias 1, 25, 7.

[2] CPh 24, 1929, 1–31, besonders 7 ff. 19 ff.

[3] RFIC 64, 1936, 134–152. 253–273, besonders 253 ff.

[4] Ferguson haben sich angeschlossen Dinsmoor, List 31 mit Anm. 46. P. Treves, RE Philippides nr. 6 (1938) 2204. G. Elkeles, Demetrios der Städtebelagerer, Diss. Breslau 1941, 91 (Sommer 295). Pélékidis, Éphébie 160. 172. Meritt, Year 178. Wehrli, Antigone et Démétrios 164. A. Momigliano, Terzo Contributo alla Storia degli Studi Classici e del Mondo Antico, 1966, 29. Rhodes, Boule 221. 226. M. J. Osborne, AncSoc 5, 1974, 90 mit Anm. 22. A. S. Henry, Mnemosyne-Suppl. 49, 1977, 60. – Für die Auffassung von De Sanctis (vgl. schon Beloch, GG IV, 1, 218. F. Jacoby, Kommentar zu FGrHist 257 a, F 1–2) haben sich ausgesprochen Roussel, Histoire 351–353. Manni, Demetrio 48. A. R. Deprado, RFIC 81, 1953, 32. Bengtson, GG 386. Will, Histoire 1, 75. 78. Berve, Tyrannis 1, 388.

[5] POxy 2082 = FGrHist 257 a.

[6] J. Traill, Hesperia-Suppl. 14, 1975, 129–132.

[7] IG II² 643, zusammen mit einem weiteren Fragment neu ediert von B. D. Meritt, Hesperia 9, 1940, 80 nr. 113 (SEG 25, 85), datiert auf 299/8 von Kirchner, IG a. O., auf 298/7

selben Tage des Jahres 295/4 verabschiedet worden ist wie die Dekrete IG II² 646 und 647. Eine neue Untersuchung der chronologischen Streitfrage scheint aus diesen Gründen gerechtfertigt und wegen der Bedeutung des Gegenstandes erwünscht.

## 1. Die Rückeroberung Athens durch Demetrios 294

Die beiden grundlegenden Untersuchungen von Ferguson und De Sanctis haben deutlich gemacht, daß wesentliche Veränderungen in Athen sowohl im frühen Frühjahr 295 wie in den Frühlingsmonaten des Jahres 294 stattgefunden haben. Dies ist ein wichtiges, den Arbeiten beider Forscher gemeinsam zu verdankendes Ergebnis. Das zu untersuchende Problem spitzt sich mithin auf die Frage zu, mit welchen dieser Veränderungen der Machtwechsel von Lachares zu Demetrios zu verbinden ist. Anders ausgedrückt: hat Lachares etwa ein Jahr vor seinem Sturz bestimmte Institutionen Athens reformiert, und sind die weiteren Veränderungen, die ein Jahr später erfolgten, solche des Demetrios (so De Sanctis), oder zeigen die Reformen des Jahres 295 die Übernahme der Macht durch Demetrios an, die späteren zusätzliche von ihm (oder im Einvernehmen mit ihm) getroffene Maßnahmen (so Ferguson)?

Betrachten wir zunächst die Vorgänge im Jahre des Nikias, 296/5. Der Archon wird im späteren Teil seines Amtsjahres, am 16. Munychion (etwa April 295), wie folgt angeführt: ἐπὶ Νικίου ἄρχοντος ὑστέϱ[ου].[8] Nach diesem Muster muß ein etwa drei Wochen früher, zwischen dem 22. und 28. Elaphebolion, abgefaßtes Präskript ergänzt werden.[9] Die Ausdrucksweise ist singulär,[10] läßt aber keinen Zweifel daran, daß durch sie der spätere Teil des Jahres vom früheren abgehoben werden soll, sei es, daß Nikias nach einem einschneidenden Ereignis im Amt blieb,[11] sei es, daß einem zunächst amtierenden Nikias mittels eines manipulierten Loses ein gleichnamiger Mann als Archon folgte, was die Ausdrucksweise näherzulegen scheint. Man hätte dann zu dieser Ausflucht gegriffen, wenn man zwar die

---

von Meritt. Mit der jetzt berichteten Datierung verschwindet das einzige Zeugnis für eine Bürgerrechtsverleihung unter Lachares und ebenso das einzige Zeugnis, aus dem hervorzugehen schien, daß es unter ihm die vorher und nachher bezeugte Dokimasie des beschlossenen Bürgerrechts nicht gegeben habe (Osborne, AncSoc 5, 1974, 91).

[8] IG II² 644.

[9] Meritt, Hesperia 11, 1942, 281 nr. 54, wo der Artikel in ἐπὶ Ν̣[ικίου ἄρχοντος τοῦ ὑστέϱου] sehr störend ist, aber anscheinend durch die wegen Zeile 3 feststehende Buchstabenzahl gefordert wird. Ein dritter, ebenfalls äußerst fragmentarischer Beleg ist IG II² 645: [ἐπὶ Νικίου ἄρ]χοντος ὑ[στ]έϱου κτλ.

[10] Dinsmoor, List 30–31.

[11] Dies ist die allgemeine Auffassung der Forschung, vgl. z. B. Dinsmoor, Archons 389.

Person des Archons, aber nicht die Benennung des Jahres wechseln wollte bzw. diese nur für die noch verbleibenden Monate durch den Zusatz ὑστέρου.

Die Vermutung, daß während dieses Jahres wenigstens ein Teil der Beamten abgelöst, der Rest durch eine Neuwahl im Amt bestätigt wurde, wird untermauert durch die Aussage im Ehrendekret für Phaidros, daß dieser im Jahre des Nikias zweimal vom Volke zum Strategen für die Rüstung gewählt wurde.[12]

Es ist ganz offenkundig und daher nie in Zweifel gezogen worden, daß diese Zeugnisse einen Eingriff in die normalen Funktionen der Ämter implizieren, der es erlaubt, von einer Umwälzung zu sprechen. Der Vorgang wird weiterhin bestätigt und zugleich näher datiert dadurch, daß in der bereits zitierten Inschrift vom 16. Munychion, d.h. im zehnten Monat des Jahres, die Akamantis als vierte Prytanie amtierte, und zwar wird der 16. Munychion als siebenter Tag der Prytanie bezeichnet.[13] Die Akamantis als vierte geschäftsführende Phyle hat mithin die Geschäfte am 10. Munychion übernommen. Dies führt auf eine Länge von knapp neun Tagen für die einzelnen Prytanien und auf einen Neubeginn der so verkürzten Geschäftszeiten mit der 1. Prytanie am oder um den 14. Elaphebolion.[14] Der Vorgang bedeutet jedenfalls, daß der bis dahin amtierende Rat aufgelöst und durch einen neugebildeten ersetzt wurde.

Es liegt auf der Hand, daß die verschiedenen Anzeichen, die alle auf etwa März 295 (Elaphebolion) weisen, sachlich und zeitlich zusammengehören. Mitte März ist nun, wie man längst beobachtet hat, die Zeit der Dionysien, und man nimmt gewöhnlich an, daß jene Ereignisse unmittelbar auf die Feier der Dionysien folgten.[15] Wenn aber die neuere Festlegung der Dionysien auf 10.–16. Elaphebolion richtig sein sollte,[16] so würde jene Umwälzung gerade in die Tage fallen, an denen die Dionysien stattzufinden pflegten. Festzuhalten ist, daß um die Mitte des Elaphebolion 295, etwa in den Tagen der Dionysien, ein nachhaltiger Eingriff in die Tätigkeit des Rates erfolgte und daß Neuwahlen zu den höheren Ämtern stattfanden, bei denen Amtsinhaber jedoch auch in ihrer Stellung bestätigt werden konnten, wie

---

[12] IG II² 682, 21–23: καὶ ἐπὶ Νικίου μὲν ἄρχοντος στρατηγὸς ὑπὸ τοῦ δήμου χειροτονηθεὶς ἐπὶ τὴν παρασκευὴν δίς.

[13] IG II² 644: [ἐπὶ] τῆς Ἀκαμ[α]ντίδος τετάρτης π[ρυτανε]ίας ... Μουνιχ[ιῶν]ος ἕκ[τηι ἐπὶ δέ]κ[α], ἑβδόμη[ι τῆς πρ]υτα[νείας].

[14] Dies ist zu Recht die allgemeine Auffassung geworden. Vgl. z.B. Beloch, GG IV 2, 247. Dinsmoor, Archons 389–390 (mit älterer Literatur 390 Anm. 11); List 29–31. Meritt, Year 178–179: «The first day of the first prytany, in the re-established Council, must have fallen on, or very nearly on, Elephebolion 14.»

[15] G. F. Unger, Philologus 39, 1879, 445–446. Dinsmoor, Archons 510, vgl. List 28–29. Meritt, Year 178 Anm. 20; TAPhA 95, 1964, 244. Dem liegt der Ansatz der Dionysien auf 9.–13. Elaphebolion von A. Mommsen, Feste der Stadt Athen, 1898, 428ff., zugrunde, dem auch L. Deubner, Attische Feste, 1932, 142, folgt.

[16] Ferguson, Hesperia 17, 1948, 133–135. Mikalson, Calendar 125. 137. 189–190.

dies im Falle des Strategen Phaidros mit Sicherheit, im Falle des Archons Nikias wahrscheinlich geschah. Es ist diese Umwälzung, die Ferguson mit der Einnahme Athens durch Demetrios Poliorketes in Verbindung gebracht hat.

Wenden wir uns jetzt den für das Jahr des Nikostratos, 295/4, bezeugten Veränderungen des athenischen Staatswesens zu, so werden wir wiederum in den Elaphebolion und in die Zeit der Dionysien geführt. Die drei aus diesem Jahr vorliegenden Dekrete stammen alle, wie Traill gezeigt hat,[17] vom 9. Elaphebolion, der mit dem 25. Tag der 9. Prytanie gleichgesetzt wird. Von IG II² 647 (SEG 25, 87) ist nur das sehr fragmentarische Präskript erhalten, IG II² 643 (SEG 25, 85) ist eine Bürgerrechtsverleihung für zwei Männer namens Aristolas und Sostratos, wie sich aus den mit ihren Namen beschriebenen Kränzen am Ende des Textes ergibt. Die Motivierung und ein Teil des eigentlichen Beschlusses sind verloren, so daß sich nicht sagen läßt, für welche Verdienste die beiden Männer geehrt wurden. Es ist noch nicht bemerkt worden, aber sehr wahrscheinlich, daß es sich bei ihnen um Rhodier handelt.[18] Am aufschlußreichsten von den drei gleichzeitigen Texten ist IG II² 646 (SEG 25, 86), ein Ehrendekret für einen gewissen Herodoros aus Kyzikos oder Lampsakos,[19] der früher in der Umgebung des Königs Antigonos gewesen war und jetzt im Dienste des Königs Demetrios steht. Er erhält Belobigung, einen goldenen Kranz, der an den städtischen Dionysien proklamiert werden soll, das athenische Bürgerrecht, darüber hinaus aber auch eine Bronzestatue auf der Agora und das Recht auf Speisung im Prytaneion.

Aus dem Rahmen derartiger Dekrete fällt schon die Zuerkennung der Bronzestatue als eine ungewöhnlich hohe Ehrung,[20] aber die Bewilligung der Sitesis rangiert noch höher und ist, auch für königliche Funktionäre, extrem selten, wenn nicht singulär.[21] Die Verdienste, die Herodoros sich um Athen erworben hat, müssen in den Augen des Antragstellers Gorgos und der beschließenden Versammlung

---

[17] Oben Anm. 6.

[18] Die Stele mit dem Beschluß soll auf der Akropolis aufgestellt werden παρὰ τὴν ἑτέραν στήλη[ν, ἐν ἧι οἱ πρ]ότερον τὴν πολιτείαν λα[βόντες τῶν …]ίων ἀναγεγραμμένοι [εἰσίν], d. h. zweifellos Landsleute der Geehrten. Von den nach einer Musterung von H. Pope, Foreigners in Attic Inscriptions, 1947, 1–8, in Betracht kommenden Ethnika scheiden diejenigen von Thasos (69 Belege) und von Delos (74 Belege) aus, da die Zeugnisse entweder wesentlich älter oder aber später als 167 sind. Nach der Zahl der Erwähnungen folgen dann Rhodos und Tenos (je 29) sowie Samos und Tyros (je 8). Nur Rhodos weist eine größere Zahl von Belegen aus dem 3. und 2. Jahrhundert v. Chr. auf, nämlich mindestens zehn. Die Namen Aristolas (in Tenos, Samos und Tyros wäre vielmehr Aristolaos zu erwarten) und Sostratos sind beide in Rhodos so häufig, daß auf die Anführung von Nachweisen verzichtet werden kann. Ich ergänze daher λα[βόντες τῶν Ῥοδ]ίων. Zu Sostratos vgl. Anm. 28.

[19] Zu den Zeilen 55–56 vgl. Meritt, Hesperia 37, 1968, 269.

[20] Siehe St. Dow, HSCP 67, 1963, 81–85, besonders 83.

[21] Dow a. O. 82–83. 85. 86.

ganz ungewöhnliches Gewicht gehabt haben. Nachdem im Text des Dekrets gesagt ist, daß Herodoros, als enger Vertrauter des Königs,[22] sein Möglichstes im Interesse der Stadt und zum Nutzen einzelner Athener getan habe, lauten die entscheidenden Worte: [ἀπο]φαίνουσιν δ'αὐτὸν καὶ [οἱ πρέσβεις οἱ] πεμφθέντες ὑπὲρ τῆς ε[ἰρήνης πρὸς τὸ]ν βασιλέα Δημήτριον σ[υναγωνίσασθα]ι τῶι δήμωι εἰς τὸ συντ[ελεσθῆναι τήν] τε φιλίαν τὴν πρὸς τὸν [βασιλέα Δημήτρ]ιον καὶ ὅπως ἂν ὁ δῆμο[ς ἀπαλλαγεὶς το]ῦ πολέμου τὴν ταχίστ[ην καὶ κομισάμε]νος τὸ ἄστυ δημοκρατ[ίαν διατελῆι ἔξ]ων.

Vom König Demetrios zurückkehrende Gesandte haben hiernach bezeugt, daß Herodoros sich für die Wünsche des Volkes eingesetzt habe: Frieden[23] und Freundschaft mit dem König herzustellen sowie die Integrität der Stadt[24] und die Fortdauer der Demokratie zu sichern. Der Kontext läßt keinen Zweifel daran, daß die berichterstattende athenische Gesandtschaft soeben erst zurückgekehrt ist, allenfalls mehrere Tage, sicherlich nicht einige Wochen vor der Ekklesie am 9. Elaphebolion. Und die feierliche Proklamation dieser Ehren, die an den Dionysien erfolgen soll, steht unmittelbar bevor und ist dem Beschluß vielleicht schon am Tage darauf, jedenfalls binnen einer Woche, gefolgt. Die Tatsache der Ehrung des Herodoros, die Außerordentlichkeit der ihm zuerkannten Ehren und der gesamte Tenor des Beschlusses sind nur unter der Voraussetzung denkbar, daß die Athener bereits wissen, daß der König zum Frieden bereit ist. Da der Beschluß auf den Bericht der Gesandten hin gefaßt wurde, die wegen eines Friedensschlusses zum König geschickt worden waren und die gerade von ihm zurückgekehrt sind, so ergibt sich ohne die Möglichkeit eines Zweifels, daß Demetrios den Frieden ebendamals, sei es in den letzten Tagen des Anthesterion, sei es in den ersten Tagen des Elaphebolion, gewährt hat.

---

[22] Dies ergibt sich auch aus dem Fehlen der üblichen restriktiven Klausel hinsichtlich seiner Aufnahme in eine Phratrie. Es gibt im frühen 3. Jahrhundert nur drei weitere Fälle dieser Art: in den Bürgerrechtsverleihungen für einen Unbekannten, für König Audoleon und für Philokles, den König von Sidon und höchsten Funktionär des Ptolemaios I. und des Ptolemaios II. in der Ägäis. Dies hat Osborne beobachtet, AncSoc 7, 1976, 113 Anm. 23. Herodoros muß danach in der Hierarchie der Helfer des Königs Demetrios sehr weit oben gestanden haben.

[23] Die Gesandten waren ausgeschickt worden, über den Frieden zu verhandeln, und mit der Gewährung des Friedens wurde die Stadt [ἀπαλλαγεὶς το]ῦ πολέμου.

[24] Dies sagen die Worte ὅπως ἂν ὁ δῆμος ... [κομισάμε]νος τὸ ἄστυ. Der König hat dies bekanntlich nur mit der empfindlichen Einschränkung zugestanden, daß das Museion eine makedonische Garnison aufnahm. Im übrigen ist der Demos zur Zeit der Abfassung des Dekrets im Besitz der Stadt einschließlich der Akropolis (Zeile 55) und der Agora (Zeile 38). Daß Herodoros geehrt wird wegen seiner den athenischen Wünschen entsprechenden Bemühungen beim König, nicht notwendig wegen allseitigen Erfolgs dieser Bemühungen, hat W. Kolbe, AM 30, 1905, 85, richtig hervorgehoben.

Es kann dann nicht zweifelhaft sein, daß die Gesandten ebendie sind, deren Absendung Plutarch (Demetrios 34) erwähnt. Der Zusammenhang ist folgender: [25] Demetrios fällt nach Attika ein, erobert Eleusis und Rhamnus und verwüstet das Fruchtland. Er kreuzigt einen Kaufmann und den Steuermann des Schiffes, das Getreide nach Athen bringen sollte. In der Stadt wird die Todesstrafe für jeden beschlossen, der von der Möglichkeit eines Friedens mit Demetrios reden sollte. Aber der Hunger und der Mangel an allen Vorräten führen zu Schreckensszenen wie zu dem Kampf zwischen Vater und Sohn um eine tote Maus. Epikur zählt täglich die Bohnen ab, die er sich und den Seinen zumißt. Noch einmal regt sich Hoffnung, als bei Aigina 150 Schiffe des Ptolemaios erscheinen, aber eine überlegene, doppelt so starke Flotte des Demetrios zwingt sie zur Umkehr. Jetzt gibt die Stadt sich verloren, der Tyrann Lachares flieht, die Athener öffnen den Belagerern die Tore und senden sofort Gesandte zu Demetrios, die über den Frieden verhandeln sollen, εὐθὺς ἀνεῴγνυσαν τὰς ἐγγὺς πύλας καὶ πρέσβεις ἔπεμπον. [26]

Plutarch beschreibt sodann den Einzug des Demetrios in die Stadt, seinen Befehl an das Volk, sich im Theater zu versammeln, sowie den Verlauf dieser Versammlung. Der König ist wider Erwarten milde, er stellt eine große Menge Getreide bereit, er gewährt Frieden und ernennt populäre Männer zu den Ämtern. Zum Dank wird ihm durch das Psephisma des Dromokleides der Piräus mit der Munychia übertragen. Demetrios legt zusätzlich eine Garnison in das Museion. [27]

Die im Beschluß für Herodoros vorausgesetzte Situation entspricht den von Plutarch geschilderten Vorgängen so genau, daß man versucht ist, die von Demetrios angeordnete Volksversammlung im Theater als die Versammlung des 9. Elaphebolion anzusehen, in der die Dekrete für Herodoros und für die Rhodier Aristolas und Sostratos verabschiedet wurden. [28] Diese Beschlüsse können schwerlich früher sein, da zwischen der die Gesandtschaft zum König einsetzenden Versammlung und der von Demetrios angeordneten offensichtlich nur wenige Tage vergangen sind, da

---

[25] Einzelheiten in den beiden Kapiteln 33 und 34 der Demetriosvita Plutarchs, nicht alle in chronologischer Folge. Ergänzende Zeugnisse bedürfen der Anführung nicht.

[26] Der Auftrag der Gesandten ist nach den Umständen klar, ergibt sich aber auch aus dem Anfang des Satzes: «Die Athener, obwohl sie die Todesstrafe festgesetzt hatten, falls einer von Frieden und Versöhnung mit Demetrios sprechen sollte, öffneten sofort die nahen Tore und schickten Gesandte.»

[27] Plutarch, Demetrios 34.

[28] Es spricht daher viel dafür, in Sostratos und Aristolas ebenfalls Funktionäre des Königs zu sehen. Daß Rhodier auch nach dem erbitterten Kampf um Rhodos von 305/4 in den Diensten des Königs stehen konnten, versteht sich von selbst, um so leichter nach der Aussöhnung von 304. Sostratos könnte identisch sein mit dem in Ephesos zwischen 306 und 295 geehrten [Σ]ώστρατος Στε[...], der von König Demetrios als Kommandeur von Samos eingesetzt worden war (JÖAI 16, 1913, 236 nr. 3 B; vgl. Habicht, AM 72, 1957, 156 Anm. 12).

ferner die Athener bei der Abfassung des Beschlusses für Herodoros des Friedens bereits sicher sind, aber offensichtlich nicht der Integrität der Stadt. Und der Beschluß für Herodoros spiegelt die gleiche erleichterte Stimmung, nach Hungersnot und Furcht vor Strafe, wie das Psephisma des Dromokleides und der Bericht Plutarchs. Es ist danach sicher, daß das Psephisma des Dromokleides fast gleichzeitig ist mit den Beschlüssen für Herodoros, für die Rhodier Aristolas und Sostratos und mit dem Fragment IG II² 647. Vom selben Tage kann es jedoch nicht sein, da Dromokleides in einer vom König berufenen Versammlung auftrat, die anderen Beschlüsse aus einer ordentlichen Versammlung (ἐκκλησία κυρία) stammen. Sie sind mithin einige Tage jünger. Die über Herodoros und seine Bemühungen beim König Bericht erstattenden athenischen Gesandten sind offensichtlich beim Einzug des Königs in die Stadt in dessen Begleitung gewesen.

Wenn die vorstehenden Ausführungen richtig sind, so ist Demetrios zu Beginn des Elaphebolion 294, etwa Anfang April des Schaltjahres 295/4, in Athen eingezogen. Es erscheint schlechterdings unmöglich, seinen Einzug in den Elaphebolion 295 zu datieren und das Dekret für Herodoros erst ein Jahr nach den Ereignissen, die ihm zugrunde liegen, anzusetzen.[29] Da Demetrios, ehe er die Stadt betrat, vor ihren Mauern stand und sogleich nach dem Einzug Frieden gewährte, kann unmöglich ein volles Jahr verstrichen sein, ehe die wegen des Friedens ausgeschickten Gesandten dem Volk über die Verdienste des Herodoros am Zustandekommen des Friedens berichteten.

Es ergibt sich mithin, daß De Sanctis in der Hauptsache gegen Ferguson Recht behält: Athen ist nicht im März 295, sondern Anfang April 294 wieder in die Hand des Demetrios gefallen. Und er behält auch darin Recht, daß der Archon der Jahre 294/3 und 293/2, Olympiodor, vom König kurz nach seinem Einzug bestellt worden ist, wie denn Plutarch ausdrücklich sagt: κατέστησεν ἀρχάς, αἳ μάλιστα τῷ δήμῳ προσφιλεῖς ἦσαν (unten Kapitel II). Im chronologischen System Fergusons ist nicht nur das Intervall von 15–16 Monaten zwischen dem Einzug des Königs und dem Amtsantritt Olympiodors unverständlich, sondern auch der eben zitierte Satz Plutarchs. Tatsächlich gehörte die Ernennung Olympiodors, des ohne Zweifel populärsten Atheners jener Tage, zu den ersten Handlungen des Königs im Elaphebolion 294, und sie wies die Richtung für die Zukunft, auch wenn der amtierende Archon Nikostratos für die letzten Monate seines Jahres im Amt blieb. Auch die Beseitigung der erst nach der Schlacht von Ipsos geschaffenen Finanzbehörde des ἐξεταστής und der τριττύαρχοι dürfte damals ausgesprochen und mit dem Beginn

---

[29] So aber Osborne, AncSoc 5, 1974, 92, dessen Ausführungen jedoch gerade die Schwächen seiner Ansicht sehr deutlich werden lassen. Das Richtige knapp bei Will, Histoire 1, 78.

des Jahres 294/3 wirksam geworden sein,[30] desgleichen das Wiederaufleben des aus den Jahren 321/0 bis 319/8 bekannten ἀναγραφεύς an der Stelle des Ratsschreibers.[31]

## 2. Der Staatsstreich des Lachares 295

Nachdem sich ergeben hat, daß Demetrios Poliorketes Athen im Elaphebolion 294 zurückgewonnen hat, stellt sich die Frage, was dann die etwas mehr als dreizehn Monate früheren Umwälzungen im Elaphebolion 295 zu bedeuten haben, die Ferguson so gewissenhaft beschrieben hat. Von selbst ergibt sich, daß sie in die Zeit der Herrschaft des Lachares gehören müssen und mithin von ihm vorgenommen worden sind. Von den für Lachares bekannten Zeugnissen[32] sind es nicht mehr als drei, die vermutungsweise mit diesen Vorgängen in Verbindung gebracht werden können und die vielleicht auch miteinander zusammenhängen. Das erste ist die Notiz des Pausanias über einen Anschlag auf Lachares, das zweite Plutarchs Nachricht von einer Stasis in Athen und vom Einfall des Demetrios Poliorketes in Attika, das dritte die Angabe Polyäns, daß zu dieser Zeit der Piräus nicht in Lachares' Hand war, sondern von ihm feindlichen Kräften kontrolliert wurde.

---

[30] Diese Behörde begegnet zuerst am 21. Metageitnion (ca. August), in der zweiten Prytanie des Jahres 299/8 (IG II² 641, 30–32), zuletzt in zwei der drei am 9. Elaphebolion 294 beschlossenen Dekrete und wahrscheinlich im verlorenen Teil des dritten (IG II² 646, 44–45, daneben steht in Zeile 56 der ὁ ἐπὶ τῆι διοικήσει. 643 = Hesperia 9, 1940, 80 nr. 13, 22. 645), dagegen nicht mehr in der 10. Prytanie des Jahres 293/2 (IG II² 649 = Dinsmoor, Archons 7); für 294/3 fehlen Dekrete. Nicht näher datiert innerhalb der Jahre 300/299–295/4 sind vier das Doppelamt nennende Zeugnisse: IG II² 648, 6. Hesperia 11, 1942, 278 nr. 53, 13–14; 13, 1944, 242 nr. 7, 21–22 (SEG 24, 119), und vielleicht, wenn Pečírkas Lesung richtig ist, IG II² 722, 11 (SEG 24, 120). Ganz zweifelhaft ist dagegen die Ergänzung dieser Behörde in dem Fragment Hesperia 29, 1960, 7 nr. 9, 9 (SEG 19, 72). Der von der Garnison in Sunion geehrte ἐξεταστής Kephisodotos ist wahrscheinlich anderer Art gewesen, und die Ehrung selbst gehört eher ins Jahr des [Peithi]demos, d. h. an den Beginn des Chremonideischen Krieges, als in das des [Mnesi]demos, 298/7: IG II² 1270 = Moretti, Iscrizioni 11 mit Kommentar.

[31] Dazu unten Kapitel II mit Anm. 39.

[32] Zu diesen rechne ich nicht den von A. Perosa, SIFC 1935, 95 ff., veröffentlichten Florentiner Papyrus, den De Sanctis, RFIC 64, 1936, 134 ff. 272–273, ausführlich behandelt hat. Er sieht in ihm einen Auszug aus einem historischen Werk, vielleicht des Demochares oder des Diyllos, und konkret eine dem Olympiodor während des Kampfes der Demokraten im Piräus gegen Lachares in den Mund gelegte Rede. Ihm folgt in der Hauptsache Deprado, RFIC 82, 1954, 299. Demgegenüber hat P. Roussel klargestellt (Mélanges Desrousseaux, 1937, 429–434), daß nichts hiervon als sicher oder auch nur als wahrscheinlich gelten kann, daß nicht einmal klar ist, ob der an konkreten Details arme Text sich auf Athen bezieht (Roussel schließt andere Schauplätze, z. B. Sizilien, nicht aus). Auch Berve, Tyrannis 2, 708, nennt den Papyrus für die Geschichte des Lachares ‹bedeutungslos›. Diesen Urteilen ist nichts hinzuzufügen.

Pausanias 1, 29, 10 spricht in der Aufzählung der Staatsgräber auf dem Kerameikos davon, daß Eubulos, der Staatsmann des 4. Jahrhunderts, dort begraben sei und andere Männer, die ungeachtet ihrer Vortrefflichkeit Unglück hatten, nämlich »diejenigen, die den Tyrannen Lachares angriffen, und diejenigen, die die Eroberung des von den Makedonen bewachten Piräus planten, vor der Vollendung ihrer Tat aber, von den Mitwissern verraten, den Tod fanden«.[33] Diese letzteren sind die mehr als 400 Athener, die etwa 286 beim Überfall auf den Piräus gefallen sind.[34] Wen Pausanias mit denen meint, die Lachares angriffen, ist dagegen nicht klar, auch nicht, ob es sich um ein Attentat oder um einen Aufstand handelte, der von Lachares niedergeschlagen wurde. Der Wortlaut scheint eher einen Anschlag auf das Leben des Tyrannen zu meinen. Er läßt sich wohl kaum ungezwungen auf die Auseinandersetzungen der Strategen zurückführen, in deren Verlauf Lachares als Führer des Söldnerkorps seine Widersacher, den Hoplitenstrategen Charias, ferner Ameinias und andere, auf der Akropolis zur Kapitulation zwang und dann durch ein kollektives Verfahren zum Tode verurteilen und hinrichten ließ.[35] Ein Attentat auf den Tyrannen ist am ehesten, ein Aufstand gegen ihn auch noch mit dem Text vereinbar. Ein Attentat war jederzeit möglich, ein Aufstand dagegen bot am ehesten Aussichten auf Erfolg in einer Zeit, in der Lachares seiner Stütze, des Königs Kassander, beraubt war, d. h. nach dessen Tode, und in einer Zeit, in der die Gegner des Tyrannen sich Hoffnungen auf Unterstützung von außen machen konnten, sei es durch Demetrios nach dessen Landung in Attika, sei es Hoffnung auf Unterstützung aus dem Piräus.

Von der Landung des Demetrios spricht Plutarch, Demetrios 33. Nach seinen Worten war es eben die Kunde, daß Lachares sich im Kampf gegen aufständische Athener zum Tyrannen aufgeschwungen habe, der ihn zum Angriff auf Athen bestimmte, denn er hoffte, unter diesen Umständen die Stadt bei seinem Erscheinen leicht zu nehmen.[36] Indessen verlor er den größten Teil seiner Flotte vor der attischen Küste und blieb der Krieg gegen Lachares, den er begann, zunächst ohne Erfolg. Demetrios sandte nun Leute aus, eine neue Flotte zusammenzubringen, u. a. nach Zypern, und wandte sich gegen Messene. Dort wurde er schwer verwundet,

---

[33] Pausanias a. O.: καὶ ἄνδρες, οἷς ἀγαθοῖς οὖσιν οὐκ ἐπηκολούθησε τύχη χρηστή, τοῖς μὲν ἐπιθεμένοις τυραννοῦντι Λαχάρει, οἱ δὲ τοῦ Πειραιῶς κατάληψιν ἐβούλευσαν κτλ.

[34] Polyän 5, 17, 1. Dazu unten Kapitel VIII mit Anm. 16–20.

[35] POxy 2082 = FGrHist 257a, F 1–2, vor dem Tode Kassanders, d. h. spätestens im Frühjahr 297 (s. Anm. 46). Dazu vor allem Ferguson, CPh 24, 1929, 1ff. Jacoby im Kommentar zu den Fragmenten. De Sanctis, RFIC 64, 1936, 140. Die Lesung [μιᾶι] ψήφωι in F 2, die De Sanctis vorgeschlagen hat zur Bezeichnung des summarischen Verfahrens, muß gegenüber dem nichtssagenden [τῆι] ψήφωι richtig sein.

[36] Plutarch, Demetrios 33: Δημήτριος ... δὲ πυθόμενος Λαχάρη στασιάζουσιν Ἀθηναίοις ἐπιθέμενον τυραννεῖν ἤλπιζε ῥᾳδίως ἐπιφανεὶς λήψεσθαι τὴν πόλιν.

führte aber nach seiner Genesung den Krieg weiter und gewann einige abgefallene Städte zurück. Endlich wandte er sich erneut nach Attika; er nahm Eleusis, Rhamnus, auch Aigina,[37] verwüstete das Land, schloß Athen völlig ein und unterband auch alle Zufuhren.

Es ist deutlich gesagt, daß der König zweimal in Attika erschienen ist, beidemal mit der Absicht, die Stadt in seine Hand zu bringen. Sie fiel endlich, nach harter und offenbar langwieriger Belagerung, aus Mangel an Lebensmitteln, Anfang April 294. Die erste Landung in Attika muß, mit Rücksicht auf die dazwischenliegenden Ereignisse, wesentlich früher sein.[38]

Polyän endlich, der dritte Zeuge, steuert die wichtige Information bei, daß der Piräus zur Zeit der zweiten Invasion des Demetrios sich unter der Kontrolle von dem Lachares feindlichen, d.h. demokratischen Kräften befand, auf deren Unterstützung der König rechnete und die er auch erhielt.[39] Zwar scheinen die Worte Plutarchs es auf den ersten Blick nahezulegen, daß die Sezession des Piräus erst kurz vor Demetrios' erstem Angriff auf Attika erfolgte, aber Plutarch spricht tatsächlich nicht vom Piräus, sondern von einer Stasis in der Stadt, in deren Verlauf Lachares, der bis dahin als Vorsteher des Demos galt,[40] sich zum Tyrannen aufwarf. Die Sezession des Piräus ist davon unabhängig. Sie ist wesentlich früher erfolgt, bald nach der Hinrichtung des Charias und seiner Parteigänger und noch vor dem Tode Kassanders.[41] Es gibt übrigens nicht das geringste Anzeichen dafür, daß Olympiodoros an dieser Sezession beteiligt war, die führende Rolle gespielt hat oder damals überhaupt im Piräus gewesen ist, was alles nach dem Vorgang von De Sanctis manchmal angenommen wird.[42]

Die absolute Chronologie aller dieser Ereignisse ist, wie man leicht sieht, von ihrem Schlußpunkt, der Kapitulation Athens im Elaphebolion 294, abhängig. Geht

---

[37] Dies bei Polyän 4, 7, 5.

[38] Vgl. Beloch, GG IV 1, 215–216.

[39] Polyän 4, 7, 5: Δημήτριος Αἴγιναν καὶ Σαλαμῖνα λαβὼν ἐν τῇ Ἀττικῇ στρατοπεδεύων ἔπεμψε πρὸς τοὺς ἐν Πειραιεῖ, αἰτῶν ὅπλα χιλίοις ἀνδράσιν, ὡς ἥκον σύμμαχοι αὖθις κατὰ τοῦ τυράννου Λαχάρους. οἱ μὲν πιστεύσαντες ἔπεμψαν. ὁ δὲ λαβὼν καὶ ὁπλισάμενος αὐτοὺς ἐπολιόρκησε τοὺς πέμψαντας.

[40] Pausanias 1, 25, 7: προεστηκότα ἐς ἐκεῖνο τοῦ δήμου. Beloch, GG IV 1, 215 Anm. 3.

[41] FGrHist 257a, F 2–4.

[42] De Sanctis, RFIC 64, 1936, 140. 144. 147, hat die Nachricht des Pausanias 1, 26, 3 über Olympiodor und den Piräus fälschlich hierhergezogen. Schon Ferguson, CPh 24, 1929, 4 Anm. 1, hatte dies als eine Möglichkeit erwogen. Damit rechnet wie mit einer Tatsache Manni, Demetrio 48. Demgegenüber ist an anderer Stelle zu zeigen, wie die Nachricht des Pausanias wirklich zu verstehen und zu datieren ist (Kapitel VIII, Abschnitt 3). Mit diesem Nachweis verschwindet jeder Anhaltspunkt für eine Aktivität Olympiodors im Piräus zur Zeit des Lachares. Richtig stellt Deprado fest, daß von Olympiodor in den Jahren zwischen 301 und 294 nicht das mindeste bekannt ist (RFIC 82, 1954, 295).

man von dort aus Schritt um Schritt zurück, so lassen sich die wesentlichen Vorgänge etwa wie folgt festlegen: Beginn der Belagerung Athens: Winter 295/4. Voraus geht der Feldzug des Königs auf der Peloponnes und gegen Messene: Sommer 295. Voraus geht die erste Landung in Attika: Frühjahr oder Frühsommer 295. Voraus geht die Stasis in Athen, die Lachares siegreich und an ihrem Ende als Tyrannen sieht: Winter 296/5.

Es ist dann nicht länger zweifelhaft, daß die im Elaphebolion 295 zu beobachtende Umwälzung, die in der Auflösung des Rates, dem Zusammentritt eines neuen Rates und in Neuwahlen der Oberbeamten bestand, mit der Stasis zusammengehört und die Folge dieser Auseinandersetzungen war, die Konsequenz, die der Sieger Lachares aus ihr zog. Das ist schon oft richtig erkannt worden.[43]

Es kann dabei offenbleiben, ob Pausanias' Worte über das unglückliche Geschick der ἐπιθέμενοι τυραννοῦντι Λαχάρει ebenfalls hierauf zu beziehen sind oder nicht. Wichtiger ist die Frage, ob Demetrios' Entschluß zum Einfall nach Attika von diesen Vorgängen bestimmt wurde, wie Plutarch sagt, oder ob, was an sich denkbar ist, die Erhebung gegen Lachares unternommen wurde, als Demetrios bereits in Attika stand, in der Hoffnung mithin, mit seiner Hilfe Lachares zu stürzen. Da es sichere Kriterien nicht gibt, die diesen letzten Gedanken zu bejahen erlauben, wird es methodisch geboten sein, an Plutarchs ausdrücklicher Angabe festzuhalten, um so eher, als Plutarch hier durchaus auf Hieronymos von Kardia zurückgehen könnte, der damals ein enger Vertrauter des Demetrios gewesen ist.[44] Und die Tatsache, daß der neue Rat wenige Tage vor den Dionysien, d.h. im März des Jahres 295, seine Funktionen aufnahm, spricht ebenfalls für Plutarch, denn anderenfalls müßte Demetrios im Februar oder früher, d.h. mitten im Winter, die Schiffsfahrt nach Attika unternommen haben, was auch dann sehr unwahrscheinlich ist, wenn man berücksichtigt, daß nach der Überfahrt seine Flotte vor der Küste in einen schweren Sturm geriet.

Es dürfte mithin nicht die Ankunft des Demetrios gewesen sein, die die Athener in der Stadt zum Aufstand gegen Lachares ermutigt hat, sondern eher die schon seit einiger Zeit bestehende demokratische Widerstandszelle im Piräus. Das in diese

---

[43] Zuerst von Wilamowitz, Antigonos 238, ferner von De Sanctis, Studi di storia antica 2, 1893, 45. Beloch, GG IV 1, 215. IV 2, 247. De Sanctis, RFIC 64, 1936, 253. Es verdient Beachtung, daß der Zyklus der Ratsschreiber von der Neubildung des Rats nicht oder nicht sichtbar betroffen wurde: 299/8 stellt die 7., 296/5 die 10. und 295/4 die 11. Phyle den Grammateus.

[44] Ich verdanke diesen Hinweis einer freundlichen mündlichen Mitteilung von R. M. Errington, der zugleich daran erinnert, daß Demetrios nur wenig später, im Jahre 292, Hieronymos zum Epimeleten und Harmosten von Böotien eingesetzt hat (Plutarch, Demetrios 39. Beloch, GG IV 1, 224–225 mit 224 Anm. 1). Auch Jacoby, im Kommentar zu FGrHist 257a, F 1–2, setzt hier Hieronymos als Quelle voraus.

Zeit (s. unten) fallende notorische Sakrileg des Lachares, die Beraubung der Tempel, mag das Ihrige zum Aufruhr beigetragen haben. Lachares setzte sich in der Stadt gegen seine Gegner durch. Diese Vorgänge waren für Demetrios das Signal zum Aufbruch nach Attika. Er muß davon gewußt haben, daß der Piräus dem Tyrannen feindlich gegenüberstand. Tatsächlich erhielt er, als er nach der Einnahme von Rhamnus, Aigina und Eleusis Ernst machte mit der Belagerung Athens, die Unterstützung der dortigen Demokraten. Er lohnte ihnen ihre Dienste schlecht, indem er zunächst den Piräus belagerte. Er hat die Kontrolle über den Hafen jedenfalls gewonnen, ehe Lachares aus Athen floh und die Stadt dem König preisgab.[45]

Unter Verwendung der ersten vier Fragmente des Papyrus von Oxyrhynchos stellt sich die relative Abfolge der wesentlichen Begebenheiten mithin wie folgt dar: Lachares Befehlshaber des athenischen Söldnerkorps, sein Konflikt mit dem Hoplitenstrategen Charias (F 1 des Papyrus), dessen Überwindung und Hinrichtung, Sezession des Piräus (F 2), Belagerung des Piräus durch Lachares, Mai 297 oder etwas später[46] Tod des Königs Kassander, wenige Monate später Tod seines Sohnes Philipp (F 3), weitere Kämpfe zwischen den Demokraten im Piräus und Lachares, Lachares läßt das Gold vom Kultbild der Athena einschmelzen, um seine Söldner entlohnen zu können, Olympiade im Sommer 296 (F 4), im folgenden Winter Aufruhr gegen Lachares in der Stadt, Demetrios entschließt sich zum Angriff auf Attika (Plutarch, Demetrios 33), Lachares setzt sich in Athen durch, Auflösung des Rates, Bildung eines neuen Rates sowie Neuwahlen der höheren Beamten Mitte Elaphebolion 295 (oben Abschnitt 1), Landung des Demetrios in Attika, vergeblicher Angriff auf Athen, im Herbst oder Winter Beginn der Belagerung Athens, Einnahme des Piräus, Anfang April 294 Kapitulation der Stadt, Psephisma der Athener: ein (zusätzlicher?) Tag der unmittelbar bevorstehenden Dionysien soll ‹Demetrien›, der Monat Munychion künftig ‹Demetrion›, ein Tag des Jahres ‹Demetrias› heißen.[47] Demetrios legt eine Garnison in das Museion.[48]

Es ist noch zu bemerken, daß Plutarch den Beginn der eigentlichen ‹Tyrannis› des Lachares erst in den Vorgängen vom März 295, im Anschluß an den Aufstand in

---

[45] Dies ergibt sich aus Pausanias 1, 25,7 und aus Plutarch, Demetrios 34, wonach nach der Einnahme der Stadt nur das Museion eine Garnison erhielt. Es wird auch durch Polyän 4, 7,5 nahegelegt. Ebenso urteilen Wilamowitz, Antigonos 240, und Berve, Tyrannis 1, 388. 2, 708. Vgl. auch Kolbe, AM 30, 1905, 86 Anm. 1.

[46] Im Schaltmonat, dem zweiten Monat Artemision des Jahres 298/7. Zur absoluten Datierung De Sanctis, RFIC 64, 1936, 140. Jacoby zu FGrHist 257a, F3. Deprado, RFIC 82, 1954, 297 mit Anm. 2. M. Fortina, Cassandro re di Macedonia 1965, 115.

[47] Alle Zeugnisse und ausführliche Erörterung bei Habicht, Gottmenschentum 50−55. 255.

[48] Von Belochs Rekonstruktion der Vorgänge (GG IV 1, 215) weicht die vorliegende nicht unerheblich ab. Beloch ordnet die Ereignisse wie folgt: Tyrannis des Lachares, Bürgerkrieg in Athen, Sezession des Piräus. Die umgekehrte Reihenfolge ist offenkundig richtig.

der Stadt, gesehen hat.[49] Dagegen hat Jacoby eingewandt, daß Lachares schon seit der Überwindung des Charias «im unbeschränkten besitz der Akropolis, also ‹tyrann›» war.[50] Aber das Verfahren gegen Charias und seine Anhänger ist von der Volksversammlung geführt und durch das Psephisma des Apollodoros beendet worden, d.h. damals galt Lachares, auch wenn er tatsächlich die Schlüssel der Macht in Händen hielt, nicht als Tyrann, sondern noch als Vorsteher des Demos, προεστηκότα ἐς ἐκεῖνο τοῦ δήμου.[51] Die Maske fiel erst, als er den Rat und einen Teil der höheren Beamten davonjagte.

## 3. Einige Urkunden der Jahre 301/0–295/4

Nachdem geklärt ist, daß Lachares den Rat im März 295 aufgelöst hat und daß er im April 294 gestürzt wurde, ist es vielleicht möglich, einige Urkunden dieser Zeit präziser zu datieren und genauer auszuwerten, als es bisher geschehen ist.

IG II² 648, im Corpus «c. a. 295/4» datiert, ist ein fragmentarischer Beschluß für einen Unbekannten. Das Präskript fehlt ganz. Verliehen wird das athenische Bürgerrecht sowie eine Bronzestatue im Theater. Die erforderliche Summe soll vom Exetastes und den Trittyarchen angewiesen, für die Anfertigung der Statue eine dreiköpfige Kommission aus allen Athenern gewählt werden. Der Beschluß soll auf zwei Stelen aufgezeichnet, und diese sollen im Dionyseion bzw. auf der Akropolis aufgestellt werden. Die Kosten hierfür soll der ὁ ἐπὶ τῆι διοικήσει aus dem Verfügungsfonds des Volkes anweisen.

Da die Behörde des Exetastes und der Trittyarchen noch besteht wie am 9. Elaphebolion 295/4, kann das Dekret nicht später sein als das Ende dieses Jahres.[52] Es kann andererseits, da wie in IG II² 646 vom 9. Elaphebolion 295/4 der ὁ ἐπὶ τῆι διοικήσει bereits wieder eingesetzt ist, nicht früher sein als die Wiederaufrichtung der Königsherrschaft des Demetrios an ebendiesem Tage, denn dieses Amt begegnet nur zu Zeiten der makedonischen Vorherrschaft über die Stadt, von 307 bis 301, erneut von 295/4 bis 288/7, endlich von 262 bis 229.[53] Mithin gehört der Beschluß in die letzten dreieinhalb Monate des Jahres 295/4 und ist somit nur wenig später als der Einzug des Königs Demetrios in die Stadt. Dazu stimmt die Anordnung über die Wahl der Kommission.[54]

---

[49] Plutarch, Demetrios 33.
[50] Kommentar zu FGrHist 257 a, F 1–2.
[51] Pausanias 1, 25, 7. Dazu Ed. Meyer, Klio 5, 1905, 183 Anm. 1.
[52] Oben Anm. 30.
[53] Kapitel V mit den Anm. 11–13.
[54] Unten Kapitel II, Anm. 48.

Es ist nun von mehr als beiläufigem Interesse, daß die Statue des Geehrten im Theater aufgestellt werden soll und daß eine Kopie des Beschlusses für das Heiligtum des Dionysos bestimmt wird. Statuen im Theater sind in hellenistischer Zeit nur für die beiden athenischen Komödiendichter Menander[55] und Philippides[56] bezeugt sowie für den aus Chios stammenden, auch von den Aitolern geehrten Phanes, der ebenfalls Komödiendichter gewesen ist.[57] Der Unbekannte ist mithin, wie auch aus den Worten des Pausanias geschlossen werden kann,[58] ein Dramatiker gewesen, was zu dieser Zeit mit der größten Wahrscheinlichkeit auf einen Dichter der Komödie führt. Es ist sonderbar, daß dies offenbar nur Dow, HSCP 67, 1963, 85, bemerkt hat.

Jetzt gewinnt auch die Zeit der Ehrung, innerhalb der letzten Monate des Jahres, frühestens zur Zeit der Dionysien, ein neues Licht. Es dürfte sicher sein, daß der unbekannte Komödiendichter im Anschluß an die Dionysien und auf Grund eines bei dem Fest aufgeführten und wahrscheinlich mit dem Preis bedachten Stückes geehrt worden ist. In diesem Jahr aber waren die Dionysien zum ersten Male mit den gerade beschlossenen Demetrien zu Ehren des Königs Demetrios verbunden. Der Dichter kann sehr wohl des besonderen Anlasses und der kürzlichen Befreiung der Stadt vom Tyrannen mit einigen Zeilen gedacht haben, was unter den gegebenen Umständen die Entscheidung des Preisgerichts zu seinen Gunsten mitbeeinflußt haben mag.[59] Es ist auch wohl denkbar, wie R. M. Errington bemerkt, daß der König selbst bei diesem Fest als außerordentlicher Preisrichter fungiert hat wie einst Kimon mit dem Strategenkollegium, oder wie Lysander beim Dichter-Agon der samischen Lysandreia (Plutarch, Lysander 18).

Die Verleihung des Bürgerrechts lehrt, daß der Geehrte – wie der später ebenfalls durch eine Statue im Theater ausgezeichnete Chier Phanes – von Geburt Nichtathener war. Die notwendigen Bedingungen erfüllt mithin einer der führenden Komödiendichter dieser Zeit, der doch nicht so prominent gewesen ist, daß Pausanias (Anmerkung 58) ihn hätte nennen müssen, d.h. kein Dichter vom Range eines Sophokles, Euripides oder Menander, die Pausanias nennt, aber doch ein Dichter

---

[55] IG II² 3777. Pausanias 1, 21, 1.

[56] IG II² 657, 63 vom Jahre 283/2 aus der 3. Prytanie.

[57] IG II² 3778. IX 1², 31, 154.

[58] Pausanias a. O. (Anm. 55): εἰσὶ δὲ Ἀθηναίοις εἰκόνες ἐν τῷ θεάτρῳ καὶ τραγῳδίας καὶ κωμῳδίας ποιητῶν, αἱ πολλαὶ τῶν ἀφανεστέρων. ὅτι μὴ γὰρ Μένανδρος, οὐδεὶς ἦν ποιητὴς κωμῳδίας τῶν ἐς δόξαν ἡκόντων. τραγῳδίας δὲ κεῖνται τῶν φανερῶν Εὐριπίδης καὶ Σοφοκλῆς.

[59] Für politische Anspielungen in den damals verfaßten Komödien vgl. G. Philipp, Gymnasium 80, 1973, 493–509, dessen Ausführungen in den Einzelheiten der Korrektur bedürfen, in der Hauptsache jedoch richtig sind: Politische Anspielungen auf Tagesereignisse waren viel seltener als in der Alten Komödie, aber es gab sie noch.

vom Ansehen des Philippides oder des Philemon von Syrakus, die er nicht nennt. Keiner dieser beiden kann es sein, denn Philippides war gebürtiger Athener, und Philemon ist schon 307/6 als athenischer Bürger bezeugt.[60] Von den bekannten Komödiendichtern der Zeit kommt offenbar nur einer in Frage: Diodoros von Sinope, Sohn des Dion und Bruder des Diphilos (der ebenfalls Komödiendichter war). Auf ihn aber passen alle Indizien vorzüglich. Im Unterschied zu Vater und Bruder, die auf dem Familiengrabstein beide als Sinopeer erscheinen, heißt Diodoros dort Σημαχίδης.[61] Er hat mithin einmal das athenische Bürgerrecht erhalten, eben durch die vorliegende Urkunde, wenn meine Vermutung richtig ist. Und für ihn passen auch die Zeitverhältnisse, denn Diodoros ist in der Didaskalie IG II² 2319, 61–64 im Jahre des Archons Diotimos, 285/4, als Gewinner des zweiten und des dritten Preises an den Lenäen mit den Stücken Ο ΝΕΚΡΟΣ bzw. Ο ΜΑΙΝΟΜΕΝΟΣ, verzeichnet.[62] In Delos ist er 284 und 280 bezeugt,[63] und die Suda hat einen Artikel über ihn,[64] der sein Material hauptsächlich aus Athenaios genommen hat.[65]

Von den spärlichen Urkunden dieser Zeit verdient wenigstens kurze Erwähnung das Proxeniedekret für Mikalion aus Alexandreia.[66] Es wird wegen des Exetastes und der Trittyarchen in die Jahre 301/0 bis 295/4 gesetzt und ist jedenfalls etwas älter als die Beschlüsse für Herodoros im Gefolge des Königs Demetrios und für den Komödiendichter Diodoros, denn im Unterschied zu diesen Beschlüssen werden im Dekret für Mikalion der Exetast und die Trittyarchen angewiesen, die Kosten für die Stele anzuweisen. Dieses Dekret gehört mithin jedenfalls in die Zeit des Lachares, und das gleiche gilt für das bescheidene Fragment IG II² 722 in der Herstellung von J. Pečírka.[67]

---

[60] IG II² 3073, 5. 4266.

[61] IG II² 10321. Ad. Wilhelm, Urkunden dramatischer Aufführungen in Athen, 1906, 59–60.

[62] IG II² 2319, 63ff. Wilhelm a.O. 51ff., besonders 59–61, mit der Abbildung der betreffenden Partie auf S.51. Der Text jetzt auch bei H.J. Mette, Urkunden dramatischer Aufführungen in Griechenland, 1977, 142–143. Schon Wilhelm a.O. 60 hat sich gegen eine Vermutung von E. Capps ausgesprochen, daß Diodoros das Bürgerrecht durch Adoption erhalten habe, und eine Verleihung ehrenhalber angenommen. Auf S.61 hat er weitere derartige Fälle zusammengestellt.

[63] IG XI 2, 105.21. 107,20. Dazu Wilhelm a.O. 61 und F. Durrbach im Kommentar zu den delischen Inschriften.

[64] Vgl. G. Kaibel, RE Diodoros 661 nr.36, noch mit der falschen Datierung in die Mitte des 4. Jahrhunderts.

[65] Athenaios 235 DE. 239A–F. 431 CD. Die Fragmente des Diodoros bei Kock, CAF II 420–422. Vgl. auch G.M. Sifakis, Studies in the History of Hellenistic Drama, 1967, 26.

[66] Hesperia 13, 1944, 242 nr.7 (SEG 24, 119).

[67] The Formula for the Grant of Enktesis in Attic Inscriptions, 1966, 98–100 (SEG 24, 120).

## 4. Die politischen Anfänge des Lachares

Über die Anfänge der Vorherrschaft des Lachares Klarheit zu gewinnen ist weit schwieriger als über die spätere Phase seiner Tyrannis und seinen Sturz. Die wichtigsten Quellen sind wiederum der Papyrus von Oxyrhynchos mit den Fragmenten einer Chronik[68] und neben ihm die ebenfalls auf einem Papyrus von Oxyrhynchos erhaltene Periegesis zu Menanders ‹Imbrioi›.[69] Diese besagt, daß Menander das Stück im Jahre 302/1, unter dem Archon Nikokles, schrieb und für die Dionysien ‹in Arbeit gab›, daß es jedoch wegen des Tyrannen Lachares nicht aufgeführt wurde.[70] Da nun in der 2. Prytanie des Jahres 301/0 Stratokles noch als Antragsteller erscheint,[71] können die Dionysien von 301 schwerlich gemeint sein, denn mit Stratokles' politischer Rolle war es jedenfalls vorbei, sobald Lachares bestimmenden Einfluß auf die Politik gewonnen hatte.

Daher hat Ferguson geschlossen, daß das Stück im Jahre des Nikokles, zwischen Elaphebolion und Skirophorion, d.h. zwischen den Dionysien im März und dem Jahresende im Juni, geschrieben und zur Aufführung an den Dionysien im März 300 bestimmt worden sei, daß aber etwa zur Zeit der geplanten Aufführung Lachares sich zum Tyrannen aufgeworfen habe. In ebendiese Zeit gehöre der Kampf des Lachares gegen den Hoplitenstrategen Charias und seinen Anhang, den die Fragmente der Chronik näher beschreiben.[72] Diese Auffassung ist vorherrschend geworden,[73] da die Fragmente der Chronik deutlich zeigen, daß der Bürgerkrieg zwischen Lachares und Charias jedenfalls einige Zeit vor den Tod Kassanders gehört, mithin 298/7[74] oder früher, nicht erst in die Mitte der neunziger Jahre, wie man vor dem Bekanntwerden der Chronik angenommen hatte.

Durch dieses neue Zeugnis hatte nämlich Wilamowitz' Konjektur, daß in der Periegesis zu den ‹Imbrioi› statt Νεικοκλέους vielmehr Νεικίου (296/5) zu verstehen sei, viel von ihrer Überzeugungskraft verloren.[75] Auch Forscher, die sie zunächst akzeptiert hatten wie De Sanctis, haben sich unter dem Eindruck der Chro-

---

[68] POxy 2082 = FGrHist 257a.

[69] POxy 1235, 105–112.

[70] ταύτην [ἔγρα]ψεν ἐπὶ Νεικοκλέο[υς...]την καὶ ἑβδομηκοστ[ὴν] καὶ ἔδωκεν εἰς ἐργασίαν [εἰς τὰ] Διονύσια, οὐκ ἐγένετο δ[ὲ διὰ] Λαχάρην τὸν τύραννο[ν, ἔπει]τα ὑπεκρείνατο Κάλ[λιπ]πος Ἀθηναῖος.

[71] IG II² 640.

[72] Ferguson, CPh 24, 1929, 12–14.

[73] Vgl. z.B. Meritt, Hesperia 11, 1942, 279. Osborne, AncSoc 5, 1974, 90.

[74] So Jacoby zu FGrHist 257a, F 1–2, allerdings mit einem Fragezeichen.

[75] Wilamowitz, Neue Jahrbücher für classische Philologie 33, 1914, 245. Zustimmend W. Otto, GGA 1914, 645. Beloch, GG IV 1, 215 Anm. 3; IV 2, 248. Dinsmoor, Archons 510.

nik gegen sie ausgesprochen.[76] Die Frage verlangt nach einer erneuten Behandlung, nachdem sich ergeben hat, daß es Lachares (und nicht Demetrios) war, der im März 295 den Rat aufgelöst hat, und daß der wohl auf Hieronymos von Kardia zurückgehende Plutarch eben von diesem Ereignis und von diesem Zeitpunkt die Herrschaft des Lachares als ‹Tyrannis› angesehen hat.[77] Denn die mit der Auflösung des Rates verbundene Umwälzung fällt, wie sich gezeigt hat,[78] eben in die Tage der Dionysien ἐπὶ Νικίου, Mitte März 295. Es liegt auf der Hand, daß bei Annahme der Konjektur von Wilamowitz ein durchschlagender Grund gegeben ist, weshalb nicht nur Menanders Stück damals nicht aufgeführt wurde, sondern wohl auch die Feier der Dionysien ganz unterblieb. Es ist ebenso deutlich, daß die in der Inhaltsangabe zu den ‹Imbrioi› gegebene Bezeichnung des Lachares als τύραννος nur so, im Jahre 295, ihren vollen und prägnanten Wortsinn erhält, während sie sonst, was freilich möglich ist, als proleptische Charakterisierung eines Mannes verstanden werden muß, der den maßgebenden Einfluß ausübte und sich (fünf Jahre später) geradezu als Tyrann erwies.[79]

Schwerlich durchschlagend sind auch die Argumente aus der internen Chronologie Menanders, die gegen Wilamowitz' Konjektur angeführt worden sind. Auf sie sei hier nur verwiesen.[80] Auch De Sanctis, als er schließlich meinte, diese Konjektur ablehnen zu müssen, hat diese Einwände gegen sie nicht als stichhaltig angesehen.[81]

Über der Erörterung der beiden Papyri hat man den sonstigen Zeugnissen zu wenig Beachtung geschenkt, vor allem den Inschriften aus der Zeit zwischen der Schlacht bei Ipsos und dem Tode Kassanders. Ehe auf sie eingegangen wird, seien zunächst zwei Feststellungen, die sich aus der Chronik ergeben, festgehalten: 1. das Scheitern des Charias[82] im Konflikt mit Lachares wird wesentlich auch auf das

---

[76] De Sanctis, RFIC 64, 1936, 255–256. So auch A. Körte, Gnomon 4, 1928, 241, gegenüber seiner älteren Ansicht in APF 7, 1924, 149.

[77] Oben Abschnitt 2.

[78] Oben Abschnitt 2.

[79] Für proleptischen Gebrauch des Wortes ‹Tyrann› haben sich u. a. ausgesprochen A. C. Johnson, AJPh 36, 1915, 434 Anm. 1. Jacoby zu FGrHist 257a, F 1–2 («erklärender zusatz des späteren grammatikers, nicht historische angabe über Lachares' stellung im j. 301/0»). De Sanctis, RFIC 64, 1936, 56. Anders Ferguson, CPh 24, 1929, 14, der meint, Lachares sei im Jahre 300 tatsächlich ‹Tyrann› gewesen.

[80] A. S. Hunt, POxy 10, 1914, 83. Johnson, AJPh 36, 1915, 434 Anm. 1.

[81] De Sanctis a. O. 255.

[82] Er ist zweifellos richtig mit Charias, dem Sohn des Euthykrates, aus Kydathen identifiziert worden, der 326/5 Trierarch war und gegen Ende des 4. Jahrhunderts als Stratege für Attika die Weihung IG II² 2847 in Eleusis dargebracht hat (Davies, APF 5604).

Unvermögen des Hoplitenstrategen zurückgeführt, den Demos zu ernähren;[83]
2. dem Todesurteil über Charias und seine Anhänger ist die Sezession des Piräus
sehr bald gefolgt.[84] Lachares hat zwar versucht, ihn wieder unter seine Kontrolle zu
bringen,[85] aber ohne Erfolg; der Hafen war auch am Vorabend seines Sturzes noch
von ihm feindlichen Kräften besetzt.[86] Wie ist der Bürgerkrieg zwischen Lachares
und Charias zu datieren?

Ferguson datiert die Stasis ins Jahr 300,[87] De Sanctis dagegen dieses Ereignis
und die Sezession des Piräus ins Jahr 298/7,[88] Jacoby urteilt, 298/7 sei der späteste
mögliche Zeitpunkt für den Ausbruch des Bürgerkrieges, doch sei auch eins der
beiden früheren Jahre, 300/299 und 299/8, nicht ausgeschlossen.[89] Ferguson ist zu
seinem Ansatz bestimmt worden durch die Inhaltsangabe zu Menanders ‹Imbrioi›,
die offenbar Unruhen zur Zeit der Dionysien im März 300 voraussetzt, während De
Sanctis und Jacoby vom Tode Kassanders 298/7 als einem Terminus ante quem
ausgehen.

Diesen im ganzen frühen Ansätzen, vor allem demjenigen Fergusons, stehen
mehrere Indizien entgegen. Zwar fehlen nach der zweiten Prytanie des Jahres 299/8,
d. h. seit August 299, staatliche Dekrete bis in den März 294 fast völlig.[90] Aber
Dekrete von Teilkörperschaften und von religiösen Vereinigungen bieten einen
gewissen Ersatz, und sie zeigen übereinstimmend, daß in Athen, in Attika und im
Piräus wenigstens bis in den Anfang des Jahres 298/7 Ruhe und normale Verhältnisse herrschten. Durch einen auf der Akropolis aufgestellten Beschluß haben die
athenischen Hippeis die Schatzmeister der Athena, die 300/299 amtiert hatten,
geehrt, zweifellos im Jahre 299/8.[91] Das schließt nicht geradezu aus, daß die Akropolis im Jahre 300, wie es nach Fergusons Chronologie sein müßte, im Brennpunkt
der Kämpfe zwischen Charias und Lachares gestanden haben könnte, vereinbart
sich damit aber jedenfalls nicht gut. Etwa im Mai 299 hat die Phratrie der Dyaleis

---

[83] FGrHist 257a, F 1. Ferguson, CPh 24, 1929, 5. Die kritische Stimmung des Volkes
äußerte sich in der Tatsache des summarischen Verfahrens gegen Charias und seine Anhänger
und im Todesurteil.

[84] Ebenda F 2.

[85] Ebenda F 3.

[86] Polyän 4, 7, 5. Oben Anm. 39.

[87] Ferguson a. O. 14. Ebenso Osborne, AncSoc 5, 1974, 90.

[88] De Sanctis, RFIC 64, 1936, 268 (Ausbruch der Stasis). 140 (Sezession des Piräus).

[89] Jacoby zu FGrHist 257a, F 1–2.

[90] Die Ausnahmen sind der Beschluß für Mikalion aus Alexandreia (Hesperia 13, 1944,
242 nr. 7), das bescheidene Fragment IG II² 722 (oben S. 15) sowie das noch zu erörternde
Dekret Hesperia 11, 1942, 278 nr. 53.

[91] IG II² 1264.

in Myrrhinus (Merenda) ein Grundstück für zehn Jahre verpachtet.[92] Und aus dem Piräus liegt eine ganze Serie von Dekreten von Thiasoten aus den Jahren 302/1,[93] 301/0,[94] 300/299[95] und 298/7[96] vor, die sämtlich Routineehrungen sind. Sie lassen nicht den Schatten von Unruhen erkennen und schließen m. E. rundweg aus, daß die Sezession des Piräus im Anfang des Jahres 298/7 schon bestanden haben könnte.

Noch größeres Gewicht hat die Tatsache, daß im Laufe des Jahres 299/8, unter dem Archon Euktemon, eine Getreidespende von 10000 Medimnen, die der Dichter Philippides von König Lysimachos erwirkt hatte, unter allen Athenern zur Verteilung gelangte.[97] Und nicht nur ist Euktemon im Zusammenhang hiermit von seinen Mitarchonten geehrt worden, sondern der gleiche Stein trägt auch eine Ehrung der σιτοφύλακες für einen gewissen Philonides, die mithin Grund hatten, mit ihrer Amtsführung zufrieden zu sein und ihren Vorsitzenden zu ehren.[98] Der Zusammenhang mit der Getreidespende ist richtig konstatiert worden.[99] Vor allem aber sind beide Inschriften Teil der Weihung einer Statue der Eueteria, und diese ist die Göttin der Prosperität.[100] Das Jahr des Euktemon ist mithin nicht ein Jahr des Mangels gewesen, sondern, wenn nicht des Überflusses, so doch ein Jahr ausreichender Versorgung.[101] Es kann folglich nicht das Jahr sein, in dem der Bürgerkrieg zwischen Charias und Lachares ausbrach, und auch nicht das Jahr der Sezession des Piräus. Beide Ereignisse müssen später liegen und, vielleicht nicht allzu früh nach seinem Beginn, in das Jahr 298/7 gehören, in dessen späterem Verlauf König Kassander gestorben ist.

Damit aber bricht die Annahme zusammen, die Periegesis zu Menanders ‹Imbrioi› bezeuge den Ausbruch des Bürgerkrieges zur Zeit der Dionysien im März des

---

[92] IG II² 1241, wo bestimmt wird, daß die Pachtzeit im Munychion beginnen soll. Die Urkunde dürfte mithin kurz zuvor abgefaßt worden sein.

[93] IG II² 1261, 1.

[94] IG II² 1261, 25. 1262.

[95] IG II² 1261, 44. 1264.

[96] IG II² 1271 für den Tamias der Vereinigung des Jahres 299/8, d.h. im Anfang des folgenden Jahres 298/7.

[97] IG II² 657, 11–14, wo ausdrücklich die Verteilung des Getreides an alle Athener erwähnt wird. Auch Ausrüstungsgegenstände für die Panathenäen des Jahres 298, die Lysimachos gestiftet hatte, trafen unter Euktemon ein, ebenda 14–16. Für den Dank der Stadt vgl. Burstein, ZPE 31, 1978, 181–185.

[98] M. Mitsos, AE 1960 (1965), 38ff. nr. 2.

[99] A. E. Raubitschek, Hesperia 35, 1966, 242.

[100] AE a. O. nr. 1. Raubitschek a. O. und vor allem J. und L. Robert, Bull. épigr. 1966, 137. 1967, 187.

[101] Vgl. die Bull. épigr. a. O. genannten Zeugnisse, vor allem die an mehreren Orten zu bestimmten Jahren gegebenen Charakteristiken wie ἐπὶ τούτου ἦν ὑγίεια, εὐκαρπία, εὐετηρία oder ähnlich mit εἰρήνη und εὐετηρία.

Jahres 300. Die von Wilamowitz dort vorgeschlagene Konjektur des Archontennamens von Nikokles zu Nikias, die, abgesehen von der Mißlichkeit eines derarti-
gen Eingriffs, sehr viel für sich hat,[102] könnte durchaus richtig sein. Die Alternative
ist, daß Menander das Stück tatsächlich unter Nikokles, im Jahre 302/1 geschrieben, aber erst für die Dionysien des Jahres 295 zur Aufführung vorgesehen habe,
die dann wegen des Staatsstreichs des Lachares nicht stattfinden konnten, eine Möglichkeit, mit der auch Wilamowitz schon gerechnet hat.

Es ist noch ein Zeugnis zu erörtern, das keiner der beiden Protagonisten dieser
Debatte, Ferguson und De Sanctis, kennen konnte, das Ehrendekret für Ameinias,
eins der Opfer des Lachares im Bürgerkrieg. Es ist von B.D. Meritt 1942 bekanntgemacht und besprochen worden.[103] Es handelt sich um ein Fragment vom unteren
Teil der Stele, die in einer nicht näher bestimmbaren αὐλή der Agora aufgestellt
war. Das ganze Präskript fehlt. Geehrt werden offenbar drei Männer, von denen
Ameinias, dessen Name allein erhalten ist, in der Mitte steht, ihre ὑπηρεσίαι und
ihre Soldaten, alle mit einem Kranz von Ölzweigen. Die Ehrung erfolgte im Anschluß an einen Feldzug ἐν Τορνέα[ι], einen Ort, der nicht bekannt ist. Meritt hat
richtig erkannt, daß Ameinias und seine beiden für uns namenlosen Kollegen damals Strategen waren.

Der Beschluß kann wegen der Erwähnung des Exetastes und der Trittyarchoi,
die für die Kosten der Stele aufkommen sollen, nicht früher sein als die Schlacht
bei Ipsos und das Jahr 301/0. In ebendieses Jahr datiert Meritt ihn, weil er mit
Ferguson der Auffassung ist, daß der Bürgerkrieg, in dessen Verlauf Ameinias hingerichtet wurde, im März des Jahres 300 ausbrach.[104]

Nachdem aber festgestellt worden ist, daß sich dieser Konflikt erst im Laufe des
Jahres 298/7 entzündete, ist neben dem Jahr 301/0 auch eins der beiden folgenden
Jahre, allenfalls auch noch der Anfang von 298/7, möglich. Daß Ameinias zur Zeit
seiner Hinrichtung Stratege wie Charias gewesen wäre, sagt die Papyruschronik
nicht. Es folgt auch nicht mit Notwendigkeit aus seinem Schicksal; er könnte, als
früherer Stratege, damals einer der prominenten, aber gerade amtlosen, Parteigänger des Charias gewesen sein.[105] Es ist aber auch möglich, daß er während des
Konflikts dem Strategenkollegium angehörte. Nun ist der im Dekret erwähnte Feldzug, nach dessen Ende Ameinias geehrt wurde, von Meritt mit dem in F 1 der Papyruschronik erwähnten Feldzug identifiziert worden.[106] Dies liegt tatsächlich sehr

---

[102] Oben S. 16–17.

[103] Hesperia 11, 1942, 278 ff. nr. 53.

[104] Meritt a. O. 279 zu FGrHist 257 a, F 2.

[105] Anders Meritt a. O. 279: «These men were the leaders of the defeated faction and were
doubtless all members of the college of generals in 301/0 B. C.»

[106] Meritt a. O. 279.

nahe, auch wenn sich nichts Sicheres darüber sagen läßt, gegen wen er sich gerichtet hatte. Handelt es sich aber wirklich um den gleichen Feldzug, so waren Charias, Ameinias und Lachares tatsächlich Kollegen im Strategenamt. Die Ehrung gehört dann in die erste Hälfte des Jahres 298/7, vor dessen Ende mit Charias und Ameinias jedenfalls zwei Strategen, möglicherweise in den mit ihnen hingerichteten Peithias und Lysandros, Sohn des Kalliphon, noch weitere Mitglieder des Strategenkollegiums, ihren Tod fanden. Obwohl ein etwas früheres Datum nicht ausgeschlossen werden kann, scheint es derzeit am richtigsten, das Fragment für Ameinias in die erste Hälfte des Jahres 298/7, nicht lange vor den Ausbruch der Stasis, zu datieren.

Es ist in der Einleitung dieses Kapitels bemerkt worden, daß die Frage, ob Lachares 295 oder 294 gestürzt wurde, auch für die Chronologie der Könige Makedoniens nach Kassander Bedeutung hat. Eine nähere Erörterung würde den Rahmen dieser athenischen Studien überschreiten. Nur dies sei bemerkt, daß die Chronologie der makedonischen Könige nicht länger von den in ihrer chronologischen Methode nicht sicher bestimmten, unter sich zudem widerspruchsvollen Daten der Chroniken des Porphyrios, Eusebios und Hieronymos auszugehen hat, sondern von Fixpunkten, die auf zeitgenössische Dokumente gestützt sind. Von solchen festen Punkten aus wird sich dann Zuverlässigeres über die Chroniken sagen lassen, ob sie ‹prädatieren› oder ‹postdatieren›, ob sie das letzte Jahr eines Königs zugunsten des ersten seines Nachfolgers eliminieren, diesem gleichsetzen oder vorausgehen lassen usw. Mit den vorstehenden Ausführungen, die dem Nachweis dienten, daß Lachares Anfang April 294 gestürzt worden ist, ist ein Baustein zu einer Analyse der Chroniken und zur Chronologie der makedonischen Könige dieser Zeit bereitgestellt worden.

## II. DIE OLIGARCHIE IM FRÜHEN 3. JAHRHUNDERT

In dem Dekret, das Demochares im Jahre 280/79 als postume Ehrung seines Onkels Demosthenes beantragte,[1] heißt es, daß Demosthenes nach der Beseitigung der Demokratie wegen der Oligarchie im Exil gewesen sei und daß er in Kalauria durch von Antipatros entsandte Soldaten um seiner Liebe zur Demokratie willen den Tod gefunden habe.[2] Der Bezug auf die von Antipatros im Sommer 322 durchgesetzte oligarchische Verfassung, die das Bürgerrecht an einen Zensus von 2000 Drachmen knüpfte, ist offenkundig. Ebenso deutlich ist die Beziehung auf diese Oligarchie im zweiten Dekret für Euphron von Sikyon aus dem Winter 318/7,[3] in dem der Antragsteller Hagnonides auf den älteren Ehrenbeschluß für Euphron vom Spätherbst 323[4] verweist und auf die Tatsache, daß die dem Euphron damals verliehenen Ehren von «denen, die in der Oligarchie Bürger waren», beseitigt und die Stelen, auf denen sie verzeichnet waren, zerstört wurden.[5] In beiden Zeugnissen ist die Beziehung auf das 322 von Antipatros in Athen errichtete, im Spätsommer oder Herbst 318 gestürzte Regime eindeutig und im Hinblick auf die in diesen Jahren bestehende Beschränkung des Bürgerrechts auf die Besitzenden nicht unberechtigt.

Weniger eindeutig sind zwei Zeugnisse aus der ersten Hälfte des 3. Jahrhunderts, die ebenfalls von einer Oligarchie in Athen sprechen. Das erste findet sich im Dekret des Jahres 271/0 für den verstorbenen Demochares (der selbst neun Jahre früher das erwähnte Dekret für Demosthenes beantragt hatte),[6] das zweite in dem nur ein Jahr späteren Ehrenbeschluß von Rat und Volk für Kallias von Sphettos.[7] Es sind mithin die Jahre kurz vor dem Ausbruch des Chremonideischen Krieges, aus denen diese beiden Zeugnisse stammen, Jahre eines strikt demokratischen Kurses

---

[1] Plutarch, mor. 850 F–851 C. Das Jahr des Archons Gorgias für den Antrag des Demochares ist ebenda 847 D (FGrHist 75 T 1) genannt. Der sorgfältigste Kommentar zu den Beschlüssen für Demosthenes und Demochares ist der von Fr. Ladek, WS 13, 1891, 63–128.

[2] Plutarch a. O. 851 C: φυγόντι δὲ δι' ὀλιγαρχίαν καταλυθέντος τοῦ δήμου καὶ τελευτήσαντι αὐτῷ ἐν Καλαυρίᾳ διὰ τὴν πρὸς τὸν δῆμον εὔνοιαν πεμφθέντων στρατιωτῶν ἐπ' αὐτὸν ὑπὸ Ἀντιπάτρου κτλ.

[3] IG II² 448, 35–88.

[4] IG II² 448, 1–34.

[5] IG II² 448, 60–62: ἀφείλοντο [αὐτὸν] τὰς δωρεὰς οἱ ἐν τεῖ ὀλιαρχίαι πολιτευόμεν[οι καὶ] τὰς στήλας καθεῖλον.

[6] Plutarch, mor. 851 D–F; vgl. 847 D. An beiden Stellen wird der Archon Pytharatos und als Antragsteller Demochares' Sohn Laches genannt.

[7] Agora Inv. I 7295, 78–83. Dazu unten Kapitel IV.

in Athen, für den bis zu seinem Tode eben Demochares repräsentativ war und für den nach ihm jene dem Volk schmeichelnden Demagogen stehen, von denen Hegesandros bei Athenaios einen überaus bemerkenswerten Satz zitiert.[8] Ehe auf jene beiden Zeugnisse über die Oligarchie eingegangen wird, mag es nützlich sein, jenen Kreis von Demokraten etwas näher zu bestimmen. Zu diesen Politikern gehörten jedenfalls Demochares' Sohn Laches, der die Ehrung seines Vaters beim Rat beantragte, die Brüder Chremonides und Glaukon, ferner Kallippos von Eleusis und Aristeides von Lamptrai.[9] Fünf weitere Männer, die als Antragsteller in politischen oder militärischen Angelegenheiten damals hervorgetreten sind, wird man dieser Gruppe einflußreicher Demokraten gewiß zurechnen dürfen. Es sind Leon, Sohn des Kichesias, aus Aixone, der zweimal Beschlüsse für Taxiarchen beantragt hat und aus einer sehr bekannten und einflußreichen Familie stammte,[10] dann Epicharmos, Sohn des Kallistratidas, aus Kolone, Antragsteller 286/5 für den ptolemäischen Offizier Zenon[11] und 276/5 für Taxiarchen,[12] vielleicht auch der Sohn eines Theotimos, der nach 272 das Ehrendekret für einen Tarentiner formuliert hat,[13] weiter Eubulos, Sohn des Lysidemos, aus Melite, Antragsteller in zwei Dekreten des Jahres 271/0, in dem Laches die Ehren für seinen Vater Demochares beantragte, zu Ehren von Taxiarchen bzw. von Sitonai,[14] endlich Euchares, Sohn des Euarchos, aus Konthyle: Er war schon 304/3, unter der damals maßgeblich von Stratokles gelenkten Demokratie, geehrt worden,[15] und er hat 270/69 den Beschluß zu Ehren des Kallias beantragt.[16] Diese zehn Männer sowie bis zu seinem Tode vor allem Demochares selbst haben jedenfalls zu den Politikern gehört, die die Geschicke Athens in den 70er Jahren und zu Anfang des folgenden Jahrzehnts wesentlich bestimmt haben.[17]

---

[8] Athenaios 6, 250 F: οἱ δὲ δημαγωγοῦντες, φησίν, Ἀθηναῖοι κατὰ τὸν Χρεμωνίδειον πόλεμον κολακεύοντες τοὺς Ἀθηναίους und das Folgende.

[9] Zu Kallippos und Aristeides Habicht, Chiron 6, 1976, 7–10 (zu Kallippos auch unten, Kapitel VII mit Anm. 5), zu Glaukon ebenda 9 mit Literatur.

[10] Hesperia 4, 1935, 562 nr. 40 (Moretti, Iscrizioni 15). Hesperia 2, 1933, 156 nr. 5 (SEG 15, 101). Zur Familie des Leon Habicht, AM 76, 1961, 130–131.

[11] IG II² 650 (Sylloge 367).

[12] IG II² 685.

[13] IG II² 701.

[14] Hesperia 23, 1954, 288 nr. 182 (Moretti, Iscrizioni 18); 299 nr. 183 (SEG 14, 65).

[15] IG II² 487 (Sylloge 336).

[16] Oben Anm. 7.

[17] Nicht aufgenommen sind Antragsteller, die in diesen Jahren Routinedekrete wie Ehrenbeschlüsse für Prytanen oder Dekrete in sakralen Angelegenheiten formuliert haben, z. B. Εὐθύμαχος Εὐθίππου Ξυπεταιών (Agora XV 78), Καλλίμαχος Ἱέρωνος Θοραιεύς (Agora Inv. I 7163), Μνησίεργος Μνησίου Ἀθμονεύς (IG II² 704), Προμένης Προμένου Κεφαλῆθεν, (IG II² 689. Hesperia 26, 1957, 54 nr. 11).

Das Zeugnis über die Oligarchie im Psephisma des Laches für Demochares[18] lautet wie folgt:[19] καὶ φυγόντι μὲν ὑπὲρ δημοκρατίας, μετεσχηκότι δὲ οὐδεμιᾶς ὀλιγαρχίας οὐδὲ ἀρχὴν οὐδεμίαν ἠρχότι καταλελυκότος[20] τοῦ δήμου καὶ μόνωι Ἀθηναίων τῶν κατὰ τὴν αὐτὴν ἡλικίαν πολιτευσαμένων μὴ μεμελετηκότι τὴν πατρίδα κινεῖν ἑτέρωι πολιτεύματι ἢ δημοκρατίαι. Demochares war hiernach um der Demokratie willen in der Verbannung gewesen, hatte an keiner Oligarchie Teil gehabt, niemals ein Amt bekleidet, wenn die demokratische Verfassung aufgehoben war, und als einziger Politiker Athens dieser Zeit nie den Gedanken an eine undemokratische Verfassungsänderung erwogen. Es steht fest, daß Demochares unter dem Archon Diokles, 286/5, aus der Verbannung zurückgekehrt ist,[21] d.h. einige Zeit, nachdem die Stadt Athen sich unter Olympiodoros von der Herrschaft des Demetrios Poliorketes freigemacht hatte. Die Zeit seiner Verbannung war lange strittig zwischen c. 303, wohin Plutarch das Ereignis setzt, und c. 291, wohin De Sanctis es aus politischen Erwägungen heraus meinte versetzen zu müssen, bis L. C. Smith die Richtigkeit der Angabe Plutarchs m. E. definitiv bewies.[22] Demochares ist mithin von 303 bis 286 im Exil gewesen und hat erst danach seine politische Karriere fortgesetzt: er wurde einer der beiden ἐπὶ τῆι διοικήσει, ging, anscheinend zweimal, als Gesandter zu König Lysimachos und brachte von diesen Gesandtschaften das erstemal 30, das zweitemal 100 Talente zurück. Weiter war er Antragsteller eines Volksbeschlusses, durch den eine Gesandtschaft zu Ptolemaios angeordnet wurde, von der die Gesandten mit 50 Talenten zurückkehrten.[23] Demochares selbst ging im Jahre 279 als Gesandter zu dem kurzlebigen makedonischen

---

[18] Der bei Plutarch, mor. 851 D–F überlieferte Text ist der Wortlaut des Bittgesuches, das Laches an den Rat gerichtet hat (Ladek a. O. 63 Anm. 1 nach von Hartel). Die Billigung des Gesuches durch Rat und Volk ergibt sich aus Plutarch, mor. 847 E.

[19] Plutarch, mor. 851 F.

[20] Die Form καταλελυκότος statt der näherliegenden und im Dekret für Kallias (Agora Inv. I 7295, 79–80) bezeugten Form καταλελυμμένου hat Ladek a. O. 114 Anm. 105 unter Verweis auf Parallelen für den intransitiven Gebrauch von καταλέλυκα verteidigt.

[21] So im Gesuch des Laches, Plutarch, mor. 851 E.

[22] L. C. Smith, Historia 11, 1962, 114–118 mit der Literatur; im gleichen Sinne nach anderen auch schon Habicht, Gottmenschentum 50 mit Anm. 28. Wie Smith auch Will, Histoire 1, 63. A. Momigliano, Terzo Contributo alla Storia degli Studi Classici e del Mondo Antico, 1966, 29 Anm. 15.

[23] Der Gesandte ist wahrscheinlich Phaidros von Sphettos (IG II² 682, 28–30) gewesen. So Ladek a. O. 121. Davies, APF S. 526. Dann muß allerdings hier Belochs Feststellung Anwendung finden (RFIC 51, 1923, 276): «I meriti di Fedro, nel decreto, sono disposti per materie, prima i politici, poi quelli relativi alle feste.» Phaidros' Gesandtschaft müßte vor 288/7 fallen, wäre die chronologische Abfolge im Dekret gewahrt. Sie kann aber nicht vor der Befreiung der Stadt von der Herrschaft des Demetrios im Jahre 287 liegen und dürfte mithin die von Demochares erwirkte Mission sein. Vgl. Kapitel IV, Anm. 60 und 62.

König Antipatros Etesias[24] und kam von ihm mit 20 Talenten zurück. Ihm wird endlich das Verdienst an der Befreiung von Eleusis zugeschrieben, die jedenfalls zwischen Juli 286 und April 284, wahrscheinlich im Jahre 285, erfolgte.[25] Dies alles wird in dem von seinem Sohn Laches formulierten Antrag gesagt, und auf diese Beschreibung seiner politischen Laufbahn folgen unmittelbar, sozusagen als krönender Abschluß, die oben zitierten Worte über seine unverrückbar demokratische Einstellung, die ihn als einzigen athenischen Politiker der Zeit niemals auch nur mit dem Gedanken eines Kompromisses hinsichtlich der Staatsform spielen ließ.

Die Worte, die seine Gegnerschaft zur Oligarchie bezeichnen, μετεσχηκότι δὲ οὐδεμιᾶς ὀλιγαρχίας, machen ohne weiteres klar, daß Demochares mehr als einmal Gelegenheit gehabt hätte, sich mit einer oligarchischen Verfassung zu arrangieren; andernfalls wäre οὐδεμιᾶς an Stelle von τῆς ganz unverständlich. Da nun Demochares um 360 oder bald danach geboren wurde[26] und 322 erstmals politisch hervortrat,[27] ist leicht ersichtlich, daß mit einer ersten oligarchischen Periode die Jahre von 322 bis 318 gemeint sind, ganz so wie im Dekret für Demosthenes (das er selbst formuliert hat) und wie im zweiten Beschluß für Euphron von Sikyon.[28] Welches aber war die zweite oligarchische Phase? Daß Laches bei ihr an das zehnjährige Regiment des Demetrios von Phaleron, zwischen 317 und 307, gedacht hat, wäre an sich möglich, denn auch damals bestand als Qualifikation des Bürgerrechts ein Zensus (wenn er auch gegenüber der Oligarchie der Zeit des Antipatros mäßiger war), mithin in den Augen des Demochares jedenfalls keine Demokratie. Zudem ist das harte Urteil des Demochares über Demetrios von Phaleron und seine Zeit durch Polybios bekannt; es läuft darauf hinaus, daß Athen unfrei

---

[24] Plutarch, mor. 851 E. Die Beziehung auf diesen Antipatros ist richtig erkannt worden von Beloch, GG IV 2, 452, und RFIC 54, 1926, 332. Zur genaueren Datierung der Zeit seines Königtums siehe Heinen, Untersuchungen 58.

[25] Sie kann erst nach der Rückkehr des Demochares, mithin nicht vor Juli 286, erfolgt sein, aber am 4. Munychion 285/4, d. h. im April 284, werden in Athen größere Bauaufträge im Heiligtum von Eleusis vergeben (IG II² 1682), und im Jahre 284/3 hat der Dichter Philippides als Agonothet einen zusätzlichen Agon für Demeter und Kore gestiftet (IG II² 657, 43–45). Vgl. Shear, Kallias 84.

[26] Beloch, GG IV 2, 446. Für eine spätere Geburt, nach 350, Davies, APF 3716. Vgl. die folgende Anmerkung.

[27] Plutarch, mor. 847 D, akzeptiert von Beloch, bezweifelt von Davies. Wie immer man sich hinsichtlich des Alters des Demochares entscheiden mag, sicher scheint, daß er vor dem Sturz der Oligarchie im Jahre 318 das für Ämter qualifizierende Alter hatte. Die von Davies übersehene Stelle des Polybios 12, 13, 8 sagt ausdrücklich, daß Antipatros sich von seinen politischen Attacken getroffen fühlte, und Antipatros starb im Herbst 319.

[28] Dazu stimmen seine Angriffe auf Antipatros und dessen διάδοχοι und φίλοι, Polybios 12, 13, 8.

und dem Kassander zu völligem Gehorsam verpflichtet gewesen sei.[29] Da aber Demetrios von Phaleron allein unter allen Athenern für die Politik der Stadt gegenüber Kassander bürgte, ist für diese Zeit die Bezeichnung ‹Oligarchie› nicht recht passend. Demetrios wird in den Quellen gewöhnlich ‹Tyrann›, die Zeit seines Regimentes ‹Tyrannis› genannt.[30] Es ist daher wenig wahrscheinlich, daß Laches seine Zeit in den Worten über die Oligarchie mitverstanden wissen wollte. Aber selbst wenn sie mitgemeint gewesen sein sollte, so war es jedenfalls nicht die letzte Oligarchie, mit der Demochares, wäre er nur ein anderer gewesen, als er war, sich hätte arrangieren können. Denn der ganze Tenor des Satzes und des gesamten Dekretschlusses macht deutlich, daß dem um der Demokratie willen ins Exil gegangenen Demochares *zur Zeit* seines Exils, zwischen 303 und 286, sich mindestens einmal die theoretische Möglichkeit geboten haben muß, in einer Oligarchie ein Amt zu übernehmen. Das kann mithin nur nach Ipsos gewesen sein, und folglich handelt es sich um eine Oligarchie des 3. Jahrhunderts.

Für sie kommen nun die Jahre zwischen 301 und 294 nicht in Betracht, die Eduard Meyer treffend und überzeugend als Jahre einer gemäßigten Demokratie bezeichnet hat.[31] Das entscheidende Kriterium ist das Faktum, daß die in den Jahren vor Ipsos verbannten Oligarchen ebensowenig zurückberufen wurden wie der radikale Demokrat Demochares.[32] Und 295 ging diese gemäßigte Demokratie in die Tyrannis des Lachares über (oben Kapitel I). Es bleiben mithin nur die Jahre 294 bis 287 offen. Aber hat nicht König Demetrios, als er im Jahre 294, nach der Flucht des Lachares, die Kapitulation Athens annahm und Frieden gewährte (oben S. 6), sofort die ein Jahr zuvor beim Staatsstreich des Lachares beseitigte Demokratie[33] wieder in Kraft gesetzt? Dies jedenfalls ist die traditionelle Auffassung der Forschung,[34] der auch ich vor längerer Zeit, unter dem Eindruck von Belochs Autorität, gefolgt bin.[35] Für sie spricht, wie es scheint, daß im Frühjahr

---

[29] Polybios 12, 13,8–11 = FGrHist 75, F 4. Vgl. A. Colombini, Miscellanea Greca e Romana, 1965, 181–182.

[30] Pausanias 1, 25,6: τύραννος, τυραννίς. Phaedrus, fab. 5,1,1–13: *rex, tyrannus, imperium improbum.* Vgl. Berve, Tyrannis 1, 326–327. A. S. Henry, Mnemosyne-Suppl. 49, 1977, 58: «a form of tyranny.» Demochares selbst (Anm. 29) unterstreicht mit dem Ausdruck ‹Prostates› den monarchischen Aspekt von Demetrios' Herrschaft.

[31] Klio 5, 1905, 180–183. Ferguson, gegen den diese Ausführungen sich richten, hat sie akzeptiert: HA 126–127.

[32] Klio 5, 1905, 180.

[33] Oben Kapitel I, Abschnitt 2.

[34] Niese, Geschichte 1, 361. Ferguson, HA 135. 136. Beloch, GG IV 2, 447. Roussel, Histoire 353. G. Dimitrakos, Demetrios Poliorketes und Athen, Diss. Hamburg 1937, 79. Vorsichtiger A. S. Henry, Mnemosyne-Suppl. 49, 1977, 57: «the constitution was, at least nominally, democratic.»

[35] Gottmenschentum 51.

292 der Führer der Demokratie aus den Jahren 307–301, Stratokles, nach jahre-
langer politischer Versenkung noch einmal auf der politischen Bühne erschien, und
zwar als Antragsteller des Ehrendekrets für Philippides, Sohn des Philomelos, aus
Paiania.[36] Aber schon der Umstand, daß die Ehrung diesem Manne gilt, der noch
299/8 ‹Kassanders Mann›[37] und ein Exponent der gemäßigten Demokraten gewesen war, läßt daran zweifeln, daß 294 wirklich eine Erneuerung der Demokratie
in dem Sinne erfolgt wäre, in dem Demochares und Laches Demokratie verstanden.
Und nur wenige Monate nach der ‹Befreiung› von Lachares zeigt die Verfassung
Athens deutlich undemokratische Züge: Olympiodor trat sein Amt als Archon im
Sommer 294 nicht als erloster, sondern als vom König ernannter Eponym an,[38] und,
aller demokratischer Tradition Hohn sprechend, war derselbe Olympiodor im
Jahre darauf erneut Archon. Weiter tritt mit dem Jahre 295/4 nicht nur ein Bruch
des Schreiberzyklus ein, sondern die demokratischen Sekretäre sind für drei Jahre
verschwunden (die Jahre Olympiodors und das ihnen folgende Jahr 292/1) und
haben ausgerechnet den Anagrapheis Platz gemacht, die nicht nur mit dem Odium
einer oligarchischen Institution belastet, sondern in den Jahren 322–318 geradezu
das Markenzeichen der Oligarchie gewesen waren.[39] Endlich sind im Jahre 292/1,
unter dem Archon Philippos, die 307 verbannten Oligarchen nach Athen zurückgekehrt, nicht etwa auf Wunsch des souveränen Demos, sondern auf Geheiß des
Königs Demetrios.[40] Dabei hatte Theophrast seine Hand im Spiel,[41] der immer
monarchischer Neigungen verdächtig gewesen war und der dem Kassander eine
Schrift ‹Über das Königtum› gewidmet hatte. Dieser Neigungen wegen hatte er 306
für einige Zeit Athen verlassen müssen, nachdem das auch von Demochares unter-
stützte Gesetz über die Philosophenschulen verabschiedet worden war.[42]

Alles dies verträgt sich mit der für das Frühjahr 294 angenommenen Wiederherstellung der Demokratie ganz und gar nicht. Und in der Tat stützt die Annahme sich

---

[36] IG II² 649, mit einem neuen Fragment bei Dinsmoor, Archons 7 ff.

[37] IG II² 641, 11 ff. «Kassandros' man»: Davies, APF S. 550.

[38] Daß 294 das Los gerade auf den populärsten Athener gefallen sein könnte, ist äußerst
unwahrscheinlich, und daß Olympiodor 293 erneut Archon gewesen ist, macht klar, daß
beidemal Ernennung ihm zum Amt verholfen hat.

[39] Zu den Anagrapheis s. vor allem Dinsmoor, Archons 16–28. St. Dow, HSCP 67, 1963,
38–54. A. S. Henry, Mnemosyne-Suppl. 49, 1977, 50–57. Zum oligarchischen Charakter
und zur Bedeutung des Amtes R. M. Errington, Hermes 105, 1977, 488–491.

[40] Dionys. Halic. de Dinarcho 9 = Philochoros, FGrHist 328 F 167. Vgl. auch Dionys.
Halic. a. O. 2. 3.

[41] Plutarch. mor. 850 D.

[42] Vgl. zu diesen Vorgängen besonders J. P. Lynch, Aristotle's School, 1972, 103–104.
117–118, in überzeugender Auseinandersetzung mit Wilamowitz über den Status der Philosophenschulen in Athen.

auf einen einzigen Satz, der, genauer und im Lichte der eben aufgeführten Tatsachen
betrachtet, von einer Erneuerung der Demokratie tatsächlich nicht spricht, sondern nur sagt, daß König Demetrios damals dem Volk genehme, d. h. populäre
Ämter ‹einrichtete›. Dies ist verstanden worden als Wiedereinsetzung demokratischer Institutionen, so von Beloch und Ferguson.[43] Aber das müßte statt κατέστησεν vielmehr ἀποκατέστησεν heißen.[44] Es geht mithin nicht um eine Restitution
von demokratischen Ämtern, die unter Lachares beseitigt worden waren.[45] Der
wirkliche Sinn des Satzes, der sich Beloch und Ferguson wohl vor allem deshalb
verschloß, weil sie von der Wiederkehr der Anagrapheis in den Jahren 294–291
noch nichts wußten, wird sofort klar, wenn man ἀρχαί nicht als Ämter versteht,
sondern, wie in der gesamten griechischen Welt oft und klar bezeugt, als die Behör-
den, d. h. stärker personenbezogen, mithin als die jeweiligen Amtsinhaber. Und
κατέστησεν ist dann nicht ‹er richtete ein›, sondern ‹er ernannte›, ‹er bestellte›.[46]
Plutarch hat mit diesem Satz eben Vorgänge wie die Bestellung des Olympiodor
im Auge, die damals erfolgt sein muß, auch wenn der Amtsantritt erst einige
Monate später, nach dem Ende des laufenden Amtsjahres, erfolgte. Mit anderen
Worten: der König ernannte für die Ämter Männer, die dem Volke lieb, die populär
waren. Das trifft für Olympiodor ebenso zu wie für den im Frühjahr 292 geehrten
Philippides: Dieser war 293/2 Archon Basileus,[47] und es ist wohl möglich, daß er
zu diesem Amt nicht 293 gewählt, sondern im Frühjahr 294 wie Olympiodor vom
König ernannt worden ist.

Es kann mithin für 294 nicht wirklich von einer Erneuerung der Demokratie in
Athen gesprochen werden. Zwar gab es keine neue Zensusqualifikation der Bürger,
zwar blieben die demokratischen Institutionen fast alle bestehen,[48] aber dies allein

---

[43] Beloch, GG IV 2, 447. Ferguson, HA 136: «Athens surrendered in the spring of 294
B. C., and in the following July the democratic institutions entered into operation,» mit Verweis auf seine Ausführungen Klio 5, 1905, 172 Anm. 5.

[44] Die Belege sind überaus zahlreich. Vgl. die kurze Erörterung von Welles, RC S. 316–
317.

[45] Restituiert wurde 294 allerdings das Amt des ὁ ἐπὶ τῆι διοικήσει (IG II² 646, 56; Kapitel I, Anm. 30), aber eben seine Einstelligkeit ist wie in den Jahren 307–301 und 262–229
ein Indiz, daß Athen politisch an einen König gebunden war (Kapitel V mit Anm. 11–13).

[46] Es genügt, auf Wendungen zu verweisen wie κατασταθεὶ[ς ἐπὶ τὴν τ]οῦ Εὐρίπου
φυλακὴν ὑπὸ Πολεμα[ίου] (IG II² 469, 2–3), ὁ κατασταθεὶς ἐπ’ Αἰγίνας ὑπ[ὸ τοῦ βα]σιλέως
Εὐμένεος (Sylloge 642, 3–4) oder, in einem Brief des Antiochos III.: [κρ]ίνομεν … κα-
θίστασθαι … ἀρχιερείας (Welles, RC 36, 10–13).

[47] Dinsmoor, Archons 15, gestützt auf Zeile 25 des Dekrets für ihn.

[48] Beloch, GG IV 2, 450. Daher erfolgen Wahlen zu Kommissionen wie in Zeiten demokratischer Unabhängigkeit (IG II² 409, 10. 555, 18. 653, 48. 672, 36) auch im Frühjahr 294 aus
*allen* Athenern, ἐξ Ἀθηναίων ἁπάντων (IG II² 646, 40. 648), in den ersten Jahren nach dem
Chremonideischen Krieg dagegen ἐξ Ἀθηναίων (Diog. Laert. 7, 11. IG II² 682, 85). Zur Be-

beweist nichts, und die Ersetzung des demokratischen Sekretärs durch den oligarchischen Anagrapheus ist schon eine signifikante Abweichung von den demokratischen Normen. Noch wichtiger ist, daß das Archontat durch königliche Ernennung in undemokratischer Weise deformiert wurde. Vermutlich nahm das athenische Staatswesen auch zwischen 294 und 287 den Namen der Demokratie für sich in Anspruch, aber der Sache nach war alles darauf abgestellt, die Erfüllung der Wünsche des Königs zu garantieren. Es konnte nicht anders sein, nachdem der König nicht nur im Piräus, sondern auch in der Stadt, auf dem Musenhügel, eine makedonische Garnison unterhielt. Die Rücksicht auf demokratische Empfindungen kam dort zum Ausdruck, wo sie ohne Schaden geübt werden konnte, darin nämlich, daß populäre Politiker vom König ernannt wurden oder ihnen wenigstens das stark eingeschränkte Feld der Politik überlassen wurde: Olympiodor, Philippides, der Sohn des Philomelos, Stratokles.

Ein derartiges Staatswesen konnte von einem Manne wie Demochares nicht als ein demokratisches Staatswesen anerkannt werden. Es ist mithin sachlich berechtigt, daß das spätere Dekret für Phaidros die erfolgreiche Erhebung des Jahres 287 auch eine Rückkehr zur Demokratie nennt.[49] Als Oligarchie bezeichnet der Antrag des Laches die Jahre zwischen 294 und 287, und nicht ohne eine gewisse Berechtigung. Oligarchisch waren die Anagrapheis, undemokratisch war die Form der Beamtenbestellung und die Iterierung des Archontats. Die Anwesenheit königlicher Garnisonen vertrug sich mit dem demokratischen Freiheitsempfinden jedenfalls dann nicht mehr, als es keinen makedonischen König mehr gab, vor dem die Stadt und ihre Demokratie geschützt werden mußten, wie einst vor Kassander, sondern als diese Garnisonen eben solche des makedonischen Königs waren (auch wenn dieser jetzt Demetrios hieß), mithin geradezu Symbole seiner Herrschaft über die Stadt. Und 292 kamen auf königlichen Befehl die einst, im Jahre 307, verbannten Oligarchen zurück. Auch danach war Athen nicht eigentlich ein oligarchisches Staatswesen, aber es gab doch genügend Erscheinungen in diesem Staat, die so bezeichnet werden konnten. Von Demochares und Laches ist ja auch nicht die Terminologie von Verfassungsrechtlern zu erwarten; sie formulierten und schrieben in der politischen Sprache der radikalen Demokraten, und von ihrem Standpunkt aus hatten sie durchaus Grund, die Jahre zwischen 294 und 287 als eine Periode der

---

deutung des Unterschiedes vgl. Agora Inv. I 7295, 82 und allgemein Aristoteles, Politik 4, 1300 a 20 ff. und 6, 1317 b 18 ff. Es verdient daher Beachtung, daß schon bald nach dem Frühjahr 294 eine solche Wahl eben nicht mehr ‹aus allen Athenern› angeordnet wird, sondern nur noch ἐξ ’Αθηναίων (Plutarch, Demetrios 13,2. Zu diesem Beschluß unten Kapitel III). Dies scheint zu zeigen, daß bald nach dem Frühjahr 294 manches vom Schein demokratischer Freiheiten verlorenging, was eben in der Ernennung des eponymen Archons und in der Wiederkehr der Anagrapheis im Sommer 294 bereits deutlich wurde.

[49] IG II² 682, 38.

Oligarchie zu bezeichnen. Schwerlich rechneten sie als ihren Beginn das Jahr 292, in dem die Oligarchen zurückkehrten, wie Beloch es tut. Die Vorgänge von 294 waren für sich schon ausreichend für eine solche Charakterisierung: die Anagrapheis, die Behandlung des Archontats, die fremde Besatzung.

Die Oligarchie des frühen 3. Jahrhunderts in der Sicht des Demochares, des Laches und der maßgebenden Kreise, die im Jahre 271/0 den Antrag für Demochares zum Volksbeschluß erhoben haben, war ohne Zweifel die Zeit von 294 bis 287, in der Demetrios die Herrschaft über Athen mit dem Königtum über Makedonien verband und diese Herrschaft durch athenische Politiker ausüben ließ, die unter den gegebenen Umständen zur Kooperation bereit waren. Wenigstens einer von ihnen, Olympiodor, trat dann im Jahre 287, als der Fall des Demetrios in Makedonien Hoffnung auf die Wiedergewinnung der Freiheit machte, an die Spitze der nationalen Erhebung zur Befreiung von der fremden Herrschaft (unten Kapitel IV). Es ist Olympiodor gewesen, der den maßgeblichen Anteil an der Erstürmung des von makedonischen Truppen besetzten Musenhügels hatte. Die nationale Erhebung des Jahres 287 aber war wie selbstverständlich begleitet von einem inneren Umschwung im Sinne der radikalen Demokratie, wofür die Rückberufung des Demochares aus dem Exil ein deutliches Zeichen ist. Die Tatsache dieses Umschwungs gibt ihrerseits dem Vorwurf der radikalen Demokraten, daß die vorausgehenden Jahre eine Oligarchie gewesen seien, eine gewisse Berechtigung.

Das zweite Zeugnis über die Oligarchie dieser Zeit steht in dem nur etwa ein Jahr nach dem Dekret über Demochares angenommenen Beschluß für Kallias von Sphettos, den Bruder des Phaidros (oben Anm. 7). Er wurde in der 6. Prytanie des Jahres 270/69 verabschiedet. Der entsprechende Passus findet sich, wie im Dekret für Demochares, am Ende, nach der Schilderung der Karriere im einzelnen, als eine zusammenfassende Würdigung der Gesinnung des Geehrten und seiner stets untadelig demokratischen Haltung. Der Beginn der entsprechenden Passage ist leider in einer Lücke verlorengegangen. Sie hat 18 Buchstaben gehabt, von denen jedoch eine Anzahl vielleicht noch zum Ende des vorausgehenden Satzes über Kallias' Stellung als ptolemäischer Kommandant von Halikarnass gehört. Der Passus, mit dieser Lücke, lautet wie folgt (Zeilen 78–83): χ[--- 16–17 ---]/ν τεῖ πατρίδι Καλλίας οὐδεπώποθ' ὑπ⟨ο⟩μείνας [ἄρχ]ε[σθαι? χ]/αταλελυμμένου τοῦ δήμου, ἀλλὰ καὶ τὴν οὐσίαν τὴν π[ατρῴαν] / προέμενος δόσιν δοθῆναι ἐν τεῖ ὀλιαρχίαι ὥστε μ[ηδὲν ὑ]/πεναντίον πρᾶξαι τοῖς νόμοις μήτε τεῖ δημοχ[ρατί]αι τεῖ ἐξ ἁπάντων Ἀθηναίων. Mit der Erwähnung der πατρίς wird vom Dienst für den auswärtigen König zu Kallias' Stellung in seiner Vaterstadt übergeleitet. Zu seinem Lobe wird gesagt, daß er zu keiner Zeit, in der Athen nicht demokratisch war, ein Amt übernahm (oder einfach: in der Stadt anwesend war), sondern es sogar geschehen ließ, daß sein väterliches Vermögen in der Oligarchie an andere vergeben wurde, so daß er nichts tat, was mit den Gesetzen und der wahren Demokratie (‹der Demokratie aus allen Athenern›) im Widerspruch stand.

Das bemerkenswerteste Moment in diesem Satz ist die Tatsache, daß Kallias unter der Oligarchie sein Vermögen verlor. Dies kann seinen Grund nicht allein in der Weigerung haben, für ein Amt zu kandidieren oder ein Amt zu übernehmen. Der Grund dürfte in seiner notorischen Feindschaft zu den damals herrschenden Kreisen und zu König Demetrios liegen. Wenn sein Bruder Phaidros in den fraglichen Jahren Stratege gewesen ist, was wegen der Zeilen 24–28 des Dekrets für ihn naheliegt, wegen ihres summarischen Berichts aber nicht sicher ist[50] (sicher nur für das letzte Jahr dieses Zeitraums, 288/7, vor dessen Beginn sich aber eine politische Wandlung schon angekündigt haben könnte), dann hat auch Phaidros den Bruder vor der Konfiskation des Vermögens nicht schützen können.

Aus den Worten, daß Kallias in undemokratischen Zeiten kein Amt übernommen habe, folgt nicht, daß er in diesen Zeiten in Athen anwesend war. Seines Vermögens dürfte er durch die Oligarchen gerade deshalb verlustig gegangen sein, weil er abwesend war, und zwar abwesend an einem Ort, der ohne weiteres erkennen ließ, daß Kallias beim Feinde stand: am Hofe des Ptolemaios Soter. Es war im Jahre 294 Ptolemaios gewesen, der mit einer beachtlichen Flotte den Versuch gemacht hatte, Athen vor Demetrios zu retten.[51] In seinem Dienst ist Kallias 287 zum Zeitpunkt der Erhebung Athens bezeugt; er kann sehr wohl 294 oder auch früher in den Dienst des Königs getreten sein. Sein Vermögen aber ist wohl erst eingezogen worden, als man es benötigte, um frisch entstandene Ansprüche zu befriedigen, d. h. im Zusammenhang mit der von König Demetrios angeordneten Rückberufung der Oligarchen im Jahre 292. Diese waren, wie auch der Nichtathener Deinarch, seit 307 in der Verbannung gewesen, und es ist klar, daß ihr Grundbesitz usw. längst verteilt worden war. Um ihre Ansprüche bei der Rückkehr zu befriedigen, griff man damals auf die Vermögen notorischer politischer Gegner zurück, und wer als Offizier in den Diensten des Ptolemaios stand, galt ohne weiteres für einen Gegner. Die Vorgänge werden sofort anschaulich, wenn man sich ähnlicher Fälle erinnert, des Verbanntendekrets von 324 und seiner Auswirkungen[52] oder der Auseinandersetzungen in Sikyon, nachdem die von den Tyrannen Verbannten unter Arat dorthin zurückkehrten.[53]

Die Worte, daß der durch einen Beschluß Geehrte nie etwas der Demokratie Abträgliches getan habe, finden sich in dieser Zeit noch zweimal in Beschlüssen, die

---

[50] IG II² 682, 24–28.

[51] Plutarch, Demetrios 33.

[52] Siehe die aus Alexanders Erlaß resultierenden ausführlichen Regelungen von Mytilene (Tod, GHI 201) und von Tegea (ebenda 202).

[53] Plutarch, Arat 12–14. Cicero, de officiis 2, 81–82. F. W. Walbank, Aratos of Sicyon, 1933, 34–36. 39–40.

etwas früher sind als derjenige für Kallias, die aber beide der Befreiung und der demokratischen Erneuerung von 287 folgten, einmal in dem sehr fragmentarischen Dekret IG II² 698 für einen Unbekannten von ca. 286/5, in dem in den Zeilen 6−7 auf die Befreiung Athens angespielt wird und dann in Zeile 8 folgt: [--- οὐδὲν ἐποίησεν ὑπεναν]τίον τῶι δήμωι, und in Zeile 8 [ὑπὲρ] τῆς δημοκρατίας, zum anderen im Beschluß des Jahres 283/2 für den Dichter Philippides, IG II² 657. Dieser war zur Zeit der Befreiung noch am Hofe des Lysimachos gewesen (Zeile 31 ff.) und wohl wie Demochares 286/5 zurückgekehrt,[54] danach für das Jahr 284/3 zum Agonotheten gewählt worden (38 ff.). Nachdem Philippides am Jahresende die Rechenschaft über seine Amtsführung abgelegt hatte, wurde er durch den vorliegenden Beschluß in der 3. Prytanie des folgenden Jahres geehrt. Zwischen der Erwähnung der Rechenschaft, mit der die Schilderung seiner Karriere schließt, und dem eigentlichen Beschlußinhalt aber steht in den Zeilen 48−50 die folgende zusammenfassende Würdigung: κα[ὶ οὐ]δὲν ὑπεναντίον πρὸ[ς δ]ημοκρατίαν οὐδεπώποτε [ἐποίησ]ε[ν ο]ὔτ[ε λόγωι οὔτ'] ἔργωι. Es hätte wohl auch von ihm gesagt werden können, daß er unter einem nichtdemokratischen Regiment nie ein Amt versehen hatte. Ob auch er sein Vermögen in der Zeit der Oligarchie eingebüßt hatte?

Oligarchische Züge weist auch eine institutionelle Reform auf, die jedenfalls ins frühe 3. Jahrhundert gehört und die jetzt, nachdem die Zeit dieser Oligarchie bestimmt worden ist, den Jahren 294−287 zuversichtlich zugewiesen werden kann. Es handelt sich um die Reform der Ephebie, deren Modalitäten Wilhelm Dittenberger schon 1863 richtig erkannt hat.[55] Die wesentlichen Neuerungen waren die Reduzierung des zweijährigen Dienstes auf ein Jahr bei gleichbleibendem Eintrittsalter der Epheben und die Ersetzung der Dienstpflicht durch das Prinzip der Freiwilligkeit. Dittenbergers Ergebnisse haben sich auch an den neueren Inschriftenfunden bewährt, und sie sind Allgemeingut der Forschung.[56]

Die Folge dieser Reform, bei der auch die Sophronisten der Phylen und einer der beiden Paidotriben verschwanden,[57] war ein drastisches Absinken der Zahl der Epheben. Und es ist durch die Namenslisten der Epheben klar, daß fortan nur noch Söhne aus reichen Familien sich zum Ephebendienst meldeten.[58] Damit änderte die Ephebie ihren Charakter völlig. Sie war nach der Niederlage von Chaironeia durch

---

[54] Smith, Historia 11, 1962, 115.

[55] De ephebis Atticis, 1863, 16. 21.

[56] Pélékidis, Éphébie 165−172. Ed. Will, RPh 38, 1964, 292. P. Lévèque, REG 78, 1965, 645. H. W. Pleket, Mnemosyne⁴ 18, 1965, 444. A. W. Woodward, JHS 85, 1965, 227. O. W. Reinmuth, Gnomon 1965, 797.

[57] Der in IG II² 585 von 300/299 (Hesperia 32, 1963, 4) geehrte Paidotribes braucht nicht der einzige des Jahres gewesen zu sein.

[58] Pélékidis, Éphébie 169.

das Gesetz des Epikrates reformiert worden, um künftig bestimmte militärische Funktionen zu erfüllen und die Jugend im patriotischen Geist zu erziehen und zugleich auf die eigentlichen Aufgaben der militärischen Dienstpflicht vorzubereiten. Diese Reform war mithin Teil des nationalen Erneuerungswerkes gewesen, dem sich nach Chaironeia die maßgebenden demokratischen Politiker Athens verschrieben hatten.

Nach der neuerlichen Reform im frühen 3. Jahrhundert fiel die Ephebie als Faktor der Landesverteidigung aus. Aus der militärischen Bürgerpflicht wurde ein Bildungsprivileg der Besitzenden. Die Reform war ebenso im Sinne dieser Kreise wie des fremden Königs, der Athen seit 294 wieder beherrschte. Da sie jedenfalls in die Jahre zwischen 303 und 267 gehört, steht nichts im Wege, sie den Jahren zwischen 294 und 287 zuzuweisen.[59] Auch sie war mithin Teil der Oligarchie dieser Zeit.

Ein helleres Licht fällt auf diese Jahre der Oligarchie durch einen sonderbaren Beschluß der Athener, den Plutarch mitteilt. Sein politischer Sinn ist jedoch nicht ohne weiteres zu erkennen, vielmehr bedürfen Datierung, Inhalt und Absicht dieses Beschlusses zuvor einer besonderen Erörterung. Dieses Psephisma wird daher in einem eigenen, dem folgenden Kapitel behandelt werden.

---

[59] Pélékidis, Ephébie 172, nimmt einen Zusammenhang mit der Rückkehr der Oligarchen im Jahre 292/1 an und neigt daher dazu, die Reform in dieses Jahr zu setzen. Das kann richtig sein, aber tatsächlich kommt auch jeder andere Zeitpunkt zwischen Frühjahr 294 und Frühjahr 287 in Betracht.

## III. EIN PSEPHISMA DES DROMOKLEIDES VON SPHETTOS

Plutarch hat das dreizehnte Kapitel seiner Vita des Demetrios Poliorketes ganz einem von Dromokleides von Sphettos beantragten Volksbeschluß gewidmet. Er gibt als Absicht des Antrages an, vom König ein Orakel über die Weihung der Schilde nach Delphi zu erlangen, ὑπὲρ τῆς τῶν ἀσπίδων ἀναθέσεως εἰς Δελφοὺς παρὰ Δημητρίου λαβεῖν χρησμόν. Dann fügt er den eigentlichen Beschlußinhalt im Wortlaut an:[1] Der Demos solle die Wahl eines Mannes beschließen, der nach Darbringung eines Opfers mit günstigen Auspizien «den Retter» befragen solle, wie der Demos am frömmsten, am besten und am schnellsten die Wiederherstellung der Weihgeschenke vornehmen könne. Und was jener orakele, solle der Demos tun.

Für Plutarch ist dieser Antrag, unter allen dem König von den Athenern zuerkannten Ehren, der Gipfel verstiegener Schmeichelei.[2] Er entrüstet sich daher über ihn mit starken Worten. Nach dem wörtlichen Zitat des Beschlußantrags beendigt er das Kapitel mit dem Satz: «Indem sie auf diese Weise ihren Spott mit dem Manne trieben, trugen die Athener zu seiner Verderbtheit noch bei, wo er doch auch so schon nicht mehr bei gesunden Sinnen war.»[3] Plutarch meint, wie der ganze Zusammenhang lehrt, gewiß nicht, daß der Antragsteller und die beschließenden Athener die Absicht gehabt hätten, Demetrios mit diesem Beschluß lächerlich zu machen, sondern vielmehr, daß der Antrag so überspannt war, daß Demetrios, wenn er bei einem solchen Spiel mitmachte, zum Gespött eines jeden vernünftig Denkenden werden mußte. Die moralisierende Betrachtungsweise ist offenkundig. Aber der Antrag hat, neben aller devoten Schmeichelei, doch einen sehr konkreten Hintergrund und eine klare politische Intention. Nach diesen Momenten ist offenbar noch nie gefragt worden; sie entschlüsseln sich auch nicht von selbst, deshalb nicht, weil Plutarch die gesamte Motivierung des Beschlusses in seinem Zitat übergangen hat. Er hat sie aber gekannt, wie zwei in dem wörtlich zitierten Passus nicht begegnende Elemente seiner einleitenden Paraphrase zeigen: daß es bei

---

[1] Plutarch, Demetrios 13,2: Ἀγαθῇ τύχῃ, δεδόχθαι τῷ δήμῳ χειροτονῆσαι τὸν δῆμον ἕνα ἄνδρα ἐξ Ἀθηναίων, ὅστις ἀφικόμενος πρὸς τὸν Σωτῆρα καὶ καλλιερησάμενος ἐπερωτήσει τὸν Σωτῆρα πῶς ἂν εὐσεβέστατα καὶ κάλλιστα καὶ τὴν ταχίστην ὁ δῆμος τὴν ἀποκατάστασιν ποιήσαιτο τῶν ἀναθημάτων. ὅ τι δ᾽ ἂν χρήσῃ, ταῦτα πράττειν τὸν δῆμον.

[2] Plutarch a.O. 13,1: Ὁ δὲ μάλιστα τῶν τιμῶν ὑπερφυὲς ἦν καὶ ἀλλόκοτον, ἔγραψε Δρομοκλείδης ὁ Σφήττιος κτλ.

[3] Plutarch a.O. 13,3: Οὕτω καταμωκώμενοι τοῦ ἀνθρώπου προσδιέφθειραν αὐτὸν οὐδὲ ἄλλως ὑγιαίνοντα τὴν διάνοιαν.

der fraglichen Weihung um eine solche von Schilden gegangen ist und daß Delphi der Aufstellungsort war. Plutarch hat mithin mehr vor Augen gehabt als er zitiert, nämlich das gesamte Psephisma. Und er sagt dies auch mit den Worten αὐτὴν δὲ παραγράψω τὴν λέξιν ἐκ τοῦ ψηφίσματος οὕτως ἔχουσαν. Und ebendiese Worte zeigen zugleich, wie auch der ganze Tenor des Kapitels, daß die Volksversammlung den Antrag des Dromokleides zum Beschluß erhoben hat.

Dagegen ist nicht sicher, ob dieses Psephisma je in Stein verewigt wurde oder ob es nur auf einer Holztafel im Archiv verzeichnet war. Wenn es eine Steinaufzeichnung gab, so kann sie entweder im Jahre 201/0, zusammen mit anderen an die Antigoniden erinnernden Denkmälern, zerstört worden[4] oder der Zerstörung entgangen sein. Aber Plutarch hat zweifellos weder die Stele noch die Ausfertigung des Beschlusses im Archiv von Athen gesehen. Er kann sein Wissen nur von einem zeitgenössischen Historiker haben, der die Urkunde in sein Werk eingelegt hat, um, so wie Plutarch es tut, mit diesem Dokument Demetrios, die Athener und den Antragsteller Dromokleides bloßzustellen. Die Tendenz ist die gleiche wie bei der Mitteilung des Vershymnus auf Demetrios vom Jahre 291, den Duris von Samos im Wortlaut, Demochares in einer Paraphrase gegeben hatte, beide mit kommentierenden Bemerkungen, die genau denen entsprechen, mit denen Plutarch das Psephisma des Dromokleides interpretiert.[5] Einer dieser beiden dürfte hier Plutarchs Gewährsmann gewesen sein, vermutlich Demochares, zumal auch der von Plutarch wörtlich zitierte Ausspruch des Demochares über Stratokles im 21. Kapitel der Vita ihm schwerlich anders als durch das Geschichtswerk des Demochares bekanntwerden konnte.

In der Literatur ist dem Psephisma des Dromokleides kaum Beachtung geschenkt worden. Man hat nur, und mit Recht, konstatiert, daß es gewiß authentisch ist,[6] und hat es im allgemeinen, ohne weitere Begründung, ins Jahr 307 datiert.[7] Die Echtheit scheint mir sowenig zweifelhaft zu sein wie die der Verse des Ithyphallikos, und die Annahme der Echtheit wird weiter gestützt durch die gar nicht zu umgehende Einsicht, daß der Text des Beschlusses von einem zeitgenössischen Historiker mitgeteilt war und von ihm, direkt oder indirekt, zu Plutarch gelangt ist. Die

---

[4] Vgl. Habicht, Gottmenschentum 189–190.

[5] Duris, FGrHist 76 F 13. Demochares, FGrHist 75, F 2. Vgl. Habicht, Gottmenschentum 232–233 und die dort 232 Anm. 37 genannte Literatur.

[6] E. Manni, Plutarchi vita Demetri Poliorcetis 1953, 27: «La notizia non è inverosimile ... Il decreto cui qui si accenna potrebbe essere autentico nella sostanza anche se non nella forma.» Tatsächlich spricht jedoch nichts dagegen, daß auch der Wortlaut des Beschlusses, soweit Plutarch ihn zitiert, authentisch ist.

[7] So z. B. J. Kirchner, RE Dromokleides (1905) 1715. H. Pomtow, Delphoi, RE-Suppl. 4 (1924) 1307–1308 nr. 53 F. F. M. W. Parke–D. E. W. Wormell, The Delphic Oracle, 1, 1956, 245.

Datierung auf 307 aber ist sicher unrichtig. Zwar stehen die Kapitel 10–13 der Vita so, daß sie den Ablauf der äußeren Ereignisse zum Jahre 307 unterbrechen, aber man hat längst erkannt, daß Plutarch in ihnen aus kompositorischen Gründen alle Ehrungen zusammengefaßt hat, die die Athener Antigonos und Demetrios oder dem letzteren allein überhaupt erwiesen haben. Darunter sind solche des Jahres 307, aber auch solche der Jahre 304 und 294.[8] Durch die Disposition des Stoffes wird mithin nicht gefordert, daß der Antrag des Dromokleides ins Jahr 307 gehört. Vielmehr sind zwischen 307 und 287 alle Jahre an sich möglich, in denen Demetrios Athen besaß, d. h. 307–301 und 294–287. Aus verschiedenen Gründen kommt nur die zweite Phase seiner Herrschaft über Athen in Betracht. Es sagt zwar nicht viel, daß die einzige sonst bekannte politische Aktivität des Dromokleides, sein Antrag, dem König den Piräus und die Festung Munychia zu überantworten, sicher auf den Elaphebolion 294 festgelegt ist (Kapitel I, Abschnitt 1), und es besagt nicht viel mehr, daß zwischen 307 und 301 alle nennenswerten politischen Beschlüsse von Stratokles verantwortet wurden. Aber ein wesentliches Moment ist die Tatsache, daß das Psephisma des Dromokleides die Wahl eines Mannes «aus den Athenern» vorsieht, was im Gegensatz zu Zeiten der wirklichen Demokratie (wie zwischen 307 und 301), in denen solche Wahlen «aus allen Athenern» vorgeschrieben werden,[9] eben auf die Jahre der Oligarchie zwischen 294 und 287 weist. Vor allem aber wird sich weiter unten deutlich genug ergeben, daß sich für den Beschluß des Dromokleides zwischen 307 und 301 kein verständlicher Anlaß und keine rationale Absicht aufweisen läßt, daß dagegen in einer bestimmten Situation der Jahre nach 294 der Antrag einen eminenten politischen Sinn erhält. Ich ziehe daher auch die früher geäußerte Auffassung, er hänge mit zwei Beschlüssen von 304 so eng zusammen, daß er von ihnen zeitlich nicht getrennt werden könne,[10] hiermit zurück. Das Psephisma des Dromokleides gehört in die zweite Phase der Herrschaft des Demetrios über Athen, in die Zeit der Oligarchie.

Es ist nun an der Zeit, genauer nach Gegenstand und Intention des Antrages zu fragen. Hält man sich an die einleitende Paraphrase Plutarchs, so geht es um die

---

[8] Siehe Habicht, Gottmenschentum 44–55, besonders 50 und 255. Einzelheiten sind hinsichtlich ihrer Datierung strittig, der Hauptpunkt dagegen nicht, daß Ehrungen aus verschiedenen Jahren in diesen Kapiteln ohne Rücksicht auf die Chronologie vereinigt sind. Entscheidend ist, daß in Kapitel 12 die Stiftung der Demetrien erwähnt wird, die jedenfalls erst 294 geschaffen wurden und einmal, im Jahre 292, auch inschriftlich bezeugt sind (Dinsmoor, Archons 7).

[9] Siehe Kapitel II, Anm. 48. Dies ist ein klares Zeichen dafür, wo der politische Standort des Dromokleides war. Er ist bei Plutarch, mor. 798 E, mit Stratokles zusammengestellt. Aber dies besagt nicht, daß auch er Demokrat gewesen wäre, sondern nur, daß er Zeitgenosse des Stratokles, Opportunist und käuflich wie dieser war.

[10] Habicht, Gottmenschentum 49–50.

Weihung von Schilden, genauer: der Schilde, nach Delphi. Dazu hat H. Pomtow bemerkt: [11] «Die Schilde waren gewiß soeben (d.h. im Jahre 307) bei der Vertreibung des Demetrios von Phaleron und Eroberung der Munychia gewonnen und kamen in unsere Stoa (die Stoa der Athener), die nun dicht gefüllt war.» Beide Vermutungen sind irrig. Denn dort, wo Plutarch nicht paraphrasiert, sondern aus dem Psephisma wörtlich zitiert, ist nicht von einer erstmaligen Weihung die Rede, sondern von der Wiederherstellung eines älteren Weihgeschenks, ἀποκατάστασις τῶν ἀναθημάτων. Und auch der bestimmte Artikel in τῶν ἀσπίδων zeigt, daß es sich um eine bekannte, ältere Weihung von Schilden handelt, die, als Dromokleides seinen Antrag einbrachte, in Delphi nicht an ihrem Platze waren, nach dem Willen der Athener aber dort wieder Platz finden sollten.

Tatsächlich ist ein solches athenisches Weihgeschenk, aber eben auch nur eins, bekannt: Schilde ihrer Gegner, die die Athener während der Perserkriege nach Delphi, und zwar in den Apollontempel, geweiht haben. Pausanias hat diese Schilde gesehen: Ὅπλα δὲ ἐπὶ τῶν ἐπιστυλίων χρυσᾶ, Ἀθηναῖοι μὲν τὰς ἀσπίδας ἀπὸ τοῦ ἔργου τοῦ Μαραθῶνι ἀνέθεσαν. [12] Danach waren es goldene, wohl eher vergoldete, [13] Schilde aus der Beute von Marathon. Ihre Spuren sind an den Metopen des Tempels noch sichtbar. [14]

Pausanias hat anscheinend die mit der Weihung verbundene, auf den Schilden oder am Architrav angebrachte Inschrift gesehen und richtig auf die Perserkriege, unrichtig jedoch auf Marathon bezogen. Denn der von Aischines überlieferte Text

[11] Delphoi, RE-Suppl. 4 (1924) 1307–1308 nr. 53 F. Irrig auch Kirchner, RE Dromokleides 1705: «wegen einer in Delphoi *beabsichtigten* Weihung von Schilden.»

[12] Pausanias 10, 19,4. Dazu J.G. Frazer, Pausanias's Description of Greece 5, 1898, 331 und 341. Pausanias, edd. H. Hitzig und H. Blümner III 2, 1910, 739. Pausanias, Beschreibung Griechenlands, übersetzt von E. Meyer, 1954, 703. W. Gauer, Weihgeschenke aus den Perserkriegen, IM-Beiheft 2, 1968, 26–27. 42. 43. Ich kann Gauer nicht in allem folgen, vor allem nicht in seiner Ansicht, daß Marathon-Schilde (Pausanias) und Plataiai-Schilde (Aischines) verschiedene Weihgeschenke seien und daß die von Aischines bezeugte Weihung vom Jahre 340 die *erste* Weihung dieser Schilde gewesen sei. Die Vergoldung kann von den Athenern anläßlich der Weihung vorgenommen worden sein und schließt nicht aus, daß die Schilde erbeutete Gebrauchsschilde waren. Ob 340 die (vielleicht geretteten) alten oder ob andere Schilde geweiht wurden, ist unbekannt. Die Annahme, daß es 340 in den athenischen Heiligtümern noch Beutestücke aus den Perserkriegen gab, aus denen man die beim Brand des delphischen Tempels vielleicht zerstörten Schilde ersetzen konnte, ist ganz unproblematisch – man denke nur, welch alte Stücke noch in später Zeit in den Tempelinventaren, z.B. in Delos, aufgeführt werden. Soweit ich sehe, haben nur Parke–Wormell (Anm. 7) 245 das Psephisma des Dromokleides in Zusammenhang mit der Schildweihung aus den Perserkriegen gebracht: «perhaps the very same which had been the first occasion for the Fourth Sacred War.» Nichts zu allen diesen Fragen in G. Daux, Pausanias à Delphes, 1936.

[13] Dies ist die wohl allgemeine Annahme der Literatur.

[14] Gauer 26 mit Anm. 89. E. Meyer 703.

der Inschrift erlaubt nur die Beziehung auf die Schlacht von Plataiai.[15] Er lautet: Ἀθηναῖοι ἀπὸ Μήδων καὶ Θηβαίων, ὅτε τἀναντία τοῖς Ἕλλησιν ἐμάχοντο.[16] Und Aischines ist in diesem Punkt der verläßlichste Zeuge, den man sich wünschen kann, denn eben wegen dieser Weihung, genauer: wegen der sie begleitenden Inschrift, kam es im Jahre 340/39 zu einer ernstlichen politischen Krisis, die schließlich zum 4. Heiligen Krieg führte, und am Beginn dieser Krisis vertrat Aischines die Sache der Athener in der delphischen Amphiktyonie.[17] Von diesen Verwicklungen ist hier nur das Folgende von Bedeutung. Nachdem der alkmäonidische Apollontempel 373 durch Brand zerstört worden war, hatten die einst von den Athenern geweihten Schilde, wenn sie der Zerstörung entgangen sein sollten, jedenfalls an ihrem Platz nicht bleiben können. Im Zuge des Tempelneubaus durch die Amphiktyonie haben die Athener, ohne Zweifel eben im Jahre 340, die alte Weihung erneuert, ohne jedoch damit zu warten, bis der neue Tempel geweiht war. Dies gab den Lokrern von Amphissa den Vorwand, bei der Amphiktyonie darauf anzutragen, die Athener wegen dieses religiösen Vergehens mit einer Buße von 50 Talenten zu belegen. Aischines wandte sich als Vertreter Athens gegen diesen Antrag und verstand es, durch Hinweis auf ein größeres lokrisches Sakrileg die Versammlung ganz gegen die Antragsteller einzunehmen.

Es liegt auf der Hand, daß das geringfügige religiöse Vergehen nur ein Vorwand gewesen ist. Der Antrag der Lokrer richtete sich tatsächlich gegen die die Weihung begleitende Inschrift, denn diese war, in der Situation des Jahres 340, eine offene Herausforderung an die Thebaner. Und Aischines läßt deutlich genug erkennen, daß die Lokrer, mit dem gegen die erneuerte Weihung gerichteten Antrag im Sinne, gewiß auch auf Verlangen der Thebaner handelten und deren Geschäfte betrieben: ὅτε οἱ Ἀμφισσεῖς ὑποπεπτωκότες τότε καὶ δεινῶς θεραπεύοντες τοὺς Θηβαίους εἰσέφερον δόγμα κατὰ τῆς ἡμετέρας πόλεως.[18]

Der Fortgang der Angelegenheit braucht hier nicht verfolgt zu werden. Es ist aber offenkundig, daß die athenische Weihung, die vielleicht lange Zeit, solange

---

[15] Aischines 3, 116; vgl. auch 122.

[16] Vgl. Meyer a. O. 703: «Allerdings ist wohl auch damit zu rechnen, daß bei der späteren Neuanbringung der Schilde der Name der Thebaner als Besiegter fortgelassen wurde und nur noch die ‹Meder› genannt blieben, womit dann die Deutung auf Marathon als den berühmtesten Sieg der Athener über die Perser sich fast von selbst einstellen mußte.» Dies erscheint mir weniger wahrscheinlich als ein auf Flüchtigkeit beruhendes Versehen des Pausanias. Jedenfalls hat die 340 erneuerte Inschrift den Namen der Thebaner getragen, wie Aischines bezeugt und auch die Erwähnung der Thebaner im Zusammenhang mit dem lokrischen Antrag lehrt. Und auch der Antrag des Dromokleides hatte, wie sich unten zeigen wird, die fortdauernde Nennung der Thebaner zweifellos im Sinn.

[17] Die umfangreiche Literatur zu diesen Fragen jetzt bei H.-J. Gehrke, Phokion, 1976, 55 Anm. 22.

[18] Aischines 3, 116.

nämlich der alte Tempel stand, kaum noch Beachtung gefunden hatte, sofort zum politischen Zankapfel wurde, nachdem sie am neuen Tempel im Jahre 340 erneuert worden war. Die Inschrift war eine offene Manifestation der Feindseligkeit Athens bzw. seiner tonangebenden politischen Kreise gegenüber Theben und Persien. Andere Kreise Athens, nämlich die von Demosthenes geführte politische Richtung, waren mit einer solchen Manifestation nicht einverstanden, suchten sie doch gerade die Unterstützung dieser beiden Staaten, Thebens und Persiens, gegenüber der von Makedonien ausgehenden Bedrohung. Die bekannte Aktivität des Demosthenes im Fortgang der Sache stimmt hierzu auf das beste. Dank seiner Bemühungen waren es ironischerweise am Ende gerade die für das Bündnis gegen König Philipp in letzter Minute gewonnenen Thebaner, die bei Chaironeia die Schicksalsgefährten der Athener waren.

An der ganzen Angelegenheit ist weiterhin wichtig, daß der (vergebliche) Antrag der Lokrer nicht auf die Beseitigung des Weihgeschenks und der anstößigen Inschrift zielte, sondern auf eine demonstrative Maßregelung der Athener. Der Grund für die Zurückhaltung gegenüber dem anstößigen Objekt war zweifellos, daß die Schilde samt der Inschrift als dem Gott dargebrachtes und ihm gehörendes Gut nicht einfach entfernt werden konnten.

Von dieser Vorgeschichte her fällt auf einmal helles Licht auf den Antrag des Dromokleides. Dieser zielte auf die Wiederherstellung einer athenischen Weihung von Schilden nach Delphi, ohne Zweifel ebender Schilde, die nach der Schlacht von Plataiai geweiht und im neuen Tempel im Jahre 340 erneut dargebracht worden waren. Wie diese dritte Weihung am frömmsten, am schönsten und am schnellsten vorgenommen werden könne, darum geht es. Zu diesem Zweck soll ein Orakel vom göttlichen König eingeholt werden. König Demetrios vertritt hier die Pythia. Fragt man, warum nicht diese, sondern der König um das Orakel ersucht wird, so ist die Antwort, dies sei nur eine leere Schmeichelei, durchaus unbefriedigend. Die athenische Ekklesie hat einem solchen Antrag gewiß nur zustimmen können, wenn der traditionelle Weg verbaut, d.h. wenn ein Orakel der Pythia für Athen damals unerreichbar oder von vornherein unannehmbar war, mithin zu einer Zeit, in der das delphische Heiligtum nicht von der Amphiktyonie und der delphischen Priesterschaft, sondern von einer den Athenern feindlichen Macht kontrolliert wurde.

Die Richtigkeit dieser Überlegungen wird durch das bekannte Faktum bestätigt, daß König Demetrios im Jahre 290 die Feier der Pythien in Athen veranstaltete, weil er zwar als makedonischer König und Inhaber der beiden makedonischen Stimmen in der Amphiktyonie den Vorsitz beim Fest beanspruchte, wie ihn Philipp und Alexander ausgeübt hatten, ihn aber nicht durchsetzen konnte, da die ihm feindlichen Aitoler das Heiligtum von Delphi kontrollierten.[19]

---

[19] Plutarch, Demetrios 40. Beloch, GG IV 2, 248–249. Flacelière, Aitoliens 51 ff. 57.

Die aitolische Herrschaft über Delphi ist mithin die Voraussetzung, die den Antrag des Dromokleides erst verständlich macht. Da diese Herrschaft erst nach der Schlacht von Ipsos begründet wurde,[20] Demetrios seinerseits Athen erst 294 wieder eroberte, kommen für diesen Antrag des Dromokleides nur die Jahre nach dem Frühjahr 294 in Betracht. Es paßt dazu gut, daß Dromokleides eben im Frühjahr 294 als einflußreicher Politiker bezeugt ist.[21] Der Antrag setzt aber, da die Weihinschrift die athenische Feindseligkeit gegenüber Theben manifestiert, weiter voraus, daß der König und Athen damals auch zu Theben in feindlichen Beziehungen standen. Damit entspricht die vorausgesetzte Situation genau derjenigen, die der an den Großen Eleusinien, etwa im August, 291[22] in Athen gesungene Ithyphallikos auf Demetrios spiegelt.[23] In ihm erscheinen die Aitoler und mit ihnen die Thebaner als Feinde der Athener und der Hellenen, die der König Demetrios bekriegen und bezwingen soll. Vor allem soll er die Aitoler vom delphischen Felsen verjagen. Beloch hat schon vor langer Zeit treffend bemerkt: «Der ganze Vergleich der Aitoler mit der Sphinx hat überhaupt nur dadurch eine Pointe, daß Theben auf aitolischer Seite stand.»[24]

Tatsächlich haben Aitolien und Böotien in den neunziger Jahren des 3. Jahrhunderts ein Bündnis miteinander geschlossen. Ein Stück dieser Symmachie ist in dem Fragment eines, bezeichnenderweise in Delphi aufgestellten, Exemplars inschriftlich erhalten.[25] Die genaue Datierung dieser Symmachie ist strittig, doch stimmen alle Forscher, mit der alleinigen Ausnahme von G. de Sanctis, darin überein, daß sie in das Jahrzehnt zwischen 301 und 291 gehört.[26]

Nun hat König Demetrios Böotien und Theben Ende 294 oder Anfang 293 unterworfen und nach zwei Aufständen der Jahre 292 und 291 seit der erneuten Eroberung Thebens im Jahre 291 über den Abfall Athens von 287 hinaus behauptet. Zu Zeiten seiner Herrschaft über Böotien ist Dromokleides' Antrag nicht denkbar. Nur die Jahre zwischen dem Ausbruch der ersten böotischen Revolte und der erneuten Eroberung Thebens im Jahre 291, mit der der zweite Aufstand zusammenbrach, kommen in Betracht.

Das Psephisma des Dromokleides und der Ithyphallikos auf den König haben miteinander gemeinsam, daß der König als helfender Gott angerufen wird, wo die

---

[20] Flacelière, Aitoliens 49 ff.
[21] Plutarch, Demetrios 34. Oben S. 6.
[22] Beloch, GG IV 2, 249. Flacelière, Aitoliens 65.
[23] Siehe Anm. 5.
[24] Beloch, GG III¹ 2, 200 (zustimmend Flacelière, Aitoliens 65 mit Anm. 11); vgl. IV² 1, 226 Anm. 1.
[25] Die Staatsverträge des Altertums nr. 463. Vgl. besonders R. Flacelière, BCH 54, 1930, 75–89; derselbe, Aitoliens 57–68.
[26] Siehe die Literaturübersicht von H. H. Schmitt, Staatsverträge III S. 99.

alten Götter versagen. Von ihm erbittet man ein Orakel, da Apollon nicht erreichbar ist, von ihm die Züchtigung der Feinde, da die Götter blind, taub oder gleichgültig sind. Beide Texte haben weiterhin die gleiche politische Intention: den König zum Krieg gegen die miteinander verbündeten Aitoler und Thebaner aufzufordern bzw. ihn für diesen Krieg der Unterstützung der öffentlichen Meinung Athens zu versichern. Jene beiden Mächte werden als notorische Feinde der Hellenen bezeichnet, die Aitoler als die Sphinx ὅλης τῆς Ἑλλάδος in den Zeilen 24–25 des Ithyphallikos, die Thebaner sind es als einstige Kampfgefährten der Meder. Der König soll mit einem Schlage die Aitoler aus dem gesamthellenischen Heiligtum verjagen (so der Ithyphallikos) und zugleich die an die Schande ihrer thebanischen Verbündeten erinnernde Weihinschrift wieder aufstellen (so das Psephisma des Dromokleides). Es ist jetzt evident, daß beide Zeugnisse sachlich und damit auch zeitlich eng zusammengehören. Das Psephisma des Dromokleides ist 292 oder (dann ganz gleichzeitig mit dem Ithyphallikos) 291 beantragt und verabschiedet worden.

Da es abzielt auf die Wiederherstellung (ἀποκατάστασις) der Schildweihung in Delphi, können die Schilde damals nicht mehr an ihrem Platz im neuen Apollontempel, den sie seit 340 schmückten, gewesen sein. Ein Antrag auf Wiederherstellung ist am verständlichsten, wenn die Entfernung erst kürzlich geschehen war. Es ist wohl denkbar, daß die Aitoler den verbündeten Thebanern zuliebe, und vermutlich auf ihre Vorstellungen hin, die diesen so anstößige Weihgabe entfernten, gewiß nicht aus dem Bereich des heiligen Bezirks, da es sich um geweihtes Gut des Gottes handelte, aber doch von ihrem hervorragenden Platz, an dem sie allen Besuchern der heiligen Stätte sichtbar gewesen war. Die Aitoler dürften zu diesem Zweck einen Beschluß der Amphiktyonie herbeigeführt haben.

Die Schilde sind später jedoch an ihren angestammten Platz zurückgekehrt, denn Pausanias hat sie dort gesehen. Wann dies geschehen ist, muß offenbleiben. Die spätere Zeit der aitolischen Vorherrschaft in Delphi, die bis 189 dauerte, ist keineswegs ausgeschlossen, denn schon bald, nachdem sich Athen 287 von Demetrios befreit hatte, gestalteten sich die Beziehungen der Stadt zu den Aitolern wieder freundlich.[27] Im Jahre 279 kämpften Aitoler und Athener Schulter an Schulter gegen die Kelten (Kapitel VII), und zwischen 277 und 262 haben beide Mächte miteinander ein Bündnis geschlossen (unten S.75). Andererseits war das aitolisch-böotische Bündnis nicht von allzu langer Dauer, die Beziehungen verschlechterten sich vor der Mitte des Jahrhunderts durch die aitolische Annexion von Südphokis, und 245 kam es zum offenen Krieg zwischen beiden Staaten.[28] Es ist daher durchaus möglich, daß es die Aitoler waren, die einmal den athenischen Vorstellungen auf

---

[27] Unten Kapitel VI.
[28] Flacelière, Aitoliens 200. 206 ff.

Restitution der Schilde von Plataiai stattgegeben haben. Aber diese Restitution könnte auch später erfolgt sein.

Interessanter als diese nicht zu beantwortende Frage ist, daß nach der Abwehr der Kelten im Jahre 278 die Aitoler eine ganz ähnliche Weihung von Beuteschilden in Delphi vorgenommen und diese Schilde an den beiden Seiten des Tempels angebracht haben, die nie die athenischen Schilde getragen hatten, nämlich an der West- und an der Südseite.[29] Dies ist schwerlich beweisend dafür, daß damals die athenischen Schilde schon wieder hingen, aber es zeigt doch zumindest, daß die Aitoler Bedenken trugen, die eigene Weihung dort anzubringen, wo traditionsgemäß die athenischen Schilde gehangen hatten; aus Rücksicht auf diese Weihung gaben sie selbst sich mit der gegenüber der Ostfassade weniger prominenten Westfassade zufrieden. Die Parallelität des aitolischen Weihgeschenks zu dem der Athener ist offenkundig und war beabsichtigt. Auch die Weihung des Jahres 278 war eine politische Demonstration der Griechen gegen den gemeinsamen Feind der Hellenen, nur daß die Kelten an die Stelle der Perser getreten waren. Daß 479 die Thebaner im Lager der Feinde Griechenlands gestanden hatten, war ein historisches Faktum, das nicht geleugnet und dessen sichtbare Manifestation im delphischen Apollontempel nur vorübergehend unterdrückt werden konnte. Die Weihung der Aitoler beleuchtet darüber hinaus ihrerseits den politischen Charakter, den man in Delphi, in Athen und in Theben der athenischen Weihung immer beigemessen hat. Und diese politische Signifikanz, mit einer damals deutlichen Spitze gegen Thebaner und Aitoler, liegt dem von Plutarch und der Forschung nur als Ausdruck devoter Kriecherei verstandenen Antrag des Dromokleides zugrunde. Es mag auch sein, daß Plutarch, der, wie sich gezeigt hat, den vollen Wortlaut des Psephismas kannte, aus ihm das Nötigste nur deshalb zitiert hat, um ein Exempel für seine erbauliche Tendenz zu haben, daß er aber wichtige Details, die die Weihung eindeutig zu identifizieren erlaubt hätten, aus patriotischen Gründen übergangen hat: Er war Böoter, und er ist der Autor der Schrift über die angeblich böoterfeindliche Tendenz Herodots.

Der Antrag des Dromokleides ist ein Zeugnis aus der Zeit der Oligarchie, von 292 oder von 291. Er wirft auch ein eigenes Licht auf diese Jahre. Im Sommer 292 war in Athen das zweite Amtsjahr Olympiodors als Archon, der nicht erlost, sondern vom König bestellt worden war,[30] zu Ende gegangen. Olympiodor war eng mit Aitolien verbunden, und das Bündnis, das Athen im Jahre 306 zur Rettung vor Kassander verholfen hatte, war sein persönliches Verdienst gewesen.[31] In den Jah-

---

[29] Pausanias 10, 19,4. Flacelière, Aitoliens 108 mit Anm. 5.
[30] Oben Kapitel II mit Anm. 38.
[31] Pausanias 1, 26,3. Unten S. 106f. Als «partisan convaincu de l'alliance aitolo-athénienne» bezeichnet Flacelière den Olympiodor (HSCP-Suppl. 1, 1940, 472).

ren zwischen 307 und 301 muß er engere Kontakte zu König Demetrios gehabt haben, und Olympiodor war sehr wahrscheinlich im Jahre 302/1 im Rahmen des von den Antigoniden wiederbelebten Bundes Feldherr eines Bundesaufgebots gewesen.[32] Auch zur Zeit der Kapitulation Athens im Frühjahr 294 genoß er das Vertrauen des Königs und kann jedenfalls nicht ohne dessen Einverständnis für zwei Jahre hintereinander zum Archon bestellt worden sein. Vielleicht ist das Verhältnis der Männer zueinander schon dadurch belastet worden, daß Demetrios auch in die Stadt, auf den Museionhügel, eine makedonische Garnison legte. Weitere Belastungen brachten gewiß die Erwerbung der Krone Makedoniens und die Annexion Böotiens, die zum Konflikt zwischen Demetrios und den mit den Böotern verbündeten Aitolern führte und die auch Athen in diesen Konflikt hineinzog. Alle diese Entwicklungen helfen zum Verständnis der bekannten Tatsache, daß es 287 eben Olympiodor war, unter dessen Führung Athen sich gegen Demetrios erhob und daß er es war, der das Museion erstürmte und die makedonische Besatzung von dort vertrieb.[33]

Es hat wenigstens den Anschein, als ob seit dem Sommer 292 der König sich in Athen auf willfährigere Politiker zu stützen begann, als es Männer wie Olympiodor waren. Dromokleides dürfte unter ihnen in der vordersten Linie gestanden haben. Die Rückberufung der Oligarchen im Jahre 292/1 brachte weitere und spürbare Veränderungen des politischen Klimas in der Stadt mit sich. Es gab, damit man Wiedergutmachungsansprüche der Zurückkehrenden erfüllen konnte, Enteignungen von Besitz.[34] Andere, die damals zurückkehrten, sahen sich in krimineller Weise um ihr Eigentum gebracht und riefen die Gerichte an, um es zurückzuerhalten, wie es damals der aus Chalkis zurückkehrende Deinarch tat, der in eigener Sache das erste und einzige Mal selbst vor Gericht erschien.[35]

Der König, so zeigt ihn das übereinstimmende Bild der Überlieferung, war längst nicht mehr der strahlende Befreier und Erneuerer der Demokratie vom Jahre 307, auch nicht mehr der milde und versöhnlich gestimmte Regent des Jahres 294, sondern er war immer mehr zum schroffen, unnahbaren Despoten orientalischer Prägung geworden, dem plumpere und gröbere Huldigungen dargebracht wurden als in den Jahren 307 oder 304. Demetrios, den Plutarch im Zusammenhang mit dem Psephisma des Dromokleides als οὐδὲ ἄλλως ὑγιαίνοντα τὴν διάνοιαν charakterisiert, war nicht mehr der glänzende und ritterliche Abgesandte seines Vaters, der Athen und Griechenland von Kassander zu erlösen gekommen war, sondern der

---

[32] Beloch, GG IV 1, 166. De Sanctis, RFIC 64, 1936, 146. Vgl. Wilhelm, Attische Urkunden 3, 1925, 27 (Akademieschriften 1, 487).
[33] Pausanias 1, 26, 1. Unten Kapitel IV, Anm. 52.
[34] Oben Kapitel II.
[35] Dionys. Halic. de Dinarcho 2. 3. 9. 12. Plutarch, mor. 850 DE.

älter und einsamer gewordene, illusionslosere König von Makedonien.[36] Als die
Athener sich 287 gegen ihn erhoben, war die Erhebung zugleich ein Aufstand gegen
Politiker wie Dromokleides, die willfährige Handlanger dieses Monarchen gewesen
waren. Die überschwenglichen Worte des Ithyphallikos wurden jetzt von Demochares und von Duris ebenso wie das Psephisma des Dromokleides als abschrek-
kende Beispiele der Servilität zitiert, die in den Jahren der Oligarchie in Athen ge-
herrscht hatte.

---

[36] Material hierzu vor allem in den Kapiteln 41 und 42 der Demetriosvita des Plutarch.
Dort steht in 42 auch die Nachricht, daß der König eine nach Makedonien gekommene Gesandtschaft der Athener zwei Jahre lang warten ließ, ehe er ihr Audienz gewährte.

# IV. ATHEN IM JAHRE 287 V. CHR.

## ZUR NEUEN INSCHRIFT FÜR KALLIAS VON SPHETTOS

Auf die in Einzelheiten durch Inschriften scharf beleuchtete, in größeren Zusammenhängen beim Fehlen erzählender Geschichtsquellen vielfach noch dunkle oder ungesicherte Geschichte Athens im frühen 3. Jahrhundert v. Chr. fallen neue Schlaglichter durch den langen Beschluß der Gemeinde zu Ehren ihres im königlichen Dienst stehenden Bürgers Kallias, Sohnes des Thymochares, aus dem Demos Sphettos, den T. Leslie Shear, Jr. soeben bekanntgemacht und eingehend besprochen hat.[1] Und da Athen zu dieser Zeit noch der stärkste, am besten organisierte und selbstbewußteste Stadtstaat der Griechischen Welt war und sich bemühte, nach den Niederlagen gegen König Philipp und gegen Antipatros nochmals zu einer politischen Macht ersten Ranges aufzusteigen, so beleuchtet der neue Text zugleich die große Politik jener Tage und namentlich den Antagonismus zwischen den Königen von Makedonien und von Ägypten, zwischen Demetrios Poliorketes und Ptolemaios I. Für die Geschichte der frühhellenistischen Zeit ist die neue Urkunde daher von höchstem Wert.

Ihrer Bedeutung entspricht die Sorgfalt, die Shear an die Lesung, Ergänzung und Kommentierung des Textes gewandt hat. Seine Leistung verdient hohe Anerkennung, und es mindert meine Bewunderung für sie nicht, daß ich in wenigen, allerdings wichtigen Punkten Shears historischer Interpretation nicht folgen kann, sondern andere Auffassungen für richtig halte, die auf den folgenden Seiten zur Diskussion gestellt werden sollen. Es sind im wesentlichen zwei Probleme: das Jahr der Revolte Athens, sodann Chronologie und nähere Umstände des nach der Befreiung der Stadt geschlossenen Friedens. Zum leichteren Verständnis meiner Ausführungen nehme ich die Ergebnisse vorweg, die im folgenden begründet werden sollen: 1. Der Abfall Athens von Demetrios erfolgte nicht im Frühjahr 286 (so Shear), sondern ein Jahr früher; 2. Der wenig später geschlossene Friede kam nicht erst zu Beginn des Jahres 285 zustande, sondern wesentlich früher, und es war kein Friede, an dem außer Athen und Demetrios alle in der Koalition gegen Demetrios

---

[1] Hesperia-Suppl. 17, 1978. Ich bin Herrn Shear zu Dank verpflichtet, daß er mich die Stele und sein zum Druck bestimmtes Manuskript vor der Veröffentlichung hat sehen lassen. Wir haben in mehreren Gesprächen unsere Auffassungen ausgetauscht und in vielen Punkten Übereinstimmung festgestellt. Die wesentlichen hier zu erörternden Probleme spiegeln wider, worin keiner den anderen zu überzeugen vermochte.

verbündeten Machthaber (Ptolemaios, Pyrrhos, Lysimachos und Seleukos) beteiligt waren, sondern ein zweiseitiger Friede zwischen Demetrios und Ptolemaios, in den Athen in der einen oder anderen Form einbezogen war.

Der Erörterung dieser beiden Probleme seien wenige Einzelbemerkungen vorangestellt, die Shears Kommentar zu Kallias' Familienverhältnissen ergänzen sollen.

Über die *Familie* des Kallias hat Shear (16–19) im Anschluß an Davies' ausführliche Erörterung gehandelt.[2] Kallias ist der Bruder des berühmten Sphettiers Phaidros, für den ein in den fünfziger Jahren, d. h. nach dem Chremonideischen Kriege, abgefaßtes langes Ehrendekret seit mehr als einhundert Jahren bekannt ist.[3] Es handelt sich um eine durch Minenbesitz wohlhabende Familie, deren ältere Mitglieder jedenfalls seit der Mitte des 4. Jahrhunderts im öffentlichen Dienst Athens gut bezeugt sind. Davies hat der Familie den durch ein Proxeniedekret von Delos aus dem früheren 3. Jahrhundert ausgezeichneten Καλλίας Θυμοχάρους Ἀθηναῖος zugewiesen und in ihm richtig den Bruder des Phaidros erkannt.[4] Er ist kein anderer als der von seiner Vaterstadt durch den neuen Text geehrte Mann.

Es ist jedoch sowohl Davies wie Shear entgangen, daß auch ein Sohn von ihm bekannt ist, der wie sein Großvater und wie sein Vetter, der Phaidrossohn, Thymochares hieß. Auch er ist in Delos bezeugt, allerdings nicht wie sein Vater durch ein Ehrendekret, sondern als Stifter eines Weihgeschenks, und zwar eines silbernen Trinkgefäßes. Und diese Weihung des Thymochares ist genau, auf das Jahr 277, datiert, denn ein Übergabeprotokoll der delischen Hieropoioi aus dem ersten Monat des Jahres des Archons Sosimachos verzeichnet sie unter den Stiftungen, die im Vorjahr, unter dem Archon Demeas, geweiht worden waren und die nun von den Hieropoioi unter Demeas an die Amtsnachfolger unter Sosimachos übergeben werden: Καὶ τάδε ἄλλα παρέδομεν ἀνατεθέντα ἐπὶ τῆς ἡμετέρας ἀρχῆς ποτήριον ἀργυροῦν ὃ ανέθη[κ]εν Θυ[μοχάρης Κ]αλλίου, ὁλκὴν ΔΔΓΗΗ.[5]

---

[2] APF 13964, S. 524–528.

[3] IG II² 682 (Sylloge 409), gefunden im Februar 1861 und zuerst veröffentlicht von K. S. Pittakis, AE 1860, 2086 nr. 4108. Die wichtigste Literatur ist APF S. 525 verzeichnet.

[4] APF S. 526.

[5] IG XI 2, 164 B 1–2. Vgl. die sehr genaue Protokollierung der Übergabe in A 1–2. Die Jahre der delischen Archonten des 3. Jahrhunderts scheinen mir durchaus festzustehen. Vgl. Beloch, GG IV 2, 97–101. Zwar hat Dinsmoor alle Archonten von Lysixenos bis Anektos (301–225) um ein Jahr herabrücken wollen (Archons 495–498. 503; vgl. denselben, List 112 Anm. 18), doch scheinen mir die hiergegen vorgebrachten Gründe (R. Vallois, BCH 55, 1931, 295–303. J. H. Kent, Hesperia 17, 1948, 263–264. Wehrli, Antigone et Démétrios 114 Anm. 65) durchschlagend zu sein. Shear nimmt nun, ohne auf diese Darlegungen einzugehen, Dinsmoors Chronologie wieder auf (Anm. 70. 72). Er beruft sich auch darauf, daß F. Durrbach die Möglichkeit eingeräumt habe, die Reihe ein Jahr später zu datieren, wenn er auch die höhere Chronologie bevorzugt habe. Es ist ihm entgangen, daß Durrbach sich von dem leisen Zweifel seiner früheren Arbeit später distanziert und die Frage zugunsten der

F. Durrbach im Kommentar zur Stelle hat richtig erkannt, daß der Stifter ein Sohn des athenischen Proxenos der Delier, Kallias, war und hat zugleich darauf hingewiesen, daß in einem späteren Inventar, in dem seine Weihgabe mit dem gleichen Gewicht wie hier verzeichnet ist, der Name vollständig ist: Θυμοχάρους.[6] Das gleiche Weihgeschenk ist in späteren Inventaren noch mindestens dreimal registriert, wobei die beiden älteren Ausdrücke ποτήριον bzw. κυλίκιον[7] durch κυμβίον ersetzt worden sind.[8]

Seit Davies' Erörterung sind als weitere Zeugnisse für ein Mitglied der Familie zwei Bleistreifen mit der Aufschrift Θυμοχάρης Σφήττ(ιος) zutage gekommen. Sie weisen diesen Thymochares als Mitglied des athenischen Kavalleriekorps aus und sind, anläßlich einer Dokimasie der Pferde, um die Mitte oder kurz vor der Mitte des 3. Jahrhunderts aufgeschrieben worden.[9] Die Herausgeberin dieser auf dem Kerameikos gefundenen Dokumente hat die Zugehörigkeit des Thymochares zur Familie des Phaidros erkannt und als Besitzer des Pferdes den Phaidrossohn Thymochares vermutet, der ca. 258/7 eponymer Archon gewesen ist. Jüngst hat nun J. H. Kroll weitere derartige Zeugnisse von der Agora bekanntgemacht und ihre Chronologie eingehend besprochen.[10] Auf Grund einer Mitteilung von mir über den in Delos bezeugten Stifter Thymochares hält er als Besitzer des Pferdes den Kalliassohn für ebenso möglich wie den Sohn des Phaidros.[11] Tatsächlich ist eine Entscheidung, um welchen der beiden Vettern es sich handelt, kaum möglich. Wichtiger ist, daß dieser Ritter zu denjenigen gehört, die die teuersten und kostbarsten, mit der Maximalsumme von 1200 Drachmen offiziell eingeschätzten, tatsächlich gewiß wertvolleren, Pferde besaßen.[12]

höheren Chronologie für definitiv entschieden angesehen hat (Inscriptions de Délos nr. 372–509, 1929, S. 162). Es ist daher an der herkömmlichen Datierung festzuhalten. Die im Zusammenhang mit dem Krieg zwischen Seleukos und Lysimachos beobachtete Getreideknappheit in Delos war dann nicht die Folge der Schlacht von Korupedion (so Shear), sondern verursacht durch die Käufe, die zur Versorgung der riesigen, in den Krieg marschierenden Armeen getätigt wurden.

[6] IG XI 2, 203 B 31.

[7] So im Text von IG XI 2, 203 B 31.

[8] IG XI 2, 219 B 66. 224 B 28. 287 B 90.

[9] K. Braun, AM 85, 1970, 216 nr. 232–233 und S. 249.

[10] J. H. Kroll, Hesperia 46, 1977, 83 ff., dessen Chronologie ich folge, besonders 103–104 für Thymochares und seine Altersgenossen.

[11] Kroll a. O. 103.

[12] Vgl. Kroll 88–89. 99. Von insgesamt 280 Rittern, deren Namen auf den Täfelchen des 3. Jahrhunderts vom Kerameikos und von der Agora verzeichnet sind, haben 49 Pferde in diesem Wert gehabt, d. h. 17,5 %. Die Zahl dürfte sich, da in nicht wenigen Fällen die Wertangaben nicht erhalten sind, so erhöhen, daß etwa jeder Fünfte einmal mit einem so wertvollen Pferd registriert ist. Dies bedeutet jedoch nicht, daß er, solange er diente, immer ein so kostbares Pferd ritt.

## 1. Die Erhebung Athens gegen Demetrios

Der Beschluß für Kallias ist von der Ekklesie am 18. Posideon im Jahre des Archons Sosistratos verabschiedet worden. Der Tag entspricht dem 21. Tag der 6. Prytanie. Shears Berechnung (13), daß es sich um den 166. Tag eines Normaljahres handelt, dessen fünf erste Prytanien jeweils 29 Tage zählten, scheint mir richtig, ebenso die sich aus der Phyle des Grammateus sozusagen von selbst ergebende Ansetzung des Archons Sosistratos auf 270/69. Das Dekret für Kallias ist mithin um die Jahreswende von der Volksversammlung verabschiedet worden. Aus dem Jahr des Sosistratos, das damit jetzt feststeht, stammen die beiden Weihungen des Agonotheten Θεοφάνης Διοσκουρίδου Εὐωνυμεύς, die Shear (12) erwähnt, weiter aber auch die Statue, die diesem sein Sohn Dioskurides damals errichtet hat.[13] Ebendieser Dioskurides ist nicht nur durch eine Ehrung aus dem Amphiareion von Oropos bekannt,[14] sondern jetzt auch, wie der jüngere Thymochares, als Hippeus und ebenfalls mit einem Pferd der höchsten Preisklasse.[15]

Was auch immer der Grund gewesen sein mag, daß die Athener Kallias gerade im Jahre 270 die im Psephisma enthaltenen Ehren zuerkannt haben,[16] so steht, nach dem ganzen Tenor des Textes und nach der Natur der Sache, außer Frage, daß das zeitlich früheste seiner Verdienste um Athen, die aktive Mitwirkung an der Befreiung der Stadt von der Herrschaft des Demetrios, das bedeutendste und auch in den Augen der beschließenden Versammlung das gewichtigste war. Mit ihm setzt, wie mit einem Paukenschlag, die Berichterstattung ein (Zeile 12): γενομένης τῆς ἐπαναστάσεως ὑπὸ τοῦ δήμου. Kallias, der zu dieser Zeit im Dienste Ptolemaios' I. stand, handelte dabei im Einklang mit der Politik seines Königs (Zeilen 22–23). Nach der Auffassung von Shear ereignete sich die Befreiung im Frühjahr 286, und einige der von ihm vorgebrachten Gründe lassen diese Auffassung auf den ersten Blick als attraktiv erscheinen. Ihre Widerlegung bedarf daher einer gewissen Ausführlichkeit.

Unbestritten ist, daß Athen zu Beginn des attischen Jahres 286/5 frei war, denn am 11. Tage dieses Jahres, unter dem Archon Diokles, hat die Stadt Zenon geehrt, einen Seeoffizier Ptolemaios' I.[17] Daraus folgt, daß die Erhebung Athens ins Jahr 287/6 oder früher zu datieren ist. Shear vertritt nun sehr nachdrücklich die Auffassung, daß Zenon an der Befreiung Athens mitgewirkt und daß er und Kallias dabei sehr eng kooperiert hätten,[18] daß es die Schiffe Zenons gewesen seien, auf denen

---

[13] IG II² 3851. Vgl. F. Münzer, AM 20, 1895, 219 ff. nr. 2.
[14] AE 1892, 46 nr. 74.
[15] Braun a. O. 245 nr. 113–116. Kroll a. O. 104 und 116 nr. 37.
[16] Zu dieser Frage siehe unten Anm. 28.
[17] IG II² 650.          [18] S. 20–21. 74. Vgl. Anm. 195.

Kallias mit den 1000 ptolemäischen Söldnern von Andros nach Attika herüber-
kam,[19] daß beide Männer sodann zusammenwirkten, die noch nicht eingebrachte
Ernte zu bergen,[20] ehe der von der Peloponnes her anrückende König Demetrios
die Stadt einschloß, und daß Zenon, der bald darauf von den Athenern geehrt
wurde, während Kallias auf sein Ehrendekret mehr als fünfzehn Jahre warten
mußte, der Vorgesetzte des Kallias gewesen sei.[21]

Wäre diese These vom engen Zusammenwirken der beiden ptolemäischen Offiziere bei der Befreiung Athens richtig, so wäre sie in der Tat beweisend dafür, daß
Athen nur kurze Zeit vor der Ehrung Zenons, d.h. im Jahre 287/6, und zwar im
späteren Frühjahr 286, frei wurde.[22] Diese These ist daher das Kernstück von
Shears Beweisführung, daß Athen sich damals und nicht früher erhoben habe.

Sie steht indessen auf sehr schwachen Füßen, denn die vermeintliche Parallelität
zweier Passagen in den Dekreten für Kallias und für Zenon ist in Wirklichkeit ima-
ginär. Im Dekret für Kallias heißt es (Zeilen 24–27): προεκάθητο τῆς τοῦ σίτου
συνκομιδῆς, πᾶσαν ποιούμενος σπουδὴν ὅπως ἂν εἰς τὴν πόλιν σῖτος ὡς
πλεῖστος εἰσκομισθεῖ, d. h. zwischen dem Ausbruch der Kämpfe und dem Erscheinen des Königs Demetrios war Kallias bemüht, soviel Getreide wie möglich in die
Stadt zu schaffen. Im Beschluß zu Ehren Zenons heißt es:[23] ἐπιμελεῖται δὲ [καὶ
τῆς κομιδῆς το]ῦ σίτου τῶι δήμωι, ὅπως ἀ[ν ἀσφαλέστατα δια]κομίσηται, συνα-
γωνιζό[μενος τῆι τοῦ δήμ]ου σωτηρίαι. Dies ist immer so verstanden worden,
daß Zenon für den sicheren Transport *fremden*, d. h. ptolemäischen Getreides in
die befreite Stadt gesorgt hat,[24] wie denn bald nach der Befreiung Athens zahlreiche
Schenkungen fremden Getreides, darunter solche von Ptolemaios, bezeugt sind.[25]
Veranlaßt durch den zitierten Passus im Psephisma für Kallias, schlägt Shear jedoch
vor, unter Wahrung der stoichedon-Ordnung die Ergänzungen im Beschluß für
Zenon wie folgt zu modifizieren:[26] ἐπιμελεῖται δὲ [τῆς συνκομιδῆς το]ῦ σίτου

---

[19] S. 21. Vgl. S. 62: «a Ptolemaic force, commanded by Zenon and Kallias, who reached
Attica from their base on Andros with a squadron of light cruisers and a thousand picked
mercenaries.» Vgl. weiter S. 69.

[20] S. 21: «Zenon was in charge of gathering the harvest; Kallias defended the operation
...» Vgl. S. 62. 63.

[21] S. 21.

[22] S. 63: «Their association, if it be accepted, constitutes virtually formal proof for the
date of the Athenian uprising.»

[23] IG II² 650, 13–16.

[24] Shear 20 mit der in Anm. 38 zitierten Literatur. Dazu noch, im gleichen Sinne, R. S.
Bagnall, The Administration of the Ptolemaic Possessions outside Egypt, 1976, 147: «Zenon
is known also from an Athenian decree honoring him for overseeing a shipment of grain
from Soter to Athens ...»

[25] Vgl. Shear 79–86: «Foreign Aid for the Nationalist Regime.»

[26] Shear 21.

τῶι δήμωι ὅπως ἂ[ν ἀσφαλέστατα εἰσ]κομίσηται. So ingeniös dieser Vorschlag sein mag, so muß er doch entschieden abgelehnt werden, denn am Beginn von Zeile 15 des Dekrets für Zenon ist das καί schlechterdings unentbehrlich, da mit diesen Worten von der konventionellen Formelhaftigkeit der Zeilen 10–14 zu dem spezifischen Verdienst übergegangen wird, dem Zenon die vorliegende Ehrung tatsächlich verdankte. Unter diesen Umständen hat das καί nicht einfach additiven, sondern es hat steigernden Charakter. Kann aber auf das καί nicht verzichtet werden, so fällt auch Shears Vorschlag, συνκομιδῆς statt κομιδῆς zu ergänzen, und es muß dabei bleiben, daß Zenon geehrt wurde, weil er für die Sicherheit bei der Beschaffung bzw. beim Transport fremden Getreides gesorgt hat, nicht aber, weil er bei der Einbringung athenischen Korns von den Feldern Attikas behilflich gewesen wäre.

Damit entfällt jeder Grund, die Tätigkeiten Zenons und des Kallias so eng miteinander in Beziehung zu setzen und gleichsam zu koordinieren, wie Shear es getan hat. Sie sind in der Sache verschieden, und sie sind zeitlich voneinander getrennt. Kallias' Sorge um die Ernte gehört in die Kämpfe um die Befreiung Athens, Zenons Sorge für einen Transport ptolemäischen Getreides dagegen in die Zeit nach dem Friedensschluß. Zenon mußte dabei wohl einen der Häfen an der Ostküste Attikas anlaufen, d. h. einen der in IG II² 654, 29–30 genannten Häfen, da der Piräus den Athenern weiterhin verschlossen war.[27]

Auch der Vermutung, daß Kallias auf den Schiffen Zenons von Andros herübergekommen sei, wird hierdurch der Boden entzogen, denn Zenons Aktivität fällt später, sein Auftrag war ein anderer. Es spricht dann auch nicht das geringste dafür, in ihm den Vorgesetzten des Kallias zu sehen, wie Shear es tut. Daß er sofort nach der Erledigung seiner Mission in Athen geehrt wurde, Kallias dagegen erst viel später, sagt nicht das mindeste aus über die Stellung beider in der Hierarchie ptolemäischer Funktionäre, sondern hat seinen Grund nur darin, daß Kallias athenischer Bürger war, Zenon nicht. Königliche Amtsträger sind von den Städten immer und überall für Verdienste sofort belohnt worden, dagegen haben die Athener bei ihren Mitbürgern, ob sie nun innerhalb des Gemeinwesens oder in fremdem Dienst tätig waren, mit höheren Ehrungen für politische Verdienste regelmäßig bis ins höhere Alter der Betreffenden gewartet, wie zahlreiche Beispiele zeigen, denen keine Gegeninstanz gegenübersteht.[28]

---

[27] Der Piräus war damals, wie Zeile 33 des gleichen Beschlusses von 285/4 lehrt, der athenischen Kontrolle noch immer entzogen und weiterhin in der Hand von Demetrios' Garnison. Vgl. unten Kapitel VIII.

[28] So z. B. die Dekrete für die verstorbenen Politiker Lykurg, Demosthenes und Demochares, sowie die für die hochbetagten Philippides aus Paiania, Philippides aus Kephale, Phaidros, Kallias und, wesentlich später, Kephisodoros. Auch Olympiodor war, als er die

Damit bricht zusammen, was Shear selbst (siehe Anmerkung 22), und mit Recht, für den Eckstein seiner Chronologie hält. Ein früheres Datum für die Erhebung Athens als das Frühjahr 286 ist danach möglich, und andere Gründe, die noch zu erörtern sind, verlangen es mit Notwendigkeit. Zunächst aber sollen die weiteren Argumente Shears für seine Chronologie kritisch geprüft werden. Eins davon ist die Tatsache, daß Demochares, der seit 303 im Exil gewesen ist, im Laufe des Jahres 286/5 zurückgekehrt und wieder politisch aktiv geworden ist, wie das von seinem Sohn Laches im Jahre 271/0 beim Rat beantragte und vom Volk beschlossene Dekret besagt.[29] Die herkömmliche und auch von Shear (71) geteilte Annahme ist, daß das Volk nach der Befreiung der Stadt Demochares ohne längeren Verzug rehabilitiert hat. Dies ist gewiß die natürlichste Annahme. Aber es folgt aus ihr nicht, daß Demochares, der mehr als fünfzehn Jahre abwesend gewesen war, dem Ruf ebenso unverzüglich gefolgt sein müßte; er mochte Gründe haben, abzuwarten, oder Schwierigkeiten, sich aus den Bindungen seines neuen Lebenskreises zu lösen.[30]

Der Umstand, daß aus den beiden Jahren des Diokles (286/5) und des Diotimos (285/4) zehn athenische Volksbeschlüsse vorliegen, aus den fünf Amtsjahren vor Diokles dagegen nur vier (Shear 64), ist zwar bemerkenswert, aber kein Argument für die Annahme, daß erst im Amtsjahr des Diokles (oder unmittelbar vor seinem Beginn) die demokratischen Institutionen wieder ins Leben getreten, die Athener mithin erst damals wieder frei geworden seien. Von jenen zehn Beschlüssen aus den Jahren des Diokles und Diotimos sind es jedenfalls sechs, wenn nicht sieben, in denen die Athener Königen, königlichen Funktionären oder privaten Nicht-athenern für Hilfe dankten, die ihnen in Form von Geld- und Getreidschen-

---

nicht erhaltene, aber offenbar von Pausanias gesehene Ehrenurkunde seiner Vaterstadt erhielt, jedenfalls «in his sixties» (Davies, APF S. 165). Anders zu beurteilen sind natürlich Routine-ehrungen abtretender Beamter, Prytanen und Buleuten, bei denen bezeichnenderweise auch die Ehren sehr viel geringer sind und über Belobigung und Bekränzung im allgemeinen nicht hinausgehen. Dagegen sind in allen obengenannten neun Fällen dauerhafte Denkmäler in Gestalt von Statuen beschlossen worden, dazu regelmäßig auch Sitesis (fehlt nur für Kallias) und Prohedrie (fehlt nur für Lykurg). Man darf vermuten, daß gesetzliche Bestimmungen hier beschränkend und regulierend eingriffen, etwa so, daß einem Bürger bestimmte Ehren nicht vor Erreichen eines gewissen Alters beantragt und beschlossen werden durften. Als Altersgrenze bietet sich am ehesten das vollendete 60. Lebensjahr an, an dem mit der mili-tärischen Dienstpflicht auch ein Lebensabschnitt endete.

[29] Plutarch, mor. 851 E: καὶ ὡς κατῆλθεν ἐπὶ Διοκλέους ἄρχοντος ὑπὸ τοῦ δήμου, συστείλαντι τὴν διοίκησιν πρώτῳ κτλ.

[30] Die Annahme, daß Laches mit der Nennung des Archons tatsächlich nicht die Rück-kehr, sondern das Jahr des ersten nach der Rückkehr von Demochares versehenen Amtes habe bezeichnen wollen, zu dem im Vorjahre gewählt wurde, womit die Rückkehr selbst ins Jahr 287/6 zu stehen käme, ist schwerlich erlaubt.

kungen, Kornbeschaffung oder diplomatischer Unterstützung zuteilgeworden war.[31] Sie beweisen, was für die ersten Tage im Amtsjahr des Diokles ohnehin bereits klar war, daß Athen in diesen beiden Jahren frei war, sie sagen aber nichts darüber aus, wie lange die Stadt schon frei war. Es spricht viel dafür, daß z.B. die Getreidesendungen der Könige Ptolemaios, Spartokos und Audoleon erst verschifft wurden, nachdem bei ihnen bekannt war, daß Friede herrschte. Auch dürften Beschaffung, Transport und endlich die Löschung dieses Getreides in Häfen der Ostküste Attikas geraume Zeit beansprucht haben. Für den Zeitpunkt der Befreiung Athens bieten diese Dekrete nicht mehr, als dem Dekret für Zenon vom 11. Hekatombaion des Jahres des Diokles schon zu entnehmen war: daß die Stadt gegen Ende des Jahres 287/6 und zu Beginn des Jahres 286/5 frei war. Es ist richtig, daß aus dem Jahr 287/6 Beschlüsse der Athener bisher nicht vorliegen. Dies hat aber angesichts der an sich sehr geringen Zahl überlieferter Dekrete (je fünf aus den beiden folgenden Jahren) und im Hinblick auf die Zufälligkeit unserer Funde nichts Auffälliges.

Den Schlüssel zur Chronologie der Erhebung Athens gibt, wie mir scheint, das Dekret zu Ehren von Kallias' Bruder Phaidros in Verbindung mit dem neuen Beschluß für Kallias an die Hand, da dieser endlich das genauere Verständnis einiger vielerörterter Partien im Psephisma für Phaidros vermittelt. Der von Shear aus dem neuen Text für seine Hypothese eines engen Zusammenwirkens von Kallias und Zenon herangezogene Passus (Zeilen 24–27): προεκάθητο τῆς τοῦ σίτου συνκομιδῆς, πᾶσαν ποιούμενος σπουδὴν ὅπως ἂν εἰς τὴν πόλιν σῖτος ὡς πλεῖστος εἰσκομισθεῖ, findet seine wirkliche Entsprechung in den von Phaidros ausgesagten Worten καὶ τὸν σῖτον ἐκ τῆς χώρας καὶ τοὺς ἄλλους καρποὺς αἴτιος ἐγένετο εἰσκομισθῆναι.[32] Phaidros tat dies als Hoplitenstratege unter dem Archon Kimon (288/7), unzweifelhaft gegen Ende des Jahres, da das Korn offensichtlich noch nicht geerntet, die Erntezeit aber nicht mehr fern war. Wie bei Kallias handelt es sich nicht um das sichere Geleit fremden Getreides in einen athenischen Hafen, sondern um die Einbringung des Korns von den Feldern Attikas in die Stadt. Nicht Kallias und Zenon, sondern die Brüder Kallias und Phaidros haben damals gemeinsam für die Rettung der Ernte gesorgt, der eine als Offizier des Königs Ptolemaios, der andere als Hoplitenstratege der Stadt. Da dank ihrer Anstrengungen das Getreide geborgen

---

[31] IG II² 650 für Zenon; 651 für Habron und Matrias, die Getreide beschafft haben; 662 und 663 (vgl. Habicht, Chiron 2, 1972, 107–109. Shear 76 Anm. 210) für Artemidoros von Perinth, einen Gesandten des Lysimachos; 653 für König Spartokos; 654 für König Audoleon; 655 für Audoleons Beauftragten Timoi---. Das Fragment Hesperia 8, 1939, 42 nr. 10, vom gleichen Tage wie der Beschluß für Habron und Matrias, dürfte von einer entsprechenden Danksagung stammen.

[32] IG II² 682, 35–36.

wurde, ehe König Demetrios erschien, haben sie beide zur Rettung Athens beigetragen: διετέλεσεν ἀγωνιζόμενος ὑπὲϱ τῆς κοινῆς σωτηϱίας heißt es dazu von
Phaidros,[33] ἕνεκα τῆς τοῦ δήμου σωτηϱίας von Kallias.[34]

Wie kritisch die Situation war, in der die Brüder dies taten, ist im Beschluß für
Kallias ausführlich beschrieben, in dem viele Jahre späteren für Phaidros dagegen
nur mit kurzen, aber gleichwohl klaren Worten gesagt:[35] διετέλεσεν ἀγωνιζόμενος
ὑπὲϱ τῆς κοινῆς σωτηϱίας, καὶ πεϱιστάντων τεῖ πόλει καιϱῶν δυσκόλων διεφύλαξεν τὴν εἰϱήνην τῆι χώϱαι, ἀποφαινόμενος ἀεὶ τὰ κϱάτιστα. Darauf folgt die
schon zitierte Passage über die Bergung des Getreides, sodann:[36] συμβουλεύσας
τῶι δήμωι συντελέσαι ---, und eine durch Tilgung im Jahre 200 v. Chr. bewirkte
Lücke von etwa 37 Buchstaben. Es ist nur natürlich, die καιϱοὶ δύσκολοι mit den
Tagen oder Wochen zu identifizieren, in denen die Stadt Athen zwar schon frei
war, Demetrios' Garnisonen jedoch noch das Museion in der Stadt und den Piräus
hielten und in denen man das Erscheinen des Königs mit seiner Armee von Korinth
her erwartete.[37] Shear, dem diese meine Auffassung bekannt war, wendet dagegen
ein,[38] daß das Phaidrosdekret mit den Worten διεφύλαξεν τὴν εἰϱήνην τῆι χώϱαι
impliziert, daß es im Jahre Kimons keine Kämpfe gegeben habe, während Kallias
mit seinen Söldnern in Kämpfe auf dem Lande eingriff und später, bei der Belagerung der Stadt durch den König, selbst verwundet wurde.[39]

Der Einwand hat Gewicht, aber er ist keineswegs durchschlagend. Alles spricht
dafür, daß die Kämpfe in der Chora geringfügig waren, da die makedonische Garnison im Piräus, die sie eröffnete, den vereinigten Streitkräften der Stadt und des
Kallias, der 1000 Elitesoldaten bei sich hatte, nicht gewachsen war. Jedenfalls gelangte die Ernte an Getreide und anderen Früchten offensichtlich ohne größere
Einbußen nach Athen. Und beim Erscheinen des Königs war es mit Kampfhand-

---

[33] IG II² 682, 32–33.
[34] Zeile 31–32. Shears Argumentation (Anm. 201), daß zwischen κοινὴ σωτηϱία und
ἡ τοῦ δήμου σωτηϱία ein substantieller Unterschied bestehe und dem Kallias mit den zitierten
Worten ein höheres Verdienst bescheinigt werde als dem Phaidros, ist durchaus verfehlt. Entscheidende Gegeninstanz ist IG II² 832, 15.
[35] IG II² 682, 32–35.
[36] IG II² 682, 37–38.
[37] Die Zeilen 16–18 des Kalliasdekrets: καὶ Δημητϱίου παϱαγιγνομένου (heranzog)
ἐκ Πελοποννήσου μετὰ τοῦ στϱατοπέδου ἐπὶ τὸ ἄστυ. Dann nachdem die Ernte geborgen
ist: καὶ ἐπειδὴ παϱαγενόμενος Δημήτϱιος (da war) καὶ πεϱιστϱατοπεδεύσας ἐπολιόϱκει
τὸ ἄστυ (Zeilen 27–28). Für καιϱοὶ δύσκολοι zur Bezeichnung vergleichbarer Krisen und
kriegerischer Ereignisse vgl. z. B. OGI 339, 53 ff.
[38] S. 70.
[39] Zeile 15–16: καὶ τῆς χώϱας ἐμ πολέμωι οὔσης ὑπὸ τῶν ἐκ τοῦ Πειϱαιέως, und Zeile
29–30: (Kallias) ἐπεξιὼν μετὰ τῶν στϱατιωτῶν τῶν μεθ' αὐτοῦ καὶ τϱαυματίας γενόμενος.

lungen in der Chora jedenfalls vorbei, denn er schloß die Stadt, in die sich auch Kallias zurückgezogen hatte, ohne weiteres ein. Nennenswerte Kämpfe um sie kann es nicht gegeben haben, wie vor allem Plutarchs Bericht[40] erkennen läßt, vielleicht nur den einen Ausfall, bei dem Kallias verwundet wurde. Es muß eine sehr leichte Verwundung gewesen sein, denn wenig später war Kallias an den im Piräus geführten Friedensverhandlungen beteiligt.[41] Die Worte im Dekret für Phaidros beziehen sich zudem offenbar überhaupt nicht auf die Scharmützel vor den Mauern Athens, sondern allein auf das Landgebiet: διεφύλαξεν τὴν εἰρήνην τῆι χώραι. Es ist ganz natürlich, daß unbedeutende Gefechte, die dort mit der Garnison des Piräus vorgefallen waren, zu Ehren des Kallias etwas aufgebauscht, fast dreißig Jahre später aber der Erwähnung nicht mehr für wert befunden wurden, zumal ja, wie aus dem folgenden hervorgeht, der Friede noch vor dem Ablauf von Phaidros' Amtsjahr eingekehrt war (s. unten). Und eine Erwähnung dieser Kämpfe war im Phaidrosdekret auch deshalb nicht opportun, weil sie gegen Demetrios bestritten worden waren, den Vater des zur Abfassungszeit des Beschlusses Athen beherrschenden Königs Antigonos.

Diese, m.E. geringfügigen und erklärlichen Widersprüche erlauben nicht, die im übrigen bestehende Parallelität der Situation in beiden Dekreten als ‹illusorisch› zu bezeichnen,[42] um so weniger, als es durchschlagende Parallelen gibt, die gleich noch aufgewiesen werden sollen. Zunächst aber muß ausgesprochen werden, daß die Erklärung, die Shear[43] den Zeilen 32–40 des Phaidrosdekrets, d.h. Phaidros' Aktivitäten als Hoplitenstratege unter Kimon (288/7), widmet, weit weniger befriedigen kann. Nach Shear wäre die kritische Situation durch das Erscheinen einer großen ptolemäischen Flotte hervorgerufen worden. Damit sei Kriegsgefahr gegeben gewesen, deshalb die Ernte durch Phaidros vorzeitig geborgen worden. Phaidros habe auch die Hoffnungen, die dem Demetrios feindliche Kräfte in der Stadt damals gehegt hätten, mit Hilfe der Flotte des Ptolemaios die makedonenfreundliche Regierung zu stürzen, vereitelt (dies seien die καιροὶ δύσκολοι) und so von sich sagen können,[44] daß er am Ende seines Amtsjahres seinen Nachfolgern die Stadt frei, unter demokratischer Verfassung, autonom und mit in voller Kraft stehenden Gesetzen übergeben habe.

---

[40] Plutarch, Demetrios 46,3; vgl. Pyrrhos 12, 6–7. Die Athener müssen Krates unverzüglich abgesandt haben, und Demetrios, der eine große Macht an Truppen und Schiffen aufgeboten hatte, die unterhalten werden mußte, hatte es eilig, nach Kleinasien zu kommen.

[41] Zeilen 32–40.

[42] Shear 70: «The similarity of the situations described by the two decrees is, in fact, quite illusory.»

[43] S.68–70.

[44] IG II² 682, 38–40: καὶ τὴν πόλιν ἐλευθέραν καὶ δημοκρατουμένην, αὐτόνομον παρέδωκεν καὶ τοὺς νόμους κυρίους τοῖς μεθ' ἑαυτόν.

Daß in dieser Weise, mit so starken Worten, Vorgänge des späteren Frühjahrs 287 beschrieben sein könnten, die eben (nach Shear) gerade nicht zur Freiheit der Stadt führten, sondern vielmehr dazu, daß Freiheitsbestrebungen unterdrückt wurden und Athen unter der Herrschaft des Demetrios blieb, scheint mir ausgeschlossen, auch für die Jahre nach dem Chremonideischen Krieg, aus denen das Dekret stammt und in denen Athen erneut unter makedonischer Kontrolle stand.[45] Die Worte können nur heißen, daß am Ende von Kimons Jahr die Stadt frei war und die seit dem Staatsstreich des Lachares von 295 beseitigte demokratische Verfassung[46] damals wieder in Kraft trat, daß an Stelle der Gebote des Tyrannen Lachares oder des Königs Demetrios wieder die ideelle Herrschaft der Gesetze trat. Es ist unvorstellbar, daß ein athenischer Politiker die Stadt am Ende von Kimons Jahr als frei, autonom und demokratisch verfaßt bezeichnet haben könnte, wenn damals tatsächlich Versuche, sie frei, autonom und demokratisch verfaßt zu machen, unterdrückt, im Jahre danach aber verwirklicht worden wären. Ein derartiger Zynismus ist den athenischen Dekreten immer fremd gewesen; in ihnen kommt wohl der eine oder andere Parteienstandpunkt zuweilen deutlich zum Ausdruck, und es fehlt in ihnen nicht an politisch motivierten Vergröberungen und Auslassungen, aber ich kenne keinen einzigen Fall, daß in ihnen die tatsächlichen Gegebenheiten unverfroren in ihr Gegenteil verkehrt würden, wie es Shear hinsichtlich dieser Zeilen im Phaidrosdekret annehmen muß. Im Gegenteil: ebendiese Zeilen zeigen mit aller wünschenswerten Klarheit, daß Athen nach äußerst kritischer Lage am Ende von Kimons Jahr, mithin im Juli 287, frei war.

Dies ist aber keineswegs alles. Es kommt hinzu, daß es nicht das geringste Anzeichen dafür gibt, daß eine ptolemäische Flotte Athen und Attika ein Jahr vor der Befreiung bedroht und eine eilige Bergung der Ernte erforderlich gemacht hätte. Ebendies ist aber durch den Beschluß für Kallias für die Zeit der Befreiung bezeugt. Auch die innenpolitische Krise, die von dieser Geisterflotte angeblich ausgelöst wurde, ist nur erfunden, um die καιροὶ δύσκολοι zu erklären. Wichtiger als diese

---

[45] Durchaus verfehlt erscheinen mir daher die Worte Tarns über Phaidros am Ende von Kimons Jahr, für das er 292, mithin die Zeit der Herrschaft des Demetrios, annimmt (Antigonos 46): «when he laid down his office at the end of the year it could be declared by his friends, without any overwhelming absurdity, that he left the city governed by its own laws under the form of democracy, and left it, as a friend of the king might construe the word, ‹free›.» Vergröbert ist dieses Urteil noch bei P. MacKendrick, The Athenian Aristocracy 399 to 31 B.C., 1969, 39, für den die Freiheit, Demokratie, Autonomie und Herrschaft der Gesetze ausdrückenden Worte «a pathetically meaningless series of epithets» sind. Shear (Anm. 199) ist wesentlich besonnener und sich zwar nicht der Unmöglichkeit, aber wenigstens der Schwierigkeit bewußt, die klaren und starken Worte des Dekrets mit einer Fortdauer der Königsherrschaft zu verbinden; er schließt sich aber dann doch Tarns Deutung an.

[46] Siehe oben Kapitel I.

Hypothesen sind einige Fakten. So wird dem Phaidros für seine Tätigkeit als Hoplitenstratege in diesem Jahr nicht nur deshalb gedankt, weil er zur Meisterung der Krisis beigetragen hatte, insbesondere zur Bergung der Ernte, sondern auch dafür, daß er in der Volksversammlung für einen bestimmten Vorschlag eingetreten ist: συμβουλεύσας τῶι δήμωι συντελέσαι, und darauf folgt die Tilgung von 37 Buchstaben, folgen sodann die soeben erörterten Worte über Freiheit, Autonomie und demokratische Verfassung der Stadt und über die Herrschaft der Gesetze. Was immer in der Lücke gestanden hat, es ist evident, daß ebenjener in der Ekklesie erörterte Antrag, für dessen Annahme Phaidros sich mit dem Gewicht seines Ansehens und mit der Autorität seines Amts eingesetzt hat, tatsächlich angenommen wurde und daß er entscheidend war für jenen positiven Zustand der Stadt am Ende seines Amtsjahres.

Den Schlüssel zum richtigen Verständnis bietet dann das letzte vor der Tilgung erhaltene Wort, συντελέσαι, in Verbindung mit der Erwägung, daß die Tilgung wegen der Erwähnung des Königs Demetrios in dieser Passage vorgenommen worden ist, und in Verbindung mit der neuen Aussage des Kalliasdekrets (Zeilen 32–40), daß Kallias auf Verlangen der athenischen Strategen die Stadt in den Friedensverhandlungen im Piräus vertrat, ihre Interessen nachdrücklich wahrte[47] und daß er mit seiner Truppe in der Stadt blieb, bis der Friede geschlossen war, ἕως ἡ εἰρήνη σ[υ]νετελέσθη. Es dürfte jetzt auf der Hand liegen, daß im Phaidrosdekret das gleiche Wort, συντελέσαι, die gleiche Sache meint und einen Hinweis auf den Friedensschluß einleitete, der dann später, weil Demetrios namentlich genannt war, getilgt wurde. Die Sache, deren Abschluß Phaidros in der Ekklesie empfahl und die sich dann so segensreich für Athen auswirkte, war der Friede mit Demetrios.[48] Die Ergänzung, die ich vorschlage, mag vom ursprünglichen Wortlaut abweichen, dürfte in der Sache aber gewiß das Richtige treffen: (Phaidros) συμβουλεύσας τῶι δήμω|ι συντελέσαι [τὴν εἰρήνην τὴν πρὸς τὸν βασιλέα[49] Δημήτ|ριον]. Mit 36

---

[47] Zeilen 38–39: πάντα πράττων τὰ συμφέροντα τεῖ πόλει.

[48] Schon Wilamowitz hat den Worten συμβουλεύσας τῶι δήμωι συντελέσαι … entnommen, daß vom Abschluß eines Vertrages die Rede war; da er Kimon für den Archon des Jahres 274/3 hielt, nahm er einen Vertrag mit Antigonos Gonatas an (Antigonos 223 Anm. 45). Ebenso Beloch, RFIC 51, 1923, 276. Auch W. Hoffmann hat die Stelle richtig verstanden: »Ein wesentlicher Teil seiner damaligen Leistung muß, wie die Lücke von 38 Buchstaben hinter dem Wort συντελέσαι (Z.38) erkennen läßt, in einer günstigen Regelung der Beziehungen zu Makedonien bestanden haben« (RE Phaidros [1938] 1554).

[49] Anders als im Dekret für Kallias von 270, das dem Demetrios den Königstitel konsequent versagt (16.27.36; Shear 16), muß er in dem nach dem Chremonideischen Krieg verfaßten Beschluß für Phaidros gestanden haben. Es ist übrigens nicht ohne Interesse, daß auch in diesem die Rücksicht auf den makedonischen Herrn der Stadt nicht so weit ging, Ptolemaios I. den Königstitel vorzuenthalten (Zeile 28).

Buchstaben füllt sie den zur Verfügung stehenden Raum genau; die Zeilen 36–39 haben dann 45, 43, 44 und 43 Buchstaben.

Diese Interpretation, die aus der engen Parallelität beider Partien m.E. zwingend folgt, führt nun wie von selbst auch zu einem klaren und befriedigenden Verständnis des vielerörterten Wortes πρῶτος in Zeile 44 des Phaidrosdekrets. Es steht anläßlich der Wahl des Phaidros zum Hoplitenstrategen für das dem Jahre Kimons folgende Jahr des Xenophon, 287/6. Shear bespricht[50] die drei vorgeschlagenen Lösungen. Er entscheidet sich mit Recht gegen Schwahns Ansicht, πρῶτος bezeichne den ranghöchsten Strategen, mit Unrecht jedoch für die Auffassung Tarns,[51] Phaidros sei als erster von zwei aufeinander folgenden Hoplitenstrategen gewählt worden: Nach der Befreiung Athens sei er wegen seiner makedonischen Sympathien des Amtes enthoben und durch einen an seiner Stelle nachgewählten Mann ersetzt worden. Das kann schon deshalb nicht richtig sein, weil ein in diesem Sinne gemeintes πρῶτος geradezu den Finger auf die wunde Stelle gelegt hätte, daß Phaidros aus dem Amte entfernt wurde, was in einem Ehrendekret für ihn undenkbar ist. Die einfache Aussage (ohne πρῶτος), er sei für dieses Jahr zum Hoplitenstrategen gewählt worden, wäre ja ebenso wahr wie unanstößig gewesen. Tarns Ansicht schließt zudem die Hypothese ein, daß mit der Revolte Athens Amtsenthebungen verbunden gewesen sein müßten. Es gibt dafür nicht nur keinerlei Anzeichen, sondern dieser von Tarn geradezu leichtfertig hingeworfene Gedanke wird durch den Fortgang des Satzes eindeutig widerlegt: διετέλεσε πάντα πράττων ἀκολούθως τοῖς τε νόμοις καὶ τοῖς τῆς βουλῆς καὶ τοῦ δήμου ψηφίσμασιν, denn aus diesen Worten geht unzweideutig hervor, daß Phaidros auch dieses Amtsjahr ehrenvoll absolviert hat und nicht etwa mit Schimpf und Schande davongejagt wurde.[52] Es scheint mir daher unzweifelhaft, daß Dittenberger, Beloch und Ferguson die Bedeutung von πρῶτος richtig erkannt haben: Phaidros war der erste, der nach einem einschneidenden Ereignis, sozusagen in einer neuen Ära, in das wichtige Amt des Hoplitenstrategen gewählt wurde.[53] Dieses Ereignis aber, so erlaubt das neue Dekret jetzt zu sagen, war kein anderes als die Befreiung der Stadt bzw. der mit

---

[50] S. 66–67 mit Anm. 194.

[51] Antigonos 422.

[52] Dies hat Hoffmann a.O. 1555 zur Widerlegung von Tarns Hypothese mit Recht ausgesprochen. Auch ist Olympiodor nicht, wie Shear meint, Hoplitenstratege (S. 71) und mithin Nachfolger des Phaidros für den Rest des Jahres (S. 67) gewesen, denn die Worte des Pausanias (1, 26, 1) αὐτίκα τε ὡς εἶχον, αἱροῦνται στρατηγὸν Ὀλυμπιόδωρον zeigen klar genug, daß Olympiodor im Augenblick der Revolte zum außerordentlichen, d.h. überzähligen Strategen gewählt worden ist.

[53] Dittenberger, Sylloge 409 Anm. 17: «Quo haec vox spectet, obscurum est, nisi quod Phaedrus primus post nescio quam rerum publicarum mutationem praetor creatus esse dicitur.» Beloch, GG IV 2, 85. Ferguson, Athenian Tribal Cycles, 1932, 69–72; AJPh 55, 1934,

Demetrios geschlossene Friede. Für ihn war Phaidros in der Ekklesie eingetreten, der Friedensschluß war der Höhepunkt seiner politischen Laufbahn,[54] und das Volk hat Phaidros für seinen Anteil am Zustandekommen des Friedens eben durch die Wahl zum Hoplitenstrategen für das folgende Jahr gedankt.[55]

Es dürfte danach feststehen, daß der Friede noch unter Kimon zustande kam, d.h. kurz vor dem im Sommer 287 beginnenden Jahr Xenophons, daß Phaidros für seine Ratifizierung in der Volksversammlung gesprochen hat und darauf erneut in das wichtigste Strategenamt gewählt wurde. Ihm hat, über die Befreiung hinaus, das Vertrauen des Demos gehört. Dann kann er nicht der ‹Makedonenfreund› und nicht der Mann des Demetrios gewesen sein, zu dem Tarn und diesem folgend Shear ihn haben machen wollen.[56] Es ist richtig, daß seine politische Karriere im Jahre 296/5 unter Lachares begonnen hatte und sich in den Jahren der Herrschaft des Demetrios fortsetzte. Dies aber macht ihn sowenig zu einem Freund des Königs Demetrios oder zu einem Erfüllungsgehilfen makedonischer Politik wie den Olympiodor die Tatsache, daß er zweimal hintereinander vom König ernannter eponymer Archon war,[57] derselbe Olympiodor, der dann die Erhebung gegen Deme-

---

332–333. Hoffmann a.O. 1555: «Über alle Zweifel erhaben». Im wesentlichen so auch Davies, APF S.527: «In some form or other Dittenberger's inference that there was a political change in Xenophon's year should be right ...», wo nur soviel zu modifizieren ist, daß der Wechsel eben kurz vor dem Beginn von Xenophons Jahr eingetreten war.

[54] Hoffmann a.O. 1554: «Da wir hier (gemeint ist Kimons Archontat 288/7) wohl den Höhepunkt der politischen Tätigkeit P.'s fassen ...».

[55] Gegen diese Deutung des Wortes πρῶτος ist eingewandt worden (Pritchett–Meritt, Chronology 94, denen Shear 66 Anm.194 folgt), daß zwischen dem Ende der Tilgung in Zeile 44 und dem auf sie folgenden Wort χειροτονηθείς der Steinmetz eine freie Stelle gelassen hat, die es ausschließe, daß die folgende Passage in einem syntaktischen Zusammenhang mit den vorausgehenden getilgten Worten gestanden haben könne. Der Einwand ist aus zwei Gründen unbedacht und bedeutungslos: einmal, weil in Zeile 77 eine entsprechende Leerstelle mitten in einem Satz steht (καὶ ἀναγορεῦσαι τὸν στέφανον Διονυσίων τῶν μεγάλων τραγωιδῶν τῶι ἀγῶνι τῶι καινῶι υ. καὶ Παναθηναίων τῶν μεγάλων τῶι γυμνικῶι), vor allem aber, weil der mit χειροτονηθείς angeblich beginnende neue Satz dann ein Asyndeton wäre, wie es sonst in dem langen Dekret nirgends vorkommt: Entweder steht δέ (14. 28. 30) oder καί (7. 8. 21. 24. 60. 63). Daher sind Pritchett und Meritt (a.O. 94 Anm.1) auch gezwungen, zuzugeben, daß der Steinmetz irrtümlich δέ oder καί ausgelassen habe. Sie hätten mit gleichem Recht auch die von ihm gelassene Leerstelle als Irrtum erklären können. Die Argumentation hebt sich, da sie zur Annahme eines Steinmetzirrtums führt, selbst auf. Wie jedoch Zeile 77 lehrt, ist auch ohne Annahme eines Irrtums die Unterbrechung eines Satzes durch eine Leerstelle möglich. Und in Zeile 44 hat die Leerstelle ihren Sinn: Sprach der Anfang des Satzes noch von Kimons Jahr, so markierte sie den Übergang zu Xenophons Jahr, d.h. den Jahreswechsel.

[56] Tarn, Antigonos 45. 93. 95. 422: «he became, in 295/4, and remained, a Demetrian.» Shear 10: «the complexion of Phaidros' politics was pro-Macedonian.» Ähnlich S.11. 67.

[57] Siehe oben Kapitel II.

trios leitete und zum Heros der Befreiung wurde. Auch Philippides von Paiania, der 293/2, im zweiten Jahr des Archons Olympiodor, Basileus und mithin wohl ebenfalls vom König ernannt war,[58] kann schwerlich für einen Parteigänger des Demetrios oder der Makedonen gelten. Auch spricht, unabhängig von der Frage, ob Phaidros im Jahr nach der Befreiung Athens erneut Hoplitenstratege war (wovon ich überzeugt bin) oder nicht, nichts für die Behauptung, seine politische Laufbahn habe mit diesem Ereignis ihr abruptes und unrühmliches Ende gefunden. Im Gegenteil: Phaidros wurde für 282/1 zum Agonotheten gewählt und hat dieses Amt so verwaltet, daß es ihm Anerkennung eintrug,[59] und er ist auf eine Gesandtschaftsreise zu Ptolemaios I. geschickt worden, von der er mit Getreide und Geld für die Stadt zurückkam. Diese Mission kann nur in die Zeit nach der Befreiung der Stadt gehören,[60] und es ist undenkbar, daß die Athener, zu welcher Zeit auch immer, zu Ptolemaios gerade den Mann geschickt haben könnten, der ein notorischer Freund des Demetrios und (nach Tarn[61]) geradezu der Leiter der an Demetrios orientierten Politik Athens gewesen wäre.

Es ist gewiß richtig, daß Phaidros nicht ein so radikaler und intransigenter Demokrat war wie Demochares oder der eigene Bruder Kallias, die jede Kooperation mit einem fremden Herrn der Stadt ablehnten, Demochares freilich erst nach einem persönlichen Zerwürfnis mit Stratokles und Demetrios. Aber der Weg dieser Männer, Exil und Dienst an einem fremden Hof, war nicht die einzige oder die selbstverständliche Lösung für einen athenischen Patrioten. Olympiodor, Philippides von Paiania und Phaidros blieben und leisteten dem Vaterland, unter schwierigen Umständen und nicht ohne Kompromisse schließen zu müssen, so gute Dienste

---

[58] Dinsmoor, Archons 7, Zeile 25–26.

[59] IG II² 682, 53–56 im Jahre des Archons Nikias. Dies kann nicht Nikias I, 296/5, sein, weil Phaidros in seinem Jahr Stratege war (Zeilen 21–24) und nicht Nikias III, 266/5, weil er, zur Absetzung von seinen gleichnamigen Vorgängern, immer den Zusatz seines Demotikons, Ὀτρυνεύς, erhält und zudem die beiden Agonotheten seines Jahres bekannt sind. Für 282/1 als das Jahr von Phaidros' Agonothesie auch Davies, APF S. 527, und Shear 38 mit Anm. 94.

[60] Wenn im Phaidrosdekret die chronologische Folge strikt eingehalten worden ist, so muß die Sendung zu Ptolemaios in eins der Jahre zwischen 296/5 und 288/7 gehören. Da innerhalb dieser Jahre weder eine Gesandtschaft der Stadt an den König noch Schenkungen von Geld und Getreide durch ihn für Athen denkbar sind, ist deutlich, daß die chronologische Ordnung eben nicht durchaus gewahrt ist, sondern daß ein anderer Gesichtspunkt sie durchkreuzt, der sachlich Zusammengehöriges (wie die zahlreichen Strategien des Phaidros) zusammenordnet. Dies hat Beloch, RFIC 51, 1923, 274–276, klar auseinandergesetzt, wo auch (S. 274) die Gesandtschaft zu Ptolemaios I. richtig auf die Zeit nach der Befreiung Athens datiert ist. Vgl. auch Beloch, GG IV 2, 70 und 451, der diese Gesandtschaft ins Jahr des Diokles, 286/5, datiert.

[61] Tarn, Antigonos 46.

wie möglich. Als dann die Stunde der Befreiung schlug, zögerte Olympiodor keinen
Augenblick, sich an die Spitze der Erhebung gegen den König zu stellen. Es spricht
nicht das geringste dagegen, daß Phaidros ebenso handelte. Wenn nicht alle klaren
Anzeigen trügen, geben die Zeilen 28—47 des Dekrets für ihn von seinen damaligen
Verdiensten so beredt Kunde, wie dies in den Jahren nach dem Chremonideischen
Krieg nur möglich war: Er tat als Hoplitenstratege seine Pflicht in der kritischen
Stunde des Befreiungskampfes, riet der Ekklesie zur Annahme des Friedens, der
für eine Generation die Freiheit der Stadt besiegelte, er wurde erneut zum Hopliten-
strategen für 287/6 gewählt und ging im folgenden Jahr 286/5 als Gesandter zu
Ptolemaios.[62] Seine Wahl zum Agonotheten wenige Jahre später bestätigt, daß er
weiterhin in hohem Ansehen stand.

   Nachdem sich ergeben hat, daß die Auflehnung Athens gegen Demetrios an das
Ende von Kimons Jahr, d.h. ins späte Frühjahr 287, gehört[63] und daß Phaidros
sich als Hoplitenstratege nach Kräften für die nationale Sache eingesetzt hat, wird

---

[62] Dies war zweifellos, wie schon Beloch (GG IV 2, 451) gesehen hat, die auf Antrag des
Demochares im Jahre 286/5 beschlossene Gesandtschaft, Plutarch, mor. 851 E. So auch
Davies, APF S. 526—527, der noch etwas über Beloch hinausführt.

[63] Shears Chronologie ist für die Hauptereignisse die folgende: Sommer 287 Demetrios
verliert Makedonien (S. 73), spätes Frühjahr 286 Erhebung Athens (S. 65), ca. Januar/
Februar 285 Friede des Demetrios mit der Koalition (S. 81), ca. März/April 285 Demetrios
in Kleinasien (S. 77. 82), Januar/Februar 284 Gefangennahme des Demetrios durch Seleukos
(Anm. 235), früh im attischen Jahr 283/2 Tod des Demetrios (Anm. 235). – Alle diese Daten
erscheinen mir zu niedrig, doch kann auf eine eingehende Erörterung hier verzichtet werden,
weil die Erhebung Athens mit Hilfe der internen Chronologie, die die athenischen Dekrete
vermitteln, bereits zwingend auf das Frühjahr 287 festgelegt worden ist, und ihr muß der
Verlust Makedoniens durch Demetrios jedenfalls vorausgehen. Nur einige wenige Punkte
seien kurz angemerkt. Es ist undenkbar, daß die Athener nach der Katastrophe des Demetrios in Makedonien etwa neun Monate abgewartet haben sollten, ehe sie sich zum Abfall ent-
schlossen. Plutarchs Angabe, Demetrios sei gestorben ἔτος τρίτον ἐν τῇ Χερρονήσῳ καθειργ-
μένος (Demetrios 52), setzt eine mindestens zweijährige Dauer seiner Gefangenschaft voraus,
die nicht (so aber Shear 86 Anm. 235) auf eineinhalb Jahre zusammengepreßt werden kann.
Der Datierung des Friedens auf Anfang 285 steht entgegen, daß schon im August 286 Athener an den Pythien in Delphi teilgenommen haben. Dies ergibt sich aus IG II² 652, interpretiert und ergänzt von Ad. Wilhelm, Pragmat. Akad. Ath. 1936, 3—17 (Akademieschriften
2, 517ff.), besonders 13—15, wo es sich, nachdem für Diokles das Jahr 286/5 feststeht, eben
doch um die penteterischen Pythien handeln muß. Zum Zeitpunkt der Pythienfeier vgl.
Beloch, GG I 2, 143. Shear zitiert (Anm. 185) den Text in anderem Zusammenhang, doch ist
ihm Wilhelms grundlegende Abhandlung entgangen. Eine athenische Beteiligung an den
Pythien so kurze Zeit nach der Erhebung der Stadt und etwa ein halbes Jahr vor dem Friedensschluß (in Shears Chronologie) ist nicht denkbar, denn bis zur Erhebung gegen Demetrios
hatte Athen sich im Kriegszustand mit Aitolien befunden. Die Erhebung Athens muß mithin
früher, d.h. eben 287, erfolgt, der Friede einige Zeit vor dem August 286 geschlossen worden
sein.

nun auch klar, wie eng damals die beiden Brüder Phaidros und Kallias, die einander aus Anlaß der Ereignisse wiederbegegneten, zusammengearbeitet haben. Dies geschah zunächst, wie schon oben (S. 52 f.) ausgeführt worden ist, im gemeinsamen Bemühen um die Rettung der Ernte, ehe die Stadt von König Demetrios eingeschlossen wurde.[64] Als dann zwischen Sostratos, dem Bevollmächtigten Ptolemaios' I., und Demetrios im Piräus Friedensgespräche eröffnet wurden und Sostratos sich wegen der Interessen Athens mit einer athenischen Delegation besprechen wollte, ist auf Verlangen der Strategen und des Rates dem Kallias diese Rolle zugefallen, d. h. sein Bruder Phaidros und dessen Kollegen haben ihn dazu bewogen.[65] Es verdient Beachtung, daß Kallias, obwohl er im Dienste des Ptolemaios stand, diese Rolle eines Gesandten der Stadt zu dem Bevollmächtigten seines Königs angetragen wurde und daß er sie angenommen hat.[66] Seine Tätigkeit in diesen zum Frieden führenden Gesprächen wird gerühmt,[67] und so nimmt es nicht wunder, daß es dann Kallias' Bruder Phaidros war, der der athenischen Ekklesie die Annahme des Friedens empfahl,[68] an dessen Bestimmungen Kallias unmittelbar mitgewirkt hatte. Und gleich nach dem Friedensschluß hat Kallias wenigstens zwei athenische Gesandtschaften zu Ptolemaios I. begleitet, nicht als Gesandter der Stadt, aber als nützlicher Mittelsmann in den Verhandlungen mit dem König, in dessen Dienst er stand,[69] und Leiter wenigstens einer dieser Gesandtschaften war sein Bruder Phaidros.[70] Dies alles zeigt, wie eng die beiden Brüder mehrere Jahre lang zum Wohle Athens zusammenwirkten, mochten ihre Lebenswege im übrigen auch sehr verschieden ablaufen. Daher sind Shears Bemerkungen über Divergenzen oder gar Polarisierung ihrer Politik erheblich einzuschränken.[71] Beide waren athenische Patrioten (wie es Hypereides und Phokion gewesen waren), die in ihren politischen Ansichten nicht in allem übereinstimmten und durchaus verschiedene Wege gingen, die aber für die Interessen der Vaterstadt energisch und eng zusammenarbeiteten, sobald die Umstände dies nur möglich machten. Und auch mit dem 286/5 aus dem Exil zurückgekehrten Demochares, der in seinem politischen Credo

---

[64] IG II² 682, 33–36. Kalliasdekret Zeilen 23–27.

[65] Kalliasdekret Zeilen 32–39.

[66] Dagegen scheint Kallias, als er 280/79 zum Archetheoros der Athener für die erste Feier der Ptolemaia in Alexandreia gewählt wurde (Zeilen 55–64), nicht im königlichen Dienst gestanden zu haben, in den er jedoch bald darauf erneut eingetreten ist (Zeilen 70–72; Shear 44).

[67] Kalliasdekret Zeilen 37–39: πρεσβεύων ὑπὲρ τοῦ δήμου καὶ [π]άντα πράττων τὰ συμφέροντα τεῖ πόλει.

[68] IG II² 682, 36–38 in der oben im Text gegebenen Herstellung.

[69] Die Zeilen 40–44 des Dekrets zeigen klar, daß Kallias nicht selbst Gesandtenstatus hatte.

[70] IG II² 682, 28–30; vgl. oben im Text und Anm. 60 und 62.

[71] Shear 11–12.

dem Kallias sicher näher stand als dem Phaidros, hat der letztere nach der Befreiung der Stadt wie selbstverständlich zusammenarbeiten können.[72] Die übliche und etwas gedankenlose Scheidung athenischer Politiker dieser Zeit in Makedonenfreunde und makedonienfeindliche Nationalisten ist viel zu grob und zu schematisch – die Mehrzahl dieser Politiker war flexibler, als eine solche Etikettierung erlaubt, und die meisten waren in der Lage, je nach den Umständen und ihrer Einschätzung, mit einem makedonischen Oberherrn sich zu arrangieren oder gegen ihn Front zu machen. Dies war seit der Niederlage von Chaironeia so gewesen und konnte nicht anders sein in einer Zeit, in der die Stadt immer in einer prekären Lage zwischen Freiheit und Unfreiheit war.

## 2. Der Friede

Es ist eine der vielen Neuigkeiten, die das Dekret für Kallias gelehrt hat, daß nach der Erhebung Athens, aber vor Demetrios' Abgang nach Kleinasien Friede zwischen ihm und Ptolemaios geschlossen wurde.[73] Neu sind auch die dazu mitgeteilten Einzelheiten: daß Sostratos, wahrscheinlich der berühmte Knidier,[74] die Verhandlungen als Bevollmächtigter des Ptolemaios führte, daß sie in dem von der Garnison des Demetrios besetzten Piräus stattfanden und daß, wie der Text der Zeilen 34–36 erkennen läßt, der ptolemäische Unterhändler in ihnen die Interessen Athens vertreten hat. Es ist danach so gut wie sicher, daß die Stadt nicht selbst Signatarmacht des Friedens war.[75] Gleichwohl ist die athenische Ekklesie mit dem Friedensinstrument befaßt worden, wie sich aus dem Dekret für Phaidros ergeben hat (oben S.56). Dies kann nur heißen, daß Sostratos auf einem athenischen Votum bestand, das die mit Demetrios erzielte Einigung guthieß, und es war dieses Votum, das Phaidros der Volksversammlung zur Annahme empfohlen hat. Die Zustimmung kann der Ekklesie nicht ganz leichtgefallen sein, da der Friede den Piräus und die anderen Festungen Attikas sowie Salamis in der Hand des Demetrios

---

[72] Davies, APF S. 527.

[73] Zeilen 32–40.

[74] Shear 22–25.

[75] Die Athener werden von Sostratos angehört, sind aber nicht selbst Teilnehmer der Verhandlungen. Über den Frieden verhandelt allein Sostratos mit König Demetrios, und er nimmt zugleich die athenischen Interessen wahr (ὑπὲρ τῆς πόλεως). Es mag sein, daß Demetrios es abgelehnt hatte, Delegierte der zum zweiten Male von ihm abgefallenen Stadt an den Verhandlungen teilnehmen zu lassen, und daß er nicht bereit war, Athen vertraglich Frieden zuzugestehen, sondern nur dazu, die Belagerung der Stadt aufzuheben und von weiteren Feindseligkeiten für den Augenblick abzusehen, d.h. zu einem Waffenstillstand auf der Grundlage des Status quo.

ließ. Aber er besiegelte wenigstens das wichtigste Ergebnis der Revolte, die Unabhängigkeit der Stadt.

Es ist nach den Umständen klar, daß der Friede geschlossen wurde, ehe Demetrios zu seinem Feldzug gegen Lysimachos nach Kleinasien aufbrach, ebenso auch, daß die Verhandlungen geführt wurden, während die Stadt belagert war. Die Aufhebung der Belagerung ist mithin dem Friedensschluß unmittelbar gefolgt.[76] Ebenso deutlich ist aus der Erzählung Plutarchs, daß Pyrrhos erst nach dem Abzug des Demetrios nach Athen gekommen ist und daß er erst danach mit Demetrios Frieden geschlossen hat.[77] Dazu bestimmte ihn neben dem Faktum, daß er einstweilen von Demetrios nichts zu befürchten hatte, zweifellos auch die Tatsache, daß Ptolemaios bereits aus der Koalition der vier Könige durch einen Separatfrieden ausgeschieden war. Der Friede, den Pyrrhos mit Demetrios geschlossen hat, ist mithin unabhängig von dem Friedensschluß zwischen Ptolemaios und Demetrios, und er fällt zeitlich etwas später.[78]

Es wird nun auch klar, warum die Flotte des Ptolemaios derjenigen des Demetrios nicht entgegentrat, als diese durch die Inseln nach Kleinasien segelte:[79]

[76] Es ist eine unglückliche Annahme von Shear (S. 75), daß Sostratos mit einer ptolemäischen Kriegsflotte gekommen sei und daß erst der Abzug des Demetrios aus Attika ihm erlaubt habe, in den Piräus einzulaufen. Mit wem, wenn nicht mit dem König, hätte er dort über den Frieden verhandeln sollen? Die makedonische Garnison dortselbst hätte auch einer ptolemäischen Kriegsflotte die Einfahrt in den Hafen ohne Mühe sperren können, und Sostratos kam jedenfalls in diplomatischer Mission, d.h. in einer Rolle, in der König Demetrios ihn unbedingt, unter welchen Umständen auch immer, empfangen und angehört hätte.

[77] Vgl. Plutarch, Pyrrhos 12, 6–8.

[78] Dies gegen Shear (S. 75), der beide Friedensschlüsse zusammenlegen möchte: «Plutarch states that Pyrrhos made peace with Demetrios after leaving the city of Athens; and this is surely to be identified with the peace between Athens and Demetrios which Sostratos came to negotiate.» Es ist oben gezeigt worden, daß Sostratos nicht einen Frieden Athens vermittelte, sondern im Namen des Ptolemaios Frieden schloß.

[79] Vgl. Ferguson, HA 150 mit Anm. 1. Lévêque, Pyrrhos 161 mit Anm. 5. H. Volkmann, RE Ptolemaios 1626: «Diese auffallend passive Haltung der ptolemäischen Flotte, die es Demetrios ermöglichte, quer durch die Inseln nach Milet zu fahren.» A. Bouché-Leclerq, Histoire des Lagides 1, 1903, 92, hatte deshalb geheime Abmachungen des Ptolemaios und Pyrrhos mit Demetrios vermutet. Tatsächlich hatten beide Könige, wie sich für Ptolemaios jetzt aus dem Dekret für Kallias ergibt, Frieden mit Demetrios geschlossen. Die Annahme liegt dann sehr nahe, daß das Protektorat über den Inselbund nicht während des Koalitionskrieges an Ptolemaios gefallen ist (so Beloch, GG IV 1, 231. Roussel, Histoire 364. Will, Histoire 1, 79. Wehrli, Antigone et Démétrios 184. I. Merker, Historia 19, 1970, 142), da Ptolemaios an diesem Krieg praktisch keinen Anteil genommen hat, sondern erst etwas später. Da es aber jedenfalls Ptolemaios Soter war, der die Kontrolle über die Nesioten gewann (Sylloge 390, 10 ff. 25 ff.; vgl. Habicht, Gottmenschentum 111–112), er aber schon 285 die Herrschaft mit seinem Sohn Philadelphos geteilt hat, muß dies wohl im Jahre 286/5 geschehen sein. Diese Vorgänge bedeuteten jedenfalls eine Herausforderung des Demetrios, wahrscheinlich sogar

Zwischen den Königen herrschte Friedenszustand. Shear hat nun freilich die These zu begründen versucht, daß damals ein allgemeiner Friede geschlossen worden sei, an dem alle in der Koalition gegen Demetrios vereinigten Könige beteiligt gewesen seien.[80] Tatsächlich haben sowohl Ptolemaios wie Pyrrhos mit Demetrios Frieden geschlossen, allerdings nacheinander. Daß es auch zwischen Lysimachos und Demetrios zum Frieden gekommen sei, dürfte trotz einer dahingehenden Vermutung Belochs[81] ganz ausgeschlossen sein, denn Demetrios ließ zu keiner Zeit einen Zweifel daran, daß er Lysimachos in Kleinasien anzugreifen gedachte, und er hat sich von Athen aus sofort gegen ihn gewandt. Eben weil er diesen größeren Plan verfolgte, das asiatische Reich seines Vaters zurückzuerobern, hatte er es eilig, mit Athen, Ptolemaios und Pyrrhos zu einer Verständigung zu kommen. Das athenische Dekret vom April des Jahres 285 für Artemidoros von Perinth, den Gesandten des Lysimachos nach Athen und zu anderen griechischen Staaten,[82] gibt keinerlei Hinweis auf eine Einbeziehung des Lysimachos in einen mit Demetrios geschlossenen Frieden. Shear ist denn auch zu dem bemerkenswerten Eingeständnis genötigt, dieser von ihm vermutete Friede sei, nachdem er geschlossen war, sofort gebrochen worden.[83]

Was endlich Seleukos betrifft, so fehlt für die Annahme seiner Beteiligung am Frieden jedes wie immer geartete Zeugnis und jeder Anhaltspunkt. Die Eile, mit der Demetrios zunächst mit Ptolemaios, wenig später mit Pyrrhos Frieden geschlossen hat, um gegen Lysimachos ausrücken zu können, läßt es als ausgeschlossen erscheinen, daß einer der Beteiligten mit Seleukos so rechtzeitig in Verbindung hätte treten können, daß auch er Teilnehmer des Friedens hätte werden können. Shears Konstruktion eines allgemeinen Friedens und einer zu ihm führenden Konferenz aller beteiligten Mächte im Piräus, an der Demetrios, Pyrrhos, Sostratos für Ptolemaios, Artemidoros für Lysimachos und ein unbekannter Bevollmächtigter für

---

den Bruch des mit ihm geschlossenen Friedens. Sie sind daher leichter verständlich, wenn dieser damals schon entscheidend geschwächt oder bereits in der Gefangenschaft des Seleukos war. Auch diese Überlegungen sprechen gegen die Annahme (vgl. Anm. 63), die letzten Kämpfe und die Gefangennahme des Demetrios mit Shear erst auf Anfang 284 zu datieren.

[80] Shear 75–77.

[81] GG IV 1, 232f. Anm. 1: «Es ist wahrscheinlich, daß Lysimachos in den Frieden (gemeint ist der Friede zwischen Demetrios und Pyrrhos) einbegriffen sein sollte, da Pyrrhos später Demetrios' Angriff gegen ihn als casus belli behandelte; es mag sein, daß Lysimachos die Ratifikation verweigert und damit Demetrios den Vorwand zur Fortsetzung des Krieges gegeben hat.» Die Einbeziehung des Lysimachos in den Frieden bezweifelt dagegen mit Recht Lévêque, Pyrrhos 161 mit Anm. 4.

[82] IG II² 662 und dazu Habicht, Chiron 2, 1972, 107–109.

[83] Shear 77: «it is readily apparent that the terms of the peace were chiefly honored in the breach.»

Seleukos teilgenommen hätten,[84] muß jedenfalls aufgegeben werden. Sie ist die unglückliche Frucht der um ein Jahr zu späten Datierung der Revolte Athens gegen Demetrios, wie aus Shears Bemerkungen zum Dekret für Artemidoros recht klar hervorgeht.[85]

Dem Dekret für Kallias ist mithin nicht mehr zu entnehmen als das neue und allerdings höchst bedeutsame Faktum, daß im Zusammenhang mit der Belagerung Athens Ptolemaios Frieden mit Demetrios geschlossen, in diesem Frieden die Interessen Athens vertreten hat und mit diesem Frieden aus der Koalition gegen Demetrios ausgeschieden ist.[86] Entgegen der durch Plutarch vermittelten allgemeinen Auffassung der Forschung war es nicht Pyrrhos, sondern Ptolemaios, der in kritischer Stunde zum Retter Athens geworden war.

Diese Feststellung führt weiter zu der Frage, welche Gründe damals die Könige Ptolemaios und Demetrios bestimmt haben, ihren Frieden miteinander zu machen. Es versteht sich von selbst, daß dem Demetrios daran gelegen sein mußte, die Zahl seiner Gegner zu verringern und die ihm in Griechenland und in der Ägäis verbliebenen Besitzungen, so gut es ging, vor Angriffen zu schützen. Es ist daher leicht zu sehen, daß sein Interesse ihm gebot, einen möglichen Frieden mit Ptolemaios (und danach mit Pyrrhos) nicht auszuschlagen. Nicht ganz so leicht läßt sich sagen, weshalb Ptolemaios damals das Bündnis der Könige verlassen hat, obwohl ihm eine ernsthafte Gefahr von Demetrios schwerlich drohte. Eine denkbare Antwort ist, daß er im Kriege gegen ihn bereits auf seine Kosten gekommen und daher nun bestrebt war, den Besitz des Eroberten durch einen Frieden bestätigt zu sehen. Er hat damals jedenfalls Andros besessen und muß dort eine starke Garnison unterhalten haben, wenn Kallias aus ihr 1000 Mann auswählen konnte, um Athen beizuspringen. Es ist zwar nicht undenkbar, daß Ptolemaios die Insel seit ihrer ersten

---

[84] Shear 76: «the suggestion that all sides participated in the negotiations; Artemidoros represented Lysimachos, Sostratos represented Ptolemy, Seleukos' envoy remains unknown, and both Pyrrhos and Demetrios were present in person.»

[85] S. 76: «In view of the coincidence in time, the nature of Artemidoros' activities, and the events which transpired in Athens between the summer of 286 and the spring of 285, the temptation is irresistible to relate Artemidoros' mission to the peace with Demetrios. This evidence now greatly strengthens the suggestion that all sides participated in the negotiations». Eben das Dekret für Artemidoros vom April 285 hat Shear zur Datierung des Friedens auf Anfang 285 geführt, aber für den Frieden des Ptolemaios mit Demetrios ist dies selbst dann viel zu spät, wenn Shear mit seinem Datum für die Erhebung Athens (spätes Frühjahr 286) im Recht wäre.

[86] Gegenüber der Auffassung von Lévèque, daß Ptolemaios bei den Friedensverhandlungen des Pyrrhos mit Demetrios wohlwollender Zuschauer gewesen sei (a. O. 161: «il parait avoir assisté en spectateur bienveillant à ces negotiations»), ergibt sich nun, daß Ptolemaios durch seinen Vertrag mit Demetrios vielmehr zum Schrittmacher für den Frieden zwischen Pyrrhos und Demetrios wurde.

Eroberung im Jahre 308 immer behauptet hatte,[87] aber wahrscheinlich ist es nicht, daß er nach der Niederlage von Salamis 306 und gegenüber der übermächtigen Flotte des Antigonos und Demetrios Andros hätte festhalten können. Die Insel dürfte daher, wie von Shear ohne weiteres angenommen wird,[88] am Beginn des Koalitionskrieges gegen Demetrios, d. h. im Jahre 288/7, von ihm erobert und als Stützpunkt ausgebaut worden sein. Und es ist ja immerhin möglich, daß auch die Mehrzahl der Kykladen schon damals unter die Kontrolle des Ptolemaios gekommen war und nicht erst, wie oben (Anmerkung 79) vermutet wurde, etwas später. Aber dies ist wenig wahrscheinlich, weil Demetrios offensichtlich nie daran gezweifelt hat, daß er mit seiner Streitmacht ungefährdet nach Kleinasien gelangen werde. Waren aber die Inseln nicht in seiner, sondern in Ptolemaios' Hand, so wäre eine solche Erwartung tollkühn gewesen, solange Demetrios keine Gewißheit hatte, daß er mit Ptolemaios vorher zum Frieden kommen werde. Weitere Eroberungen aber hat Ptolemaios auf Kosten des Demetrios damals jedenfalls nicht gemacht, denn entgegen der in der Forschung herrschenden Meinung sind Tyros und Sidon nicht in diesem Kriege von ihm erobert worden,[89] sondern schon 295/4, was die Meinung Belochs gewesen war, die jedenfalls für Tyros durch I. Merker als die richtige erwiesen worden ist.[90] Und Zypern war schon seit 294 wieder in der Gewalt des Ptolemaios.

Unter diesen Umständen scheint alles dafür zu sprechen, daß das eingeschlossene Athen die Trumpfkarte war, die Demetrios gegenüber Ptolemaios noch besaß. Der ägyptische König hatte im Frühjahr 294 hilflos mit ansehen müssen, wie Athen trotz verzweifelten Widerstandes und der Anwesenheit einer 150 Schiffe zählenden ptolemäischen Flotte bei Ägina von Demetrios erobert wurde.[91] Ein ähnliches Schicksal schien der Stadt erneut zu drohen, die nach dem abermaligen Abfall von Demetrios nicht mehr auf eine so glimpfliche Behandlung rechnen konnte, wie sie sie 294 erfahren hatte. Der mögliche Fall Athens im Frühjahr 287 aber hätte das Prestige des Ptolemaios schwer erschüttern müssen, da mit ihm zum zweiten Male seine Unfähigkeit manifest geworden wäre, der Stadt (und überhaupt einem Verbündeten in Griechenland) gegen Demetrios wirksam beizustehen. Dies hätte für seine Politik gegenüber der griechischen Welt verhängnisvolle Folgen haben müs-

---

[87] Diodor 20, 37, 1. Beloch, GG IV 1, 145.

[88] Shear 68.

[89] Die herrschende Meinung beruht auf E. T. Newell, Tyrus rediviva, 1923, 15–23. Ihr haben sich angeschlossen Tarn, CAH 7, 92. M. Segre, Aegyptus 14, 1934, 256. Will, Histoire 1, 80. Wehrli, Antigone et Démétrios 184. Shear 72.

[90] Beloch, GG IV 2, 327–328. Merker, der sich Historia 19, 1970, 142 Anm. 3, noch der Ansicht Newells angeschlossen hatte, hat sie dann in AncSoc 5, 1974, 119–126 widerlegt (anderer Meinung ist Shear Anm. 206, was angesichts des Befundes schwer verständlich ist).

[91] Plutarch, Demetrios 33.

sen. Zudem wäre die Einnahme Athens mit dem Verlust von 1000 Elitesoldaten verbunden gewesen, die unter der Führung des Kallias in Athen eingeschlossen waren. Alles spricht dafür, daß diese Überlegungen, in Verbindung mit der Erkenntnis, daß Demetrios sich nicht gegen ihn wenden werde (was übrigens durch Verhandlungen und Vertrag sichergestellt werden konnte), Ptolemaios zum Frieden bereitmachten, den auch Demetrios dringend wünschte.

Was Athen in diesem Spiel der Machthaber betraf, so bestand der Unterhändler des Ptolemaios auf dem Selbstverständlichen: daß Demetrios die Unabhängigkeit der Stadt als Faktum akzeptierte. Mehr konnte er nicht tun, denn es war klar, daß Demetrios den Piräus, der für ihn wichtiger war als der Besitz der Stadt, nicht kampflos preisgeben werde, und zur Eroberung der starken Festung und des Hafens waren die ptolemäischen Streitkräfte offensichtlich nicht entfernt in der Lage. So dürfte Sostratos in den Verhandlungen die Räumung des Piräus nicht einmal ernstlich verlangt haben. Als er eine athenische Delegation zu sich beschied, um im Piräus die Lage mit ihr zu erörtern, muß er dem Kallias, der auf Wunsch der athenischen Strategen und des Rates zu ihm gekommen war, ebendies eröffnet, d. h. die Grenzen der Hilfe aufgezeigt haben, die die Athener von Ptolemaios erwarten konnten. Und es war dann Kallias' Bruder Phaidros, dem die Aufgabe zufiel, die Ekklesie gleichwohl zur Zustimmung zum Vertrag zu bewegen, der den Piräus mit der Feste Munychia, aber auch Salamis, Eleusis, Panakton und Phyle in der Hand des Demetrios bzw. seines Sohnes Antigonos beließ. Für Athen blieb mithin der Friede hinter den Erwartungen weit zurück; in ihm lag daher zugleich der Keim für neue Auseinandersetzungen mit dem Manne, der in Griechenland das politische Erbe des Demetrios antrat, mit Antigonos Gonatas.

# V. ATHEN VON 287 BIS 262: DIE FRAGE EINER TEMPORÄREN ABHÄNGIGKEIT VON MAKEDONIEN

Durch die Erhebung gegen König Demetrios und die Vertreibung seiner Besatzung aus dem Museion im Frühjahr 287 wurde die Stadt Athen wieder frei. Als Demetrios wenig später Frieden mit Ptolemaios schloß, akzeptierte er die neue Lage wenigstens de facto. Der Piräus mit der Festung Munychia aber blieb weiterhin in seiner Hand und unter der unmittelbaren Kontrolle seiner Garnison. Solange die Stadt über den Piräus nicht verfügen konnte, war die erkämpfte Freiheit unvollkommen, blieb der Handlungsspielraum Athens begrenzt. Es ist die herrschende Meinung, daß es den Athenern verhältnismäßig bald gelungen ist, sich dieser Fesseln zu entledigen, indem sie, durch Olympiodor, den Piräus zurückeroberten. Diese Ansicht wird im VIII. Kapitel einer eingehenden kritischen Prüfung unterzogen werden.

Auf der anderen Seite bestehen erhebliche Meinungsverschiedenheiten und Unklarheiten hinsichtlich der Schicksale der Stadt Athen in den Jahren zwischen der Befreiung von Demetrios und der Kapitulation gegenüber König Antigonos Gonatas. Die Annahme wird noch oft vertreten, Athen habe für mehrere Jahre oder sogar wiederholt für mehrere Jahre unter der Oberherrschaft des makedonischen Königs Antigonos gestanden und in solchen Jahren immer eine promakedonische Regierung gehabt. Kürzlich ist sogar die Ansicht geäußert worden, daß nicht lange nach der Befreiung, während der achtziger Jahre, die Stadt selbst nochmals eine makedonische Besatzung habe aufnehmen müssen.

Es soll auf den folgenden Seiten gezeigt werden, daß diese Ansichten falsch sind, daß die Stadt Athen vielmehr von 287 bis zum Ende des Chremonideischen Krieges ohne Unterbrechung unabhängig war, während dieser Zeit nie eine fremde Besatzung hatte und nie dem Willen des makedonischen Königs in irgendeiner Form unterworfen war.

Zwei Gelehrte sind noch immer repräsentativ für die Auffassung der hier zu untersuchenden Vorgänge: William Scott Ferguson und William Woodthorpe Tarn. Ferguson hat seine Darstellung 1911 in ‹Hellenistic Athens› vorgelegt, Tarn die seinige nur wenig später, 1913, in ‹Antigonos Gonatas›. Fergusons These ist, daß Athen von 289 bis 276 frei und im Besitz einer demokratischen Regierung war, von 276 bis 266 dagegen unter der Oberhoheit (‹suzerainty›) des Königs Antigonos gestanden habe. Der König habe eine ‹begrenzte Demokratie› eingeführt und nicht näher bekannte Veränderungen der Verfassung vorgenommen, die mit den

Ausdrücken «a general discarding of worn-out forms» und «a general government house-cleaning» mehr bildhaft als präzise beschrieben werden, da es eben an bestimmten Nachrichten über sie fehlt. Während dieser zehn Jahre habe er Zugang zu Athen wie zu einer makedonischen Stadt gehabt und Athen als Hauptstadt seines griechischen Königreiches behandelt.[1] Der Ausbruch des Chremonideischen Krieges wird, was die Rolle Athens angeht, folgerichtig als Revolte, als Auflehnung gegen den Oberherrn, verstanden.[2]

Differenzierter ist das Bild, das Tarn entworfen hat. Er meint, zwischen 276 und 266 zwei Perioden makedonischer Oberhoheit erkennen zu können, die erste, von 276 bis 273, bezeichnet als «the golden age of his (Antigonos') relations with Athens, which he frequently visited», und näher beschrieben mit folgenden Worten über die Beziehungen zwischen Stadt und König: «so cordial were they as almost to hide away the fact that Athens was under Antigonos' suzerainty.»[3] Diese promakedonische Regierung der Stadt sei im Herbst 273 oder im folgenden Winter gestürzt worden, und das siegreiche nationalistische Regime sei eine ‹entente› mit Ägypten eingegangen; Athen sei in diesen Jahren jedenfalls frei von Makedonien gewesen.[4] Auch diese Regierung sei jedoch im Jahre 270 gestürzt worden, und Athen habe Antigonos' Oberhoheit erneut anerkannt.[5] Am Ende habe dann, im Jahre 266, ein nochmaliger Umsturz den extremen Flügel der athenischen Nationalisten ans Regiment gebracht, und diesem Umsturz sei die Auflehnung gegen den König, der Chremonideische Krieg, gefolgt.[6]

Beide Ansichten haben noch ihre Anhänger. Auf Ferguson beruft sich R. Flacelière,[7] und Fergusons Ansicht liegt einer Stellungnahme von A. Momigliano aus jüngerer Zeit ersichtlich zugrunde.[8] Tarns kompliziertes Schema hat F. Sartori

---

[1] Ferguson, HA 150 ff., besonders 161–163. Der Ausdruck ‹suzerainty› z. B. 137 Anm. 6 175.

[2] Ferguson, HA 137 spricht von «the leaders of the revolt.» Vgl. 187: «The city had used its freedom to rebel ...»

[3] Tarn, Antigonos 217. Vgl. denselben, CAH 7, 1928, 205–206, wo auch (S. 206) der Satz begegnet: «Athens was ... Antigonus' spiritual capital.»

[4] Ebenda 267.

[5] Ebenda 270: «... we must suppose that it was in this year that the government was overthrown once more, the pro-Macedonians returned to power, and Antigonos' vague suzerainty was again recognized.»

[6] Ebenda 294: «The pro-Macedonian government in Athens has fallen, and the revolution has brought to the helm not merely the nationalist party, but the extreme wing of it.»

[7] HSCP-Suppl. 1, 1940, 474. 475.

[8] Terzo Contributo alla Storia degli Studi Classici e del Mondo Antico, 1966, 31. Dort wird Athen in den Jahren nach 277 als griechische Hauptstadt des Königs Antigonos bezeichnet und von der ‹Rebellion› im Jahre des Peithidemos, aus dem das Dekret des Chremonides stammt, gesprochen.

seinen Ausführungen über Chremonides ausdrücklich als gültig unterlegt.[9] L. Moretti hat sogar gemeint, die Stadt Athen habe zwischen 284 und 281 nochmals eine makedonische Besatzung aufnehmen müssen, aber diese Ansicht beruht auf dem Mißverständnis eines Satzes in einem zeitgenössischen Dekret, das als solches schon aufgedeckt ist.[10]

Während aber Fergusons und Tarns Rekonstruktionen zu ihrer Zeit vertretbar waren, ist nicht leicht zu sehen, warum sie noch immer Anhänger finden, nachdem ihnen, besonders durch den Fortschritt in der athenischen Archontenforschung, längst alle Stützen entzogen worden sind. Die wesentlichen Einsichten auf diesem Wege sind schon 1927 von Beloch und 1931 von Dinsmoor vorgetragen worden. Mit ihnen hätten die Theoriegebilde von Ferguson und Tarn von selbst zusammenstürzen müssen. Bezeichnend aber ist, daß sie noch immer stehen – oder richtiger: schweben. Dies ist um so erstaunlicher, als jene Einsichten von Beloch und Dinsmoor nicht ernstlich bestritten wurden und praktisch Gemeingut der Forschung geworden sind. Über der Fülle neuer Einzelerkenntnisse, die vor allem den Funden der amerikanischen Ausgrabungen auf der Agora von Athen verdankt werden, ist offensichtlich versäumt worden, den größeren Rahmen, in den sie sich fügen, neu zu fassen, obwohl man hätte sehen müssen, daß sie in den alten Rahmen eben nicht passen. Die folgende Erörterung versucht, das Versäumnis deutlich zu machen und das Versäumte nachzuholen.

Die Rekonstruktionen von Ferguson und Tarn stützen sich auf fünf Indizien. Diese sollen zunächst nacheinander daraufhin untersucht werden, ob sie als tragfähig bzw. noch als tragfähig gelten können.

1. Das erste dieser Indizien ist das beobachtete Schwanken der Zeugnisse zwischen dem einstelligen Finanzbeamten und der kollegialen Behörde, ὁ bzw. οἱ ἐπὶ τῆι διοικήσει. Man hatte früh erkannt, daß der Einzelbeamte in Zeiten der Abhängigkeit Athens von Makedonien begegnet, das Kollegium dagegen in solchen der Unabhängigkeit. Die Beobachtung ist richtig und ist durch die neueren Funde immer von neuem bestätigt worden. Mit diesen Funden ist aber auch immer klarer geworden, was Beloch schon 1927 und Dinsmoor 1931 ausgesprochen hatte: daß innerhalb der hier zur Erörterung stehenden Zeit das Kollegium von 287 bis zum Ende des Chremonideischen Krieges kontinuierlich, und fast von Jahr zu Jahr, bezeugt ist, daß dagegen vom Ende des Krieges bis zur neuerlichen Befreiung Athens

---

[9] Miscellanea ... A. Rostagni, 1963, 122–123. Auf S. 112 Anm. 15 gibt Sartori als maßgebende Darstellungen die beiden genannten Werke von Ferguson und Tarn sowie den Aufsatz von C. F. Lehmann-Haupt, Klio 5, 1905, 375–391, an. Auf S. 123 zieht er Tarns Rekonstruktion, für die Jahre 286–276 durch einen späteren Aufsatz Tarns ergänzt (JHS 40, 1920, 158–159), eindeutig vor.

[10] Moretti, Iscrizioni S. 29–30. Vgl. unten Kapitel VIII mit Anm. 27.

im Jahre 229 ebenso regelmäßig der Einzelbeamte erscheint.[11] Alle Texte, die diesen nennen, sind mithin entweder früher als 287[12] oder später als 262.[13] Da es innerhalb des genannten Zeitraumes weder einen noch mehrere Wechsel von einem Amt zum anderen gab, entfällt das aus der Annahme derartiger Wechsel abgeleitete Kriterium für vermeintliche Veränderungen der Regierungsform in Athen und, damit verbunden, für Veränderungen im Verhältnis der Stadt zu Makedonien.[14]

2. Die von Ferguson und Tarn in die siebziger Jahre datierten Inschriften IG II² 677 für Herakleitos von Athmonon und IG II² 682 für Phaidros von Sphettos gehören tatsächlich in die Zeit nach dem Chremonideischen Kriege, wie Beloch[15] und Dinsmoor[16] ausgesprochen haben und heute allgemein anerkannt ist. Beide haben den einstelligen Finanzbeamten. Herakleitos war zur Zeit des Krieges gegen Alexander von Korinth der Stratege des Königs Antigonos im Piräus καὶ τῶν ἄλλων τῶν ταττομένων μετὰ τοῦ Πειραιέως, und das Dekret, das ihn in dieser Stellung nennt, kann schwerlich früher als 250 v. Chr. sein.[17] Nun liegt ein athenischer Volksbeschluß vor, in dem Herakleitos geehrt wird wegen seiner Verdienste um eine Panathenäenfeier und wegen der Weihung von Stelen mit einem verherrlichenden Bericht über den Keltensieg des Antigonos bei Lysimacheia im Jahre 277.[18] Es ist evident, daß er etwa in diese Zeit, um 250, gehört und nicht in das erste jenem Keltensieg folgende Panathenäenjahr 274. Die persönliche Huldigung des Strategen an den König, deren Intention die Athener sich so ganz zu eigen machen, ist daher kein Zeugnis für die Beziehungen der Stadt zum König in den siebziger Jahren, sondern für die Verhältnisse, wie sie geraume Zeit nach dem Chremonideischen Kriege bestanden.

---

[11] Beloch, GG IV 2, 57–58. Dinsmoor, Archons 64–66; List 18. Diese Erkenntnis ist Gemeingut der Forschung; vgl. z. B. J. Threpsiades–E. Vanderpool, AD 18, 1963, 110 mit Anm. 14. Rhodes, Boule 109 mit Anm. 5. Meritt–Traill, Agora XV 16. Seit 1931 sind zehn sichere Belege hinzugekommen; sie haben an dem Befund nichts geändert. Die letzten zuverlässig datierten Zeugnisse für das mehrstellige Amt stammen vom Jahre 266/5.

[12] Die näher datierbaren Belege für die Zeit zwischen 295/4 und 287 sind IG II² 646. 648 (beide vom Frühjahr 294). 649 + Dinsmoor, Archons 8 (292) sowie Hesperia 37, 1968, 268 nr. 4 (294–287).

[13] Die Reihe beginnt mit dem Dekret für Zenon, Diog. Laert. 7, 10, das nur wenige Monate später ist als die Kapitulation Athens am Ende des Chremonideischen Krieges.

[14] Vgl. z. B. Tarn, Antigonos 218 Anm. 156.

[15] GG IV 2, 58.    [16] Archons 65.

[17] IG II² 1225.

[18] IG II² 677. In Zeile 4 hat A. N. Kondoleon Lollings Ergänzung [γϱάφ]ας durch das zweifellos richtige [στήλ]ας ersetzt, und die Zeilen 3–6 lauten mithin: καὶ ἀνατίθησιν τῆι Ἀθηνᾶι τῆι [Νίκηι στήλ]ας ἔχουσας ὑπομνήματα τῶν [τῶι βασιλεῖ] πεπϱαγμένων πϱὸς τοὺς βαϱβάϱους ὑπὲϱ τῆς τῶν Ἑλλήνων σωτηϱίας. Akte des 4. Internationalen Kongresses für Griechische und Lateinische Epigraphik, 1964, 196–197. Vgl. J. und L. Robert, Bull. épigr. 1965, 142.

3. Staatliche Opfer an die Götter für die Wohlfahrt des Königs Antigonos, die nach dem Chremonideischen Kriege mehrmals bezeugt sind,[19] erscheinen auch in IG II² 683, 16 für das Jahr des Polyeuktos. Solange man diesen Archon in die siebziger Jahre datierte, wurden sie als Zeugnis für die Abhängigkeit der Stadt vom makedonischen König während dieser Jahre angesehen.[20] Es ist inzwischen längst klar und heute nicht mehr strittig, daß Polyeuktos geraume Zeit nach dem Chremonideischen Krieg, und zwar in den vierziger Jahren, amtiert hat.[21] Damit entfällt auch dieses vermeintliche Zeugnis für eine Abhängigkeit Athens von König Antigonos vor dem Kriege. Der König und Angehörige seines Hauses fehlen zwischen 287 und 262 in den entsprechenden Formeln immer.[22]

4. Antigonos soll in den Jahren nach 276 Zugang zu Athen gehabt,[23] die Stadt häufig besucht[24] und als Hauptstadt seines griechischen Reiches behandelt haben.[25] Keine dieser Behauptungen ist haltbar. Es gibt nicht den geringsten Anhaltspunkt dafür, daß Antigonos zwischen 287 und 262 Athen auch nur ein einzigesmal betreten hätte. Die Begegnungen mit Zenon,[26] mit Kleanthes,[27] mit Arkesilaos[28] und die bei diesen verbrachten Unterrichtsstunden gehören alle in die Zeit vor dem Abfall Athens von Demetrios Poliorketes, mithin zwischen Frühjahr 294 und Frühjahr 287.[29] Ohne jede Stütze in den Quellen ist auch Fergusons Behauptung, der Prinz Halkyoneus, der dem König vor 287 von der Athenerin Demo geboren worden war, sei in Athen erzogen worden.[30]

---

[19] IG II² 776, 7. 780, 11. 775, 14–15. Agora XV 89, 11–12 und 29. 110, 4–5. 111, 8–9. 115, 16. Vgl. G. Daux, REG 48, 1935, 57. Habicht, Gottmenschentum 80. 142 Anm. 17. Meritt–Traill, Agora XV S. 5.

[20] Ferguson, HA 162. Tarn, Antigonos 218.

[21] Siehe den Überblick über die Forschung von G. Klaffenbach, RE Polyeuktos (1952) 1623–1629. 2530. und zuletzt G. Nachtergael, Historia 25, 1976, 62–78.

[22] So zuletzt in den Jahren 273/2. 272/1. 271/0. 267/6. 266/5 (IG II² 674, 9. 689, 19. Agora XV 80, 13. 81, 9. IG II² 668, 9).

[23] Ferguson, HA 162.

[24] Ferguson, HA 168. Tarn, Antigonos 217.

[25] Ferguson, HA 162 und 168. Tarn (oben Anm. 3). Momigliano (oben Anm. 8).

[26] Diog. Laert. 7, 6. 7, 36.

[27] Diog. Laert. 7, 169. Plutarch, mor. 830 C.

[28] Diog. Laert. 4, 39.

[29] Wilamowitz, Antigonos 203 mit Anm. 27. Ferguson, HA 140 Anm. 1.

[30] Ferguson, HA 169. Wenn der ebenda, Anm. 2, formulierte Satz «He probably stayed in Athens for his ephebate (ca. 275 B.C.), and then joined his father …», meinen sollte, daß Halkyoneus nicht nur die Jahre, in denen er das Ephebenalter hatte, in Athen verbrachte, sondern Mitglied der athenischen Ephebie gewesen wäre, so bedürfen sie keiner Widerlegung. Persaios ist als Lehrer des Prinzen bezeugt, offensichtlich am Königshof in Pella, wohin er 277 gekommen ist.

Richtig ist dagegen, daß nach dem frühen Tod des Halkyoneus, der anscheinend im Chremonideischen Kriege gefallen ist, sein Vater Antigonos dem Hieronymos von Rhodos, der eine eigene, vom Peripatos abgespaltene philosophische Schule in Athen eröffnet hatte, jährlich Geld zur Ausrichtung einer Gedächtnisfeier an Halkyoneus' Geburtstag sandte, zu der sich regelmäßig viele Philosophen verschiedener Schulen einfanden.[31] Aber dies geschah eben, als Antigonos nach der Kapitulation Athens Herr der Stadt war. Aus der Luft gegriffen ist die Annahme, Halkyoneus sei in jungen Jahren Schüler des Hieronymos in Athen gewesen und dieser daher vom König mit der Veranstaltung der Geburtstagsfeier betraut worden.[32] Auch daß Halkyoneus in der Schlacht gegen Areus am Isthmos gefallen sei,[33] ist eine durch nichts gestützte Annahme. Fest steht allein die von Hieronymos besorgte jährliche Feier zu seinem Gedächtnis in Athen, und diese Tatsache dürfte eher dafür sprechen, daß der Prinz vor Athen oder in Attika gefallen und in der Stadt begraben war. Was den König bewogen hat, Hieronymos mit der Pflege seines Gedächtnisses zu betrauen, ist unbekannt.

Ferner hat Antigonos, angeblich als «König», einmal ein Fest Aphrodisia veranstaltet und aus diesem Anlaß ein üppiges Gastmahl gegeben, das Lynkeus von Samos in einem Brief an den in Pella lebenden Makedonen Hippolochos näher beschrieben hat.[34] Dieser Briefwechsel gehört jedoch in die Zeit vor dem Tode des Theophrast (288 oder 287 v. Chr.), wie aus einem Brief des Hippolochos an Lynkeus hervorgeht.[35] Es ist mithin klar, daß der dem Antigonos von Athenaios hier beigelegte Königstitel anachronistisch und nur zur Identifizierung der Person hinzugesetzt ist.[36]

5. In Tarns Rekonstruktion der Geschichte Athens von 287 bis 262 spielt endlich die Frage eine Rolle, in welchen Jahren die Stadt einen Vertreter in den Amphiktyonenrat nach Delphi entsandt hat. Aus den zu seiner Zeit verfügbaren delphischen Inschriften ergab sich für ihn folgendes Bild: Nach jahrzehntelanger Abwesenheit vom Amphiktyonenrat hat Athen im Jahre 272 erstmals wieder einen Hieromnemonen nach Delphi entsandt,[37] schon bald aber, von 270 bis 266, auf die Entsendung eines Vertreters wieder verzichten müssen,[38] jedoch vom Herbst

[31] Diog. Laert. 4, 41. Vgl. Ferguson, HA 233. Tarn, Antigonos 335–336.

[32] Ferguson, HA 169 Anm. 2. 233. Vgl. Tarn, Antigonos 335, der nur die Möglichkeit dieser Vermutung einräumt; vgl. 336 Anm. 39.

[33] Von Tarn, Antigonos 301, als wahrscheinlich angenommen.

[34] Athenaios 3, 101 E. 4, 128 B.

[35] Athenaios 4, 130 D: σὺ δὲ μόνον ἐν ᾿Αθήναις μένων εὐδαιμονίζεις τὰς Θεοφράστου θέσεις ἀκούων. Vgl. A. Körte, RE Lynkeus (1972) 2472–2473.

[36] So richtig Tarn, Antigonos 248 Anm. 94.

[37] Tarn, Antigonos 267. 289.

[38] Tarn, ebenda 286 Anm. 28. 290.

266 bis zum Ausgang des Chremonideischen Krieges seinen Platz in der Amphiktyonie wiederum eingenommen.[39] In diesen Wechseln spiegelt sich für Tarn das Schicksal der Stadt Athen in dieser Zeit: Nach dem Umsturz von 273, der Athen von Makedonien unabhängig gemacht habe, sei seit 272 die Wahrnehmung des athenischen Stimmrechts in der Amphiktyonie wieder möglich geworden. Dann habe die Umwälzung von 270, durch die Antigonos wieder zum Oberherrn der Stadt geworden sei, ihr diese Freiheit für mehrere Jahre wieder genommen, bis sie durch den Sturz der Makedonenfreunde im Jahre 266 nochmals zurückgewonnen worden sei.

Diese Rekonstruktion ist seit langem unhaltbar geworden, da die ihr zugrundeliegenden Daten durch neue Inschriftenfunde und durch neuere Studien zur delphischen Chronologie überholt sind. Es ist jetzt sicher, daß Athen vom Frühjahr 277 bis in den Chremonideischen Krieg hinein, d. h. jedenfalls bis zum Herbst 265, wahrscheinlich bis 262/1, regelmäßig einen Vertreter in den Amphiktyonenrat entsandt hat.[40] Nach der Befreiung Athens hat es vielleicht einige Zeit gedauert, ehe sich die Beziehungen der Stadt zu den Delphi beherrschenden Aitolern, die vor 287 feindlich gewesen waren,[41] so weit normalisierten, daß ein athenischer Vertreter wieder in der Amphiktyonie erschien.[42] Der erste im 3. Jahrhundert bezeugte athenische Hieromnemon war Phokion im Frühjahr 277.[43] Es scheint wenigstens, als habe die athenisch-aitolische Waffengemeinschaft bei der Abwehr der Kelten (Kapitel VII) die definitive Normalisierung in den Beziehungen beider Staaten bewirkt, die sich in dem Erscheinen Phokions im Rate widerspiegelt. Mit diesem Vorgang war die Anerkennung der aitolischen Vorherrschaft über Delphi und die Amphiktyonie in der einen oder anderen Form verbunden.[44] Von 277 an bis zum

---

[39] Tarn, ebenda 298.

[40] Die Zeugnisse sind bequem zusammengestellt bei G. Daux, HSCP-Suppl. 1, 1940, 64. Ungewiß ist, ob der delphische Archon Pleiston, in dessen Jahr Athen durch Euthydikos vertreten war, in das Pythienjahr 266/5 oder vielmehr in das Jahr 262/1 gehört. Gegenüber der konventionellen Ansicht, die für das frühere Jahr eintritt (vgl. zuletzt, wenngleich mit gewissen Zweifeln, J. Bousquet, BCH 82, 1958, 74–77), haben R. Étienne und M. Piérart mit starken Gründen für 262/1 plädiert (BCH 99, 1975, 59–62). Wenn dies richtig ist, fällt die Kapitulation Athens (und das Archontat des Antipatros) in dieses Jahr, die Kapitulation der Stadt genauer in das Frühjahr 261, der Tod Zenons etwa in den Oktober 261.

[41] Siehe oben Kapitel III.

[42] Vgl. Flacelière, Aitoliens 181. 186. Derselbe, HSCP-Suppl. 1, 1940, 474. G. Daux, ebenda 64. Es ist jedoch auch möglich, wie Flacelière, HSCP-Suppl. 1, 1940, 473–474, bemerkt, daß Athen schon 287 oder bald danach seinen Platz erneut eingenommen hat, denn für 287–279 fehlen Verzeichnisse der Hieromnemonen. Das Fehlen eines athenischen Delegierten im Frühjahr 278 wäre dann zufällig. Vgl. dazu weiter die Ausführungen im folgenden Kapitel.

[43] Flacelière, Aitoliens 386 nr. 2.

[44] Flacelière, ebenda 182; HSCP a. O. 474.

Ende des Chremonideischen Krieges bestanden dann freundschaftliche und enge
Beziehungen zwischen den beiden Staaten, und das in Delphi gefundene Fragment
eines Bündnisses zwischen ihnen wird mit guten Gründen in diese Zeit, zwischen
277 und 262, datiert.[45]

Erst der Ausgang des Chremonideischen Krieges hat diesen intensiven Beziehun-
gen Athens zu Aitolien und der athenischen Vertretung im Amphiktyonenrat ein
Ende gemacht. Mit der Kapitulation im Kriege gegen Makedonien schied Athen aus
der Reihe souveräner Staaten aus, war die Stadt nicht länger fähig, ihre auswärtigen
Beziehungen selbst zu gestalten. Der makedonische König als ihr Oberherr war
zudem nicht gewillt, Athen in einem Rate weiterhin mitwirken zu sehen, der in
Gegenwart des athenischen Delegierten Euthydikos (und vermutlich mit seiner
Stimme), gerade erst beschlossen hatte, sich an dem dynastischen Fest der Ptolemaia
repräsentativ zu beteiligen, das Antigonos' mächtigster Gegner, Ptolemaios Philadelphos, zu Ehren seines Vaters in Alexandreia veranstaltete.[46]

Die Musterung der fünf Kriterien, die den Rekonstruktionen von Ferguson und
Tarn zugrunde liegen, hat ergeben, daß keines derselben tragfähig bzw. nach der
berichtigten Chronologie zahlreicher Inschriften noch tragfähig ist. Und aus den
Jahren, in denen Athen angeblich in Abhängigkeit von Makedonien gestanden
haben soll (276–266 nach Ferguson, 276–273 und 270–266 nach Tarn), liegen
heute zahlreiche Dekrete vor, die positiv erkennen lassen, daß die Stadt in diesen
Jahren ohne Unterbrechung frei gewesen ist und immer eine demokratische und
nationalistische Regierung gehabt hat. Der soeben bekanntgewordene Beschluß zu
Ehren des Kallias von Sphettos von der Jahreswende 270/69 (Kapitel IV) ist dafür
ein weiterer und sehr beredter Beweis. Die Annahme, daß Athen zwischen 287 und
262 zu irgendeiner Zeit unter der Oberhoheit des makedonischen Königs gestanden
habe, ist mithin endgültig als irrig zu verabschieden. So wie der Piräus in dieser Zeit
ununterbrochen unter makedonischer Kontrolle war,[47] so war die Stadt Athen
ebenso kontinuierlich frei von makedonischer Aufsicht oder Bevormundung. Diese
beiden Tatsachen sind für die Beurteilung der athenischen Geschichte in dieser Zeit
von geradezu fundamentaler Bedeutung; Stadt und Hafen standen dauernd in
einem polaren Verhältnis zueinander.

---

[45] Die Staatsverträge des Altertums nr. 470 mit der Literatur, aus der vor allem Bousquet,
BCH 82, 1958, 69–74, wichtig ist. Die in diesen Arbeiten genannte Zeitspanne von 277–
266/5 erweitert sich nach unten bis 262/1, wenn der delphische Archon Pleiston von 266/5
nach 262/1 rücken sollte (s. Anm. 40).

[46] Im Beschluß aus dem Jahr des delphischen Archons Pleiston (jetzt Moretti, Iscrizioni
75) ist Euthydikos als Vertreter Athens im Rat genannt. Zur Sache vgl. Bousquet, BCH 82,
1958, 77–82. P. M. Fraser, HThR 54, 1961, 141–145. Habicht, Gottmenschentum 258–
259, wo gegebenenfalls das Datum Pleistons im Sinne von Étienne und Piérart (Anm. 40) zu
modifizieren ist.

[47] Siehe unten Kapitel VIII.

## VI. ATHEN NACH 287: DIE POLITISCHE ORIENTIERUNG

Als im Frühsommer 287 das Archontatsjahr Kimons zu Ende ging, war die Stadt
Athen frei. Von Phaidros, der unter Kimon Hoplitenstratege gewesen war, sagt das
spätere Dekret zu seinen Ehren: «Er übergab denen, die nach ihm kamen, eine
Stadt, die frei, demokratisch und autonom war und in der die Gesetze herrschten.» [1]
Solange man Kimon und diese Strategie des Phaidros in die Jahre der Herrschaft
des Königs Demetrios datierte, erschienen diese Worte absurd, verlogen oder vom
Parteistandpunkt verzerrt. [2] Aber ihre emphatische Deutlichkeit hätte vielmehr
Anlaß geben sollen, den Archon Kimon in das Jahr der Befreiung der Stadt zu setzen. [3] Denn vom parteiischen Standpunkt einer späteren Zeit können wohl Fakten
verschwiegen oder verzeichnet, können auch verzerrte politische Urteile abgegeben
werden, aber auch tendenziöse Volksbeschlüsse können Fakten nicht geradezu in
ihr Gegenteil verkehren. Freiheit kann für eine Zeit nicht behauptet werden, in der
eine nicht erbetene königliche Garnison in der Stadt stand; Demokratie können
Verhältnisse nicht genannt werden, unter denen gerade die Oligarchen aus dem
Exil zurückkehrten und sich das Vermögen von Demokraten aneigneten. Und es
ist klar, daß die Worte von der Herrschaft der Gesetze eben gerade den Gegensatz
zur Herrschaft eines fremden Königs hervorheben sollen.

Diese Schwierigkeiten sind verschwunden, seitdem Kimon auf 288/7 datiert ist.
Dem zitierten Satz des Phaidrosdekrets kommt seither die volle Aussagekraft zu,
die er immer hätte beanspruchen können. Athen war im Frühsommer 287 frei,
demokratisch und autonom, und statt der Befehle des Königs oder der «Orakel des
Retters» [4] waren die Gesetze der Stadt wieder bestimmend. Bei diesen Verhältnissen
blieb es, bis Athen ein Vierteljahrhundert später gezwungen wurde, dem makedonischen König Antigonos die Tore zu öffnen. Es hat sich bereits ergeben, daß
innerhalb dieser fünfundzwanzig Jahre von einer wie immer gearteten Abhängigkeit
der Stadt vom makedonischen König zu keiner Zeit die Rede sein kann (Kapitel V).
Es soll auf den folgenden Seiten gezeigt werden, daß auch der politische Kurs, den
Athen in dieser Zeit steuerte, in den großen Linien durchaus konstant war, und
zwar nach außen wie im Inneren.

---

[1] IG II² 682, 37–40: καὶ τὴν πόλιν ἐλευθέραν καὶ δημοκρατουμένην αὐτόνομον παρέδωκεν καὶ τοὺς νόμους κυρίους τοῖς μεθ᾽ ἑαυτόν. Dazu oben S. 54 f.

[2] Vgl. die in Kapitel IV, Anm. 45, zitierten Äußerungen.

[3] Dies hat, anscheinend als einziger, Ferguson einmal gesehen: Athenian Tribal Cycles,
1932, 70.                                [4] Plutarch, Demetrios 13. Oben Kapitel III.

## 1. Die achtziger Jahre

Dem Aufstand gegen Demetrios im Frühjahr 287 folgte noch vor dem Ende des Amtsjahres 288/7 der Friede zwischen den Königen Demetrios und Ptolemaios, der auch für Athen und Attika wirksam wurde. Zu dieser Zeit hatte Demetrios Makedonien bereits verloren, der Friede aber beließ ihm die Kontrolle über den Piräus.[5] Nach den Umständen war es ganz natürlich, daß Athen sofort bei den Machthabern Rückhalt suchte, die gegen Demetrios und seinen Sohn Antigonos verbündet waren. Dies waren die Könige Ptolemaios,[6] Pyrrhos[7] und Lysimachos.[8] Ebenso natürlich war es, daß im gleichen Zuge die Feindschaft, die um des Demetrios willen seit 294 gegenüber Aitolien und, bis zu Böotiens definitiver Unterwerfung unter diesen im Jahre 291, auch gegenüber Böotien bestanden hatte,[9] abgebaut wurde. Den Abbau der Spannungen gegenüber den Aitolern zeigt schon die Teilnahme von Athenern an den Pythien von 286 an,[10] ferner das wenig spätere Dekret für den Aitoler Aischron.[11] Und zu Böotien bestanden jedenfalls im Frühjahr 281 freundschaftliche Beziehungen;[12] wahrscheinlich hatten sie sich seit 287, als Athen und Böotien gleichzeitig von Demetrios frei wurden, positiv entwickelt.

---

[5] Oben Kapitel IV, Abschnitt 2.

[6] Gesandtschaften zu Ptolemaios I. und II. in den Jahren 287–278: IG II² 682, 28–30. Agora Inv. I 7295, 40–43; 44–55. Plutarch, mor. 851 E. Ehrung des Philokles von Sidon in Athen: Hesperia 9, 1940, 353 nr. 48 und IG II² 3425 (Moretti, Iscrizioni 17; vgl. I. Merker, Historia 19, 1970, 143 ff.). Getreide von Ptolemaios I. kommt im Sommer 286 nach Athen: IG II² 650 (in diesen Zusammenhang gehören vielleicht auch die Gaben des Demetrios von Phaleron für seine Vaterstadt: Plutarch, moral. 601 F; Wilamowitz, Antigonos 340. Ferguson, HA 147 Anm. 4). Athenischer Beschluß vom J. 280/79 zur Teilnahme an den Ptolemaia in Alexandreia und athenische Delegation dorthin unter Führung des Kallias: Agora Inv. I 7295, 55–64. Gaben des Ptolemaios II. für die Panathenäen des Jahres 278: ebenda 64–70. Am Rande vermerkt sei, daß Ptolemaios Philadelphos, vor 268, auch eine Summe von 80 Talenten an Lykon und die Schule des Aristoteles gegeben hat (Diog. Laert. 5, 58).

[7] Pyrrhos erhielt kurz nach dem Friedensschluß in Athen einen sehr freundlichen Empfang: Plutarch, Pyrrhos 12. Seine Statue in Athen (Pausanias 1, 11, 1) ist vielleicht damals beschlossen worden (Ferguson, HA 149 Anm. 3).

[8] Gesandtschaften des Lysimachos nach Griechenland und Athen in den Jahren 287-c. 285: IG II² 662, 7–10. 663, 2–4 (vgl. Habicht, Chiron 2, 1972, 107–109). Athenische Gesandtschaften zu Lysimachos in diesen Jahren: IG II² 657, 31–38. 662, 12–14. 663, 6–10. Die Statue des Lysimachos in Athen (Pausanias 1, 9, 4) ist vielleicht damals, vielleicht aber schon früher (vgl. IG II² 657, 9–31) errichtet worden.          [9] Oben Kapitel III.

[10] IG II² 652 (SEG 23, 65) 4–14 und dazu Ad. Wilhelm, Pragmat. Akad. Athen. 4, 1936, 3 ff. (Akademieschriften 2, 517 ff.). Vgl. Kapitel IV, Anm. 63.

[11] IG II² 652 mit der in der vorigen Anmerkung zitierten Abhandlung von Wilhelm.

[12] Moretti, Iscrizioni 15. Vgl. jetzt R. Étienne und P. Roesch, BCH 102, 1978, 359 ff., besonders 374.

Auf der anderen Seite blieb die Frontstellung gegen Demetrios und Antigonos, der mit dem Abgang des Vaters nach Asien im Jahre 287 an dessen Stelle getreten war, bestehen. Zwar hatten die Antigoniden Makedonien verloren und waren daher nicht mehr so übermächtig wie zuvor. Aber mit der Kontrolle über den Piräus und die athenischen Festungen sowie über Korinth und andere Plätze war Antigonos noch immer der nächste, der unmittelbare Gegner. Folgerichtig war es nach der Befreiung der Stadt das vordringliche politische Ziel Athens, die Hoheit über diejenigen Teile von Attika wiederzugewinnen, die noch unter fremder Kontrolle standen. Es waren dies der Piräus, Salamis, Eleusis, Rhamnus, Phyle, Panakton und Sunion. Dazu kamen die Außenbesitzungen, die traditionell athenisch, damals aber in der Hand anderer Mächte waren, Lemnos und Imbros. In einem Dekret des Jahres 283 ist deutlich ausgesprochen, daß die Politik Athens drei wesentliche Ziele hat: die Erhaltung der Freiheit, die baldmöglichste Wiedergewinnung des Piräus und die der Festungen.[13]

Diese Ziele sind nur etwa zur Hälfte erreicht worden. Zwar behaupteten die Athener ihre Freiheit, aber die Bemühungen um die Wiederherstellung ihrer Hoheit im übrigen Staatsgebiet hatten nur bescheidenen Erfolg. Vor allem gelang es nicht, die makedonische Garnison aus dem Piräus zu verdrängen. Ein etwa 286 unternommener Versuch, die Besatzung mit Hilfe von Verrat zu überrumpeln, scheiterte unter hohen Blutopfern.[14] Die Aufgabe blieb immer brennend, und dieses ungelöste Problem stand jedem denkbaren Ausgleich mit Antigonos von vornherein als unbedingtes Hemmnis entgegen. Erfolg hatten die Athener dagegen in Eleusis. Der Ort wurde jedenfalls zwischen Juli 286 und April 284 zurückgewonnen. Die näheren Umstände sind unbekannt, doch wird das Verdienst daran dem Demochares zugeschrieben.[15] Ferner ist Rhamnus vor dem Ende des Chremonideischen Krieges wieder athenisch geworden, wie das kürzlich dort gefundene Dekret für Epichares gelehrt hat.[16] Auch Sunion ist anscheinend vor und während des Chremonideischen Krieges athenisch gewesen, da zwei athenische Beschlüsse wahrscheinlich in die Zeit des Krieges gehören.[17] Dagegen blieb Salamis (wie der Piräus) von 294 bis 229

---

[13] IG II² 657, 34–36: ὅπως ἂν διαμένει ὁ δῆμος ἐλεύθερος ὢν καὶ τὸν Πειραιᾶ κομίσηται καὶ τὰ φρούρια τὴν ταχίστην.

[14] Polyän 5, 17. Unten Kapitel VIII, Abschnitt 2.

[15] Im Dekret, das sein Sohn Laches für ihn formuliert hat, Plutarch, mor. 851F: καὶ Ἐλευσῖνα κομισαμένῳ τῷ δήμῳ καὶ ταῦτα πείσαντι ἑλέσθαι τὸν δῆμον καὶ πράξαντι. Dies war nach Demochares' Rückkehr aus dem Exil, frühestens Sommer 286, aber vor April 284, als die Athener umfangreiche Bauarbeiten im Heiligtum von Eleusis vergaben, IG II² 1682. Vgl. Kapitel II, Anm. 25.

[16] AD 22 A, 1967, 38 ff. SEG 24, 154. Weitere Literatur ist unten, Kapitel VIII, Anm. 36, genannt.

[17] Moretti, Iscrizioni 11, wo [Peithi]demos, in dessen Jahr der Krieg begann, als Archon

ununterbrochen in makedonischer Hand.[18] Für Phyle und Panakton fehlt es an ausdrücklichen Zeugnissen, doch wird allgemein angenommen, daß beide Festungen von 287 (oder 294) an bis über das Ende des Chremonideischen Krieges hinaus von makedonischen Garnisonen besetzt waren.[19]

Lemnos und Imbros waren den Athenern von Antigonos im Jahre 307 zurückgegeben worden.[20] Bald nach Ipsos oder im Jahre 294 hatte Demetrios sich die Inseln angeeignet, sie aber nach dem Verlust Makedoniens 288 an Lysimachos verloren. Durch dessen Tod kamen sie 281 in die Hand seines Bezwingers Seleukos.[21] Dieser hat wenigstens Lemnos den Athenern damals zurückgegeben.[22]

Das wechselvolle politische Geschehen der achtziger Jahre zog auch die Beziehungen Athens zu den Machthabern, die die Stadt zur Zeit ihrer Befreiung 287 und kurz danach unterstützt hatten, in Mitleidenschaft. In der Forschung wird allgemein angenommen, daß ihr Verhältnis zu Lysimachos bis zu dessen Tod 281 eng und herzlich blieb,[23] das zu Ptolemaios I. dagegen erkaltete oder gar feindselig wurde. Das Gegenteil ist richtig.

Es ist zwar zutreffend, daß die Beziehungen Athens zu Lysimachos nach 287 zunächst herzlich waren (Anm. 8). Aber etwa seit 285 sind sie anscheinend eingeschlafen oder erkaltet, denn keins der Zeugnisse führt über dieses Jahr hinaus. Die Beziehungen können nicht unberührt davon geblieben sein, daß Lysimachos seit 284 König von ganz Makedonien, von Paionien[24] und von Thessalien war, «jetzt

---

wahrscheinlicher ist als [Mnesi]demos (Kapitel I, Anm. 30) und Moretti a. O. nr. 19. Die gewöhnliche Annahme, daß Sunion während des Chremonideischen Krieges makedonisch gewesen sei (so auch Moretti S. 41 mit Anm. 3; J. R. McCredie, Hesperia-Suppl. 11, 1966, 112), wird durch den Verlauf der Operationen nicht zwingend gefordert, und die gleiche Annahme hat sich für Rhamnus jetzt durch die in Anm. 16 zitierte Inschrift als falsch erwiesen.

[18] Moretti, Iscrizioni S. 30. Maier, Mauerbauinschriften 75. 112.

[19] Während Beloch, GG IV 1, 232, und anscheinend auch Ferguson, HA 149, annehmen, daß Demetrios die beiden Festungen seit 294 innehatte und deshalb 287 auf dem Wege über sie nach Attika eingefallen sei, ist Maier der Auffassung (Mauerbauinschriften 75), Demetrios habe beide Plätze eben 287 im Zuge seines Angriffs auf Athen eingenommen. Tatsächlich ist, wie das Dekret für Kallias jetzt gezeigt hat (Agora Inv. I 7295, 17), Demetrios damals nicht von Norden, sondern von Süden, ἐκ Πελοποννήσου, gegen Athen herangerückt. Daraus folgt jedoch nicht, daß die beiden Festungen in athenischer Hand gewesen sein müßten, sondern wohl nur, daß der König zunächst Verstärkungen aus Korinth und anderen Besitzungen an sich zog.

[20] Beloch, GG IV 1, 152 mit Anm. 1.

[21] C. Fredrich, IG XII 8, p. 4. Beloch, GG IV 1, 219 (vgl. IV 2, 609). Fredrich, RE Lemnos (1925) 1930.

[22] Ausführliche Erörterung bei Habicht, Gottmenschentum 89–90. Vgl. auch W. Orth, Königlicher Machtanspruch und städtische Freiheit, 1977, 36–38.

[23] F. Geyer, RE Lysimachos (1928) 18.

[24] I. Merker, Balkan Studies 6, 1965, 48.

der bei weitem mächtigste Fürst seiner Zeit.»²⁵ Sie können auch davon nicht unberührt geblieben sein, daß Athens Freunde Pyrrhos und Audoleon die Opfer dieser bedrohlichen Machterweiterung des Lysimachos geworden waren. Die Stadt mußte jetzt vor Lysimachos auf ihrer Hut sein.

Aber es kam mehr hinzu. Der Athener Komeas ist 281 als Gesandter zu König Seleukos gegangen, und die athenischen Kleruchen auf Lemnos haben kurz danach diesem König für die Rückgabe der Insel an Athen und für die Wiederherstellung der Demokratie göttliche Ehren zuerkannt, wobei eben Komeas, als Hipparch in Lemnos, die entscheidende Rolle gespielt hatte.²⁶ Die Annahme ist dann mehr als wahrscheinlich, daß die 287 und 286 zwischen Athen und Lysimachos verkehrenden Gesandtschaften wesentlich auch das Schicksal der beiden Inseln Lemnos und Imbros betrafen, daß die Athener ihre Rückgabe wünschten, Lysimachos die Erfüllung dieses Wünsches jedoch verweigert hat. Hinsichtlich Lemnos hat auch Seleukos' Sohn und Nachfolger Antiochos sich die Dankbarkeit der Athener verdient (s. Anm. 22), und es ist nur natürlich, daß er sich um die Sympathien festländischer Griechenstaaten bemüht hat, solange er noch hoffte, auch die Krone Makedoniens zu gewinnen. Nachdem er jedoch mit Antigonos Frieden geschlossen und in ihm auf seine europäischen Ambitionen verzichtet hatte,²⁷ konnte Athen von ihm nicht mehr allzuviel erwarten.

Seit etwa 284 konnte Athen von den drei Königen, auf deren Hilfe die Stadt sich 287 gegenüber Demetrios gestützt hatte, nur noch auf Ptolemaios zählen. Und dessen Beziehungen zu Lysimachos waren ernstlich belastet. Ptolemaios hatte 285 seinen gleichnamigen Sohn von Berenike zum Mitregenten angenommen und damit die Thronfolge zu seinen Lebzeiten geregelt. Sein älterer Sohn von Eurydike, Ptolemaios, hatte, vielleicht schon etwas vorher, den alexandrinischen Hof resignierend verlassen und zunächst bei Lysimachos Aufnahme gefunden.²⁸ Es ist nicht zweifelhaft, daß dies in Ägypten übel aufgenommen wurde.²⁹

Nachdem Pyrrhos als ernstzunehmender Faktor ausgefallen, Lysimachos durch die Ausdehnung seiner Macht gefährlich geworden und in der Frage von Lemnos und Imbros den athenischen Wünschen gegenüber taub war, mußte Athen alles daran setzen, sich Freundschaft und Unterstützung des ägyptischen Königs, des alten wie des jungen, zu erhalten. Dies ist gelungen, und die athenisch-ägyptische Freundschaft ist in der Politik Athens die konstanteste Linie dieser Zeit. Dies ist lange verkannt worden, weil man als faktischen Mangel an Beziehungen interpre-

---

²⁵ Beloch, GG IV 1, 241.
²⁶ Habicht, Gottmenschentum 89–90.
²⁷ Will, Histoire 1, 91.
²⁸ Vgl. Heinen, Untersuchungen 3 ff., besonders 4.
²⁹ Ferguson, HA 153.

tierte, was sich jetzt als bloße Lücke der Überlieferung erweist.[30] Nachdem schon 1940 das Fragment eines athenischen Beschlusses zu Ehren des ptolemäischen Admirals Philokles (Anm. 6) die Zahl der Zeugnisse vermehrt, das Gesamtbild aber wegen seiner nur annähernden Datierung (innerhalb der Jahre 287–278) nicht wesentlich bereichert hatte, ist jetzt mit dem Dekret für Kallias von Sphettos das Bild von den athenisch-alexandrinischen Kontakten und Bindungen zwischen 287 und 270 wesentlich reicher und farbiger geworden. Es trifft nicht zu, daß Athen wegen der Freundschaft zu Lysimachos um 284 von Ptolemaios I. allenfalls Böses zu erwarten hatte,[31] sondern die konstante Freundschaft mit Ptolemaios dürfte umgekehrt eher negativ auf Athens Verhältnis zu Lysimachos eingewirkt haben, das ohnehin durch den Interessengegensatz hinsichtlich Lemnos und Imbros gespannt war. Das Ende des Lysimachos muß in Athen mit Erleichterung aufgenommen worden sein.

## 2. Die siebziger Jahre

Der Ausgang der achtziger Jahre brachte nach dem Tode des Demetrios im fernen Exil in rascher Folge das Ende des Lysimachos, die Ermordung des Seleukos, als dieser im Begriff stand, nach Europa hinüberzugreifen, und den Beginn einer mehrjährigen, durch den Kelteneinbruch noch gesteigerten Anarchie in Makedonien. Diese Ereignisse, vor allem der Zerfall des Reiches des Lysimachos und die makedonischen Wirren, bedeuteten für Athen, daß eine akute Gefahr von einem übermächtigen Nachbarn im Norden einstweilen nicht drohte. Auf der anderen Seite aber standen der Piräus, Salamis und die nordattischen Festungen noch immer unter der Kontrolle von Besatzungen des Antigonos. Besonders drückend für die Stadt

---

[30] Vgl. z.B. Ferguson, HA 149 Anm. 2 zum Jahre 287, als Demetrios zur Belagerung Athens schritt: «The fleet of Ptolemy apparently kept out of the way during this crisis.» Ebenda 170 von den Jahren 283–273: «Nor did Philadelphus have the power, even if he had the will, to befriend the city ... Hence for the first ten years of his reign there is no evidence that he helped Athens in any way ...» Vgl. auch ebenda 153. Auch Tarn, Antigonos 267, rechnet mit engeren athenisch-ptolemäischen Beziehungen erst seit 273. Das Dekret für Kallias von Sphettos (Agora Inv. I 7295) widerlegt alle diese Annahmen und zeigt klar, daß die Stadt ihre Rettung im Jahre 287 wesentlich dem Eingreifen Ptolemaios' I. verdankte und daß die beiden Könige des Ptolemäerhauses Athen seitdem in jeder Hinsicht immer wieder unterstützt haben. Der athenische Beschluß von 280/79, an der ersten Feier der Ptolemaia mit einer repräsentativen Delegation teilzunehmen (Anm. 6), macht deutlich, wie hoch man in Athen diesen politischen, materiellen und moralischen Rückhalt bewertete.

[31] So aber Ferguson, HA 153: «From Egypt ... nothing but evil could be expected; for the friendship of Lysimachus to the Athenians was now the worst possible recommendation to the court of Alexandria, seeing that Ptolemy Ceraunus, on being excluded from the throne by his father, had found a protector and prospective champion in the Tracian monarch (285/4 B.C.).»

war die fremde Garnison im Piräus, deren Präsenz jede Möglichkeit einer freieren Entwicklung Athens erstickte. Am Beginn der siebziger Jahre ist dort der einstige Finanzminister des Lysimachos, der mit Epikur befreundete Mithres, eine Zeitlang gefangengehalten worden.[32]

Aus den genannten Gründen blieb Antigonos, wenngleich seine Macht damals noch recht bescheiden und für Athen nicht unmittelbar bedrohlich war, weiterhin der hauptsächliche Gegner. Es war daher natürlich, daß die Leiter der athenischen Politik, die damals wesentlich von Demochares bestimmt wurde, mit den Gegenspielern des Antigonos anzuknüpfen versuchten. Die Gesandtschaft des Demochares zu dem makedonischen Frühjahrskönig Antipatros ‹Etesias› im Jahre 279[33] gehört zu diesen politischen Initiativen, von denen es zweifellos mehr gegeben hat, als in der trümmerhaften Überlieferung zu erkennen ist.

Als eine dieser Initiativen wird in der Forschung vielfach sogar ein militärisches Engagement Athens in dieser Zeit angenommen, nämlich die Teilnahme an einem Feldzug griechischer Staaten gegen Aitolien im Jahre 280, mit dem Athen vor allem König Antigonos als Verbündeten der Aitoler habe treffen wollen. Nun bestehen allerdings erhebliche Unklarheiten darüber, wie sich die athenisch-aitolischen Beziehungen nach der Befreiung Athens von der Herrschaft des Demetrios weiterhin gestaltet hatten.[34] Die Frage verlangt daher eine etwas nähere Behandlung.

Es ist an sich wohl denkbar, daß die Verschlechterung der Beziehungen Athens zu Lysimachos in den späteren achtziger Jahren auch das Verhältnis der Stadt zu Aitolien erneut in Mitleidenschaft gezogen haben könnte, denn nach der Vertreibung des Pyrrhos aus Makedonien und Thessalien haben die Aitoler sich eng an Lysimachos angeschlossen[35] und damals die Städte Lysimacheia und Arsinoeia entweder gegründet oder doch nach dem König und seiner Königin benannt.[36] Athen muß diese Entwicklung mit Mißtrauen und Sorge beobachtet haben.

Es ist daher vielleicht mehr als ein Zufall der Überlieferung, daß zwar noch 284/3 drei Athener im aitolisch kontrollierten Delphi mit der Proxenie geehrt wurden,[37] danach aber Proxeniedekrete für Athener mehrere Jahre lang sowohl in Delphi wie im aitolischen Bundesheiligtum Thermos fehlen[38] und erst nach der gemein-

---

[32] Unten Kapitel VIII, S. 99.          [33] Kapitel VIII, Anm. 80.

[34] Kapitel V, Anm. 42.          [35] Beloch, GG IV 1, 241.

[36] Dazu besonders G. Klaffenbach, SBBerlin 1936, 360 ff. Flacelière, Aitoliens 80–81.

[37] FD III 2, 198–200, alle unter dem delphischen Archon Diodoros aus der zweiten Hälfte seines Jahres. Es sind zwei unbekannte Brüder sowie Βάθυλλος Ἀρχεβούλου Πειραιεύς, der einer Trierarchenfamilie angehörte (Davies, APF 2817, dem das delphische Zeugnis entgangen ist). Zur Datierung vgl. Flacelière, Aitoliens, Appendix II 14 b.

[38] Aus Thermos stammt die älteste Proxenieurkunde für einen Athener ohnehin erst vom Jahre 272/1, dem Jahre des aitolischen Strategen Skopas (IG IX 1², 13 II). Vier weitere Proxenien sind Athenern kurz vor 262, d. h. während des Chremonideischen Krieges, verliehen

samen Abwehr der Kelten wiederbegegnen.[39] Und es gibt jedenfalls keinen Anhaltspunkt dafür, daß Athen seinen Platz in der Amphiktyonie von Delphi schon früher
wiedereingenommen hätte. Es mag daher zutreffen, daß die Stadt wie andere griechische Staaten nicht bereit war, die aitolische Okkupation Delphis als Faktum zu
akzeptieren und durch Teilnahme an den Beratungen der Amphiktyonen zu sanktionieren.

Von möglicherweise bestehenden Spannungen wie diesen ist es jedoch noch ein
erheblicher Schritt zu einem Krieg beider Staaten gegeneinander. Zudem befreite
der Tod des Lysimachos zu Anfang des Jahres 281 die Athener von der Sorge vor
diesem übermächtigen Nachbarn. Und doch sollen die Athener im Jahre 280 sich
an dem Kriegszug beteiligt haben, den mehrere griechische Staaten, darunter der
eben damals sich neu bildende Achäische Bund, unter Führung Spartas und unter
dem Kommando des spartanischen Königs Areus, gegen die Aitoler unternommen
haben. Erklärtes Ziel dieses Unternehmens, über das Justin 24, 1, 1 – 8, ziemlich
ausführlich berichtet, sei es gewesen, die alten Verhältnisse in der Amphiktyonie
wiederherzustellen, mithin die Aitoler aus Delphi zu vertreiben.[40] Dies war, nach
Justin, nicht lange nach dem Ende des Lysimachos und des Seleukos, aber noch vor
dem des Ptolemaios Keraunos und während des Krieges zwischen diesem und den
Königen Antiochos und Antigonos.[41] Das griechische Heer wurde nun freilich in
der Ebene von Krisa von den Aitolern besiegt, und dem Versuch der Spartaner, den
Krieg danach zu erneuern, versagten sich die übrigen Griechen in der Sorge, Sparta
wolle ihn nicht zur Befreiung Griechenlands, sondern zur Aufrichtung seiner eigenen Herrschaft führen.[42]

Es ist im Bericht des Justin deutlich, daß die Aitoler eben als Verbündete des
Antigonos das Ziel des Angriffs waren. Daß das Unternehmen wesentlich auch
gegen Antigonos gerichtet war, folgt auch aus den Namen der zuverlässig bezeugten

---

worden (IG IX 1², 17, Zeilen 2. 46. 90). Eine davon gilt Δρομέας Διοκλέους (᾽Ερχιεύς),
einem politisch aktiven Mann aus vornehmer und wohlhabender Familie (zu ihm s. u. S. 151).

[39] In Delphi eine Urkunde für zwei Athener aus der zweiten Hälfte des Jahres 278/7 (FD
III 2, 203), d. h. aus einer Zeit, in der Athen in der Amphiktyonie jedenfalls wieder vertreten
war. Nicht näher datierbar sind zwei weitere Dokumente für Athener aus dem Jahre des
Archons Archidamos (FD III 2, 71; nach Flacelière, Aitoliens, Appendix II 16a, von 282/1 [?];
nach G. Daux, Chronologie delphique, 1943, F25 von 290–280) und aus dem Jahre des
Erasippos diejenige für Glaukon, den Bruder des Chremonides (FD III 2, 72, nach Flacelière,
Appendix II 29a, von 269/8; nach Daux a. O., F 28, von einem der Jahre zwischen 290 und
280).

[40] Justin 24, 1, 3: *causas belli praetendentes, quod consensu Graeciae sacratum Apollinis
Cirraeum campum per vim occupassent* (Aetoli). An der gleichen Stelle bemerkt Justin, der
eigentliche Gegner sei der mit den Aitolern verbündete König Antigonos gewesen.

[41] Justin 24, 1, 1.

[42] Justin 24, 1, 7.

Teilnehmer, besonders der westachäischen Städte. Daß Athen eben deshalb an ihm teilgenommen habe, wird von einem Teil der Forschung angenommen, der sich dabei auf eine recht bestimmte Äußerung Belochs beruft.[43] Die gegenteilige Meinung, die Niese ausgesprochen hatte, ist unter dem Eindruck der Autorität Belochs nicht mehr ausdrücklich vertreten worden, sondern äußert sich allenfalls noch darin, daß die Athener in diesem Zusammenhang nicht in allen Darstellungen genannt werden.[44]

Nun war Athen in den Jahren zwischen der Befreiung von Demetrios und dem keltischen Einfall nach Griechenland, wie aus zahlreichen Zeugnissen und soeben wieder, besonders deutlich, aus dem Dekret für Kallias von Sphettos hervorgeht, außerordentlich schwach, so sehr auf fremde Hilfe für seine Ernährung und für den Fortgang der laufenden Staatsgeschäfte angewiesen, daß es sehr erstaunlich wäre, wenn die Stadt sich damals auf ein größeres kriegerisches Engagement eingelassen hätte, das nicht der Wiedergewinnung ihrer vollen territorialen Hoheit in Attika, vor allem der Wiedererlangung des Piräus, galt, sondern den Verhältnissen in Delphi. Dies ist so unwahrscheinlich, daß man genötigt ist, Athens Beteiligung an diesem Krieg zu bezweifeln. In der Tat ist Athen im Bericht Justins überhaupt nicht genannt. Seine Behauptung *omnes fere Graeciae civitates* hätten an dem Feldzug des Areus teilgenommen, ist jedenfalls eine starke Übertreibung.[45] Sie rechtfertigt es nicht, Athen als kriegführende Macht anzunehmen. Tatsächlich ist denn auch Belochs eigentliches Beweisstück ein anderes, wie aus seinen Worten klar hervorgeht: «Athen hat unter dem Archon Menekles (281/0) einen Krieg geführt (IG II² 1,665), ohne Zweifel gegen Antigonos.»[46] Belochs Vermutung ruht, wie sich zeigt, allein auf der Verbindung dieses athenischen Beschlusses mit dem Bericht Justins.

Dieser Kombination ist der Boden längst durch den Nachweis entzogen, daß Menekles der Archon des Jahres 267/6, jener Krieg mithin der Chremonideische Krieg ist.[47] Damit entfällt jeder Anhaltspunkt dafür, daß Athen im Jahre 280 an

---

[43] Beloch, GG III 1¹, 258 (IV 1², 249): «Auch Athen schloß sich der Koalition gegen Antigonos an.» Ebenso, unter Berufung auf Beloch, A. Mayer, Philologus 71, 1913, 230 mit Anm. 46. Flacelière, Aitoliens 82. Ferner Dinsmoor, List 56. P. Oliva, Sparta and Her Social Problems, 1971, 203–204. Teilnahme Athens an einer gegen Antigonos gerichteten Koalition nehmen an Ferguson, HA 155. Tarn, CAH 7, 100. Will, Histoire 1, 91.

[44] Niese, Geschichte 2, 1899, 11: «Von Athens Teilnahme fehlt jede Spur.» (Niese vermutet jedoch, ebenda, Anm. 3, daß Olympiodor damals den Piräus zurückerobert habe.) Nicht erwähnt ist Athen im Zusammenhang des Krieges gegen Aitolien bei Tarn, Antigonos 132–133. U. Kahrstedt, RE Sparta (1929) 1422–1423. P. Cloché, REA 47, 1945, 227–233.

[45] Kahrstedt a. O. 1423. Cloché a. O. 230.

[46] Beloch, GG IV 1, 249 Anm. 3.

[47] Vgl. vor allem Heinen, Untersuchungen 110 ff.

einer griechischen Koalition gegen König Antigonos und die Aitoler oder an Kriegs-
handlungen gegen den einen oder den anderen teilgenommen hätte. Abgesehen von
dem gescheiterten Überfall auf den Piräus (S. 98), hat die Stadt vom Frieden mit
Demetrios bis zur Invasion der Kelten Frieden gehabt.

An der Abwehr der Kelten im Spätherbst 279 hat Athen sich mit einem Truppen-
kontingent beteiligt, worüber Näheres im folgenden Kapitel gesagt wird. Zum
Schutze Griechenlands vor den Barbaren haben Athener damals Seite an Seite mit
Söldnern des Antigonos Gonatas gekämpft, da hier ein gemeinsames Interesse
gegeben war, der fremden Invasion Halt zu gebieten. Der zwischen Athen und dem
makedonischen Fürsten bestehende Gegensatz ist durch diese Episode nicht aus der
Welt geschafft worden. Sobald Antigonos nach seinem Siege über die Kelten bei
Lysimacheia 277 die Krone Makedoniens endlich dauerhaft erworben hatte, war
er zu einer viel ernsteren Bedrohung der Stadt geworden als irgendwann zuvor in
den zehn Jahren, seitdem sein Vater Demetrios Griechenland verlassen hatte.

Um so größeren Wert mußte Athen darauf legen, sich die Freundschaft und die
Unterstützung des ägyptischen Königs Ptolemaios Philadelphos zu erhalten. Von
ihm waren 278 Gaben für die Feier der Panathenäen gekommen, und von Athen
gingen in den siebziger Jahren mehrmals Gesandtschaften und Festgesandtschaften
nach Alexandreia, wie die Urkunde zu Ehren des Kallias jetzt, leider nur in sehr
summarischer Weise, bezeugt.[48] Es kann nicht zweifelhaft sein, daß diese Bindungen ungetrübt blieben, bis sie sich am Vorabend des Chremonideischen Krieges
noch enger gestalteten und zu dem gegen Makedonien gerichteten Bündnis führten.
Um die Jahreswende 270/69 sprechen die Wendungen des Dekrets für Kallias von
Ptolemaios II. in warmen Worten.

Aber auch an anderer Stelle war Athen politisch aktiv, wo immer die Stadt eine
Macht wahrnahm, die dem König Antigonos ebenfalls feindlich gegenüberstand.
Es versteht sich von selbst, daß sich die Augen der athenischen Politiker sofort
wieder auf König Pyrrhos richteten, sobald dieser aus Italien zurückkam und sich
anschickte, dem Antigonos die Krone Makedoniens und die Herrschaft über die
makedonischen Teile Griechenlands streitig zu machen. Gesandte Athens haben
Pyrrhos im Jahre 272 in Megalopolis aufgesucht.[49] Da Pyrrhos die von Makedonien kontrollierten griechischen Staaten zum Kampf für ihre Freiheit aufgerufen
hatte, haben die Athener sich ohne Zweifel seiner Hilfe gegen Antigonos versichern
wollen. Der baldige Tod des epirotischen Königs machte alle Hoffnungen auf ihn
zunichte.

Vielleicht noch in den Ausgang der siebziger Jahre, eher aber wohl in die frühen
sechziger Jahre gehören zwei nicht näher datierte Inschriften aus dem böotischen

---

[48] Agora Inv. I 7295, 40–78.
[49] Justin 25, 4, 4. Dazu unten, Kapitel VIII, Abschnitt 4 mit den Anm. 82–83.

Oropos[50] und dem arkadischen Orchomenos.[51] In der ersten wird der Athener Aristeides geehrt, in der zweiten eine athenische Gesandtschaft, bestehend aus ebendiesem Aristeides, aus Kallippos, dem Befehlshaber der Athener im Kampf gegen die Kelten an den Thermopylen, und aus Glaukon, dem Bruder des Chremonides. Da Orchomenos, offenbar gleichzeitig, auch den spartanischen König Areus geehrt hat,[52] und zwar wegen seiner Verbundenheit mit Ptolemaios II., und da die Stadt im Chremonideischen Kriege, zusammen mit Athen, Ptolemaios und Areus gegen Antigonos Gonatas gekämpft hat, so sprechen alle Indizien dafür, daß beide Inschriften in die Zeit kurz vor dem Ausbruch dieses Krieges gehören und Zeugnisse diplomatischer Offensiven Athens im Hinblick auf die sich vorbereitende kriegerische Auseinandersetzung sind.[53] Dazu stimmt, daß nicht nur Glaukon als Bruder des Chremonides einer der athenischen Verantwortlichen für diesen Krieg war,[54] sondern daß Kallippos im obersten Rat der griechischen Verbündeten während des Krieges, dem Synhedrion, einer der beiden Delegierten Athens gewesen ist.[55]

---

[50] AE 1952, 172 nr. 4.

[51] Moretti, Iscrizioni 53.

[52] Moretti, Iscrizioni 54.

[53] Zu beiden Texten eingehend Habicht, Chiron 6, 1976, 7–10.

[54] Er ist am Ende des Krieges wie Chremonides zu Ptolemaios geflüchtet und bei ihm zu hohen Würden gelangt (Chiron a. O. 9 mit Anm. 17–19).

[55] Sylloge 434–435, 69 (IG II² 687. Staatsverträge III nr. 476).

# VII. DIE ROLLE ATHENS IN DER INVASION DER KELTEN

Im Spätherbst oder gegen Ende des Jahres 279 hat Athen sich an der Abwehr der unter Brennos und Akichorios von Thessalien nach Süden vordringenden Kelten beteiligt. Dieser Aktivität gedenkt der etwa dreißig Jahre später auf Antrag des Halimusiers Kybernis verabschiedete athenische Volksbeschluß aus dem Jahre des Archons Polyeuktos mit den auf die ‹Barbaren› gemünzten Worten: ἐφ' οὓς καὶ ὁ δῆμος ἐξέπεμπε[ν] τούς τε ἐπιλέκτους καὶ τοὺς ἱππεῖς συναγωνιζομέν[ους] ὑπὲρ τῆς κοινῆς σωτηρίας.[1] Ein Gemälde des sonst unbekannten Malers Olbiades stellte Kallippos, den Befehlshaber des athenischen Kontingents, dar und muß, da es sich im Buleuterion zu Athen befand, offiziellen Charakter gehabt haben.[2] Und nur mit staatlicher Genehmigung kann der Schild eines bei den Kämpfen gefallenen Atheners, des Kydias, zusammen mit einem Epigramm auf ihn, von seinen Verwandten in die Stoa des Zeus Eleutherios geweiht worden sein.[3] Bild, Weihung und Epigramm beleuchten den Stolz der Athener auf ihre Waffentat an den Thermopylen, und auch der erwähnte Volksbeschluß des Kybernis zeigt dies, mit dem die Athener die Einladung der Aitoler zu den penterischen Soterien annahmen, die aus Anlaß des Sieges über die Kelten eingerichtet wurden.

Weit mehr von der Rolle der Athener in diesem Krieg enthält der ausführliche Bericht des Pausanias über die keltische Invasion im zehnten Buch, der noch durch kürzere Partien im ersten und siebenten Buch ergänzt wird.[4] An ihm fällt sogleich zweierlei auf: einmal die erhebliche Zahl von sehr präzisen Detailinformationen, zum anderen die stark hervortretende proathenische Tendenz. Beide Momente sind bisher nicht genügend beachtet worden, und auch die Frage, wie sie sich zueinander verhalten, ist nicht hinreichend klar.[5] Im Rahmen einer Erörterung der Geschicke Athens in dieser Zeit verdienen diese Probleme mehr Aufmerksamkeit, als ihnen bisher zuteil geworden ist.

Von den durch ihre Exaktheit auffallenden Einzelinformationen seien nur die folgenden erwähnt: Zum Gemälde des athenischen Strategen Kallippos werden

---

[1] IG II² 680, 11–13.

[2] Pausanias 1, 3, 5; 4, 2.

[3] Pausanias 10, 21,5. Vgl. H. A. Thompson – R. E. Wycherley, The Athenian Agora 14, 1972, 102.

[4] Pausanias 10, 19,4 – 10, 23, 14. 1, 3, 5 – 1, 4, 4. 7, 15,3.

[5] Die sorgfältigste Behandlung dieser Fragen, mit deren Ergebnissen sich meine Auffassung in manchem berührt, ist die Abhandlung von M. Segre, La più antica tradizione sull'invasione Gallica in Macedonia e in Grecia (280/79 a. C.), Historia (Mailand) 1, 1927, 18–42.

Künstler und Aufbewahrungsort genannt (1, 3, 5); die Stärken der griechischen Kontingente werden für sechs beteiligte Staaten und für zwei von den Königen Antigonos und Antiochos entsandte Söldnerkorps sehr genau und unter Aufgliederung in Fußsoldaten und Reiter angegeben (10, 20, 3–5); die Namen der die einzelnen Aufgebote befehligenden Männer werden mitgeteilt: vier Boiotarchen, zwei phokische Strategen, der Kommandeur der atalantischen Lokrer, derjenige der Megarer, drei aitolische Strategen, der athenische Befehlshaber sowie die königlichen Kommandeure Telesarchos und Aristodemos (ebenda); dem Athener Kallippos wird sein Patronymikon beigegeben (10, 20,5); die königlichen Offiziere sind weiter mit ihrer Nationalität genannt, da diese bei übernationalen Söldnerabteilungen nicht selbstverständlich ist (10, 20,5); von dem sich besonders auszeichnenden und im Kampf gefallenen Athener wird der Name mitgeteilt sowie der Umstand, daß dies seine erste Schlacht war, ferner die Tatsache und der Ort der Weihung seines Schildes, das Faktum, daß seine Verwandten die Weihung vornahmen, und endlich auch der Text des sie begleitenden Epigramms (10, 21,5); der Bericht weiß darüber hinaus auch, daß der Vorstoß der Kelten gegen Herakleia, bei dem Antiochos' Offizier Telesarchos den Tod fand, sich am siebenten Tag nach der Schlacht an den Thermopylen ereignet hatte (10, 22, 1).

Diese Einzelheiten sind von einer Art, daß sie, wenn sie nicht erfunden sind, von einem Zeitgenossen herrühren müssen. Nicht das Geringste an ihnen ist verdächtig, Erfindung zu sein. Vielmehr werden diese Details bestätigt, wo sie kontrolliert werden können. Der athenische Stratege Kallippos war wirklich ein Sohn des Moirokles,[6] und die Richtigkeit des Namens des Kydias wird dadurch gewährleistet, daß es Kybernis, Sohn des Kydias, vermutlich eben sein Sohn, gewesen ist, der dreißig Jahre später das Psephisma über die Annahme der aitolischen Soterien in der Ekklesie beantragt hat (oben Anm. 1) und der etwa zur gleichen Zeit in Delphi geehrt wurde (FD III 2, 159), daß weiter ein Kydias, zweifellos der Enkel des an den Thermopylen Gefallenen, für die Zeit kurz vor 225 als athenischer Ritter durch ein neues Zeugnis soeben bekanntgeworden ist.[7] Es ist danach kein Zweifel möglich, daß der Kern des Berichtes, aus dem Pausanias geschöpft hat, von einem hervor-

---

[6] Der volle Name, Κάλλιππος Μοιροκλέους, ist im Dekret der arkadischen Stadt Orchomenos bezeugt, die ihn mit der Proxenie geehrt hat (Moretti, Iscrizioni 53; vgl. Habicht, Chiron 6, 1976, 8–9), das Demotikon im Dekret des Chremonides, Sylloge 434–435, 69. Sein Vater war der IG II² 2845 bezeugte Μοιροκλῆς Εὐθυδήμου Ἐλευσίνιος, sein Großvater der Asklepiospriester Euthydemos, sein Bruder der Demarchos Euthydemos. Die Zeugnisse und Stemma der Familie bei J. Ch. Threpsiades, Hesperia 8, 1939, 177–180; dazu weitere Texte AE 1971, 126 nr. 21.

[7] K. Braun, AM 85, 1970, 221 nr. 311–314. J. H. Kroll, Hesperia 46, 1977, 130 nr. 77 und 133 nr. 84. Nachzutragen ist der SEG 2, 7 bezeugte Kybernis, Demarchos der Halimusier um 325, offensichtlich der Vater des an den Thermopylen gefallenen Mannes.

ragend informierten Zeitgenossen herrührt,[8] der allerdings nicht sicher benannt werden kann.[9] Dazu stimmt, daß die Genauigkeit der topographischen Angaben die gleiche sachliche Zuverlässigkeit dieses Gewährsmannes erkennen läßt.[10]

Das zweite, im Bericht des Pausanias ins Auge fallende Moment, die proathenische Tendenz, ist gelegentlich hervorgehoben worden.[11] Sie ist nicht nur nicht notwendig mit dem Bericht der zeitgenössischen Grundquelle verbunden, sondern sie hat offensichtlich falsche Behauptungen in diesen Bericht interpoliert, die, betrachtet man Fakten und Tendenz als eine Einheit, seinen Wert zu kompromit-

---

[8] Damit erledigt sich die Vermutung von O. Regenbogen (Pausanias, RE-Suppl. 8, 1056), daß Pausanias' Grundquelle ein junger Autor römischer Zeit von rhetorisch-panegyrischer Haltung gewesen sei. Sie ruht erstens darauf, daß aus Pausanias 10, 21,6 eine nachsullanische Entstehung herausgelesen werden kann, denn Pausanias bemerkt dort, daß der Schild des Kydias durch Sullas Soldaten im Jahre 86 zerstört worden sei. Regenbogen räumt freilich ein, daß der Satz von Pausanias aus Eigenem hinzugefügt worden sein kann. Um eine spätere Zufügung muß es sich jedenfalls handeln, denn Pausanias teilt das mit der Weihung verbundene, doch wohl auf dem Schild selbst eingeschriebene Epigramm mit, das unter Sulla mit der Weihung zugrunde gegangen sein muß, d.h. daß der Text des Epigramms eben in seiner Quelle enthalten, diese mithin vorsullanisch war. Der zweite Grund für Regenbogens Auffassung ist die panegyrisch-rhetorische Tendenz, aber sie ist, wie sich zeigen wird, ebenfalls sekundär. Daß der Bericht über die Kelteninvasion im Kern zuverlässig ist, konstatiert Tarn, Antigonos 442, mit Recht.

[9] Besonders genannt wurden Timaios (C. Wachsmuth, Ad. Schmidt, Susemihl u. a.), Hieronymos von Kardia (Droysen) sowie Metrodoros von Skepsis und Agatharchides von Knidos (C. Müller). Die beiden letzteren sind jedenfalls viel zu spät und auch sonst unwahrscheinlich. Gegen Timaios als Grundquelle hat sich Beloch sehr entschieden ausgesprochen (GG IV 1, 488–489), und deutlich ist auch die Ablehnung von Hitzig und Blümner, Pausanias III 2 (1910) 739–740. Tarn, Antigonos 442, vermeidet jede Vermutung über die Quellen des Pausanias. Da es sich um einen Zeitgenossen handeln muß, der griechische Universalgeschichte, nicht Lokalgeschichte schrieb (daran lassen Tenor und Ausführlichkeit der Erzählung keinen Zweifel), kann jedenfalls an einen Atthidographen wie Philochoros nicht gedacht werden. Demochares und Duris haben ihre Werke mit früheren Ereignissen beschlossen, Phylarch hat das seine erst mit dem Tode des Pyrrhos im Jahre 272 begonnen. Daher kommt in der Tat wohl nur Hieronymos in Betracht (so auch Segre, Historia 1, 1927, 28–29). Zu Hieronymos passen auch die Erwähnung der athenischen Archonten wie die Nennung des Stadionsiegers in Olympia (s. unten Anm. 27). Pausanias zitiert Hieronymos wiederholt und hat ihn mithin gekannt. Daß die übertrieben proathenische Tendenz nicht auf Hieronymos zurückgehen kann, versteht sich von selbst; sie muß jünger sein, und es läßt sich nicht sagen, woher Pausanias sie hat.

[10] Fr. Stählin, Das hellenische Thessalien, 1924, 204 Anm. 1; derselbe, RE Thermopylen (1934) 2421.

[11] Hitzig–Blümner a. O. 739–740. Tarn, Antigonos 442: «Pausanias' story ... atticizes.» Regenbogen a. O. 1056: «die pro-athenische Stimmung des ganzen ausführlichen Berichts.» Segre 25–26.

tieren schienen.[12] Die Erörterung der Quellenfrage ist eben deshalb unersprießlich geblieben, weil man den Bericht als unteilbares Ganzes angesehen, zwischen wertvollen, nur dem ernsthaft um Information bemühten Zeitgenossen erreichbaren Nachrichten und plumpen literarischen Entstellungen so wenig geschieden hat wie zwischen den informativen und verbürgten Fakten und der dem Bericht dann aufgesetzten Tendenz. Es wird sich zeigen, daß ebendiese Tendenz die Interpolation einiger Fälschungen im Faktischen mit sich gebracht hat.

Der hinsichtlich der Athener enkomiastische Ton des Berichts ist nur zu deutlich: Obwohl die Athener von allen Griechen unter den Kriegen gegen die Makedonen am meisten gelitten haben, zogen sie dennoch ins Feld.[13] Sie sind es, die an den Thermopylen die Barbaren am Eintritt nach Griechenland gehindert haben.[14] Als die Engen vom Feind umgangen waren, erwiesen die Athener den Griechen einen einzigartigen Dienst, indem sie unter schwierigsten Bedingungen die von der Einschließung bedrohten Griechen auf ihren Schiffen evakuierten.[15] Die Athener wurden damit zu den Rettern der Hellenen.[16] Daher wird ihre Tat derjenigen des Leonidas und der Spartaner an gleicher Stelle im Jahre 480 ausdrücklich gleichgestellt.[17] Eben die athenische Flotte aber hat sich auch schon zuvor in der Schlacht an den Thermopylen besonders hervorgetan,[18] und das athenische Kontingent hat an diesem Tage alle anderen Griechen an Tapferkeit übertroffen.[19] Unter den Athenern wiederum war Kydias der tapferste.[20] Die Tendenz des Berichts ist eindeutig: Die erfolgreiche Abwehr der Kelten ist vor allem eine Großtat der Athener, und wie die Athener, nächst den Göttern, für Herodot im Jahre 480 die Retter Griechenlands gewesen waren, so waren sie es hier, gegenüber anderen Barbaren, erneut.

Diese Tendenz kann nicht die ursprüngliche der im Faktischen so vorzüglich unterrichteten Darstellung gewesen sein. Von dieser hat sich nämlich das Faktum

---

[12] Kritisch äußern sich daher zum Wert des Berichts oder von Teilen desselben vor allem Niese, Geschichte 2, 17 Anm. 2; 18 Anm. 3. Beloch GG IV 1, 562 Anm. 3. Segre 25 ff.

[13] 1, 4, 2: Ἀθηναῖοι δὲ μάλιστα τῶν Ἑλλήνων ἀπειρήκεσαν μήκει τοῦ Μακεδονικοῦ πολέμου καὶ προσπταίοντες τὰ πολλὰ ἐν ταῖς μάχαις, ἐξιέναι δὲ ὅμως ὥρμηντο ἐς τὰς Θερμοπύλας σὺν τοῖς ἐθέλουσι τῶν Ἑλλήνων.

[14] Ebenda: τῆς ἐσόδου τῆς εἰς τὴν Ἑλλάδα εἶργον τοὺς βαρβάρους.

[15] 1, 4, 3: Ἔνθα δὴ πλείστου παρέσχοντο αὐτοὺς Ἀθηναῖοι τοῖς Ἕλλησιν ἀξίους, ἀμφοτέρωθεν, ὡς ἐκυκλώθησαν, ἀμυνόμενοι τοὺς βαρβάρους.

[16] 1, 4, 4: Οὗτοι μὲν δὴ τοὺς Ἕλληνας τρόπον τὸν εἰρήμενον ἔσωζον. Vgl. 10, 22, 12.

[17] 7, 15, 3: ἔνθα ἦν μὲν Λακεδαιμονίοις ὑπὲρ τῶν Ἑλλήνων τὰ ἐς Μήδους, ἦν δὲ καὶ Ἀθηναίοις τὰ ἐς Γαλάτας οὐδὲν ἀφανέστερα ἐκείνων τολμήματα.

[18] 10, 21, 4.

[19] 10, 21, 5: Τοὺς μὲν δὴ Ἕλληνας τὸ Ἀττικὸν ὑπερεβάλετο ἀρετῇ τὴν ἡμέραν ταύτην.

[20] 10, 21, 5: ... αὐτῶν δὲ Ἀθηναίων Κυδίας μάλιστα ἐγένετο ἀγαθός.

erhalten, daß die Athener wie andere griechische Abteilungen, nachdem der Feind
die Engen umgangen hatte, nach Hause abgerückt sind, mithin an der Zurück-
drängung der Barbaren vor Delphi und ihrer Dezimierung auf dem Rückzug ohne
Anteil waren, wenngleich der spätere Bearbeiter diesen Tatbestand durch eine
plumpe Fiktion zu verhüllen sich bemüht hat (s. unten). Ferner sind die Böoter, die
Aitoler und die Phoker alle mit ihren Gesamtaufgeboten, zusammen mit mehr als
20000 Mann, ausgezogen, die Athener dagegen haben nur ein kleines Häuflein
gestellt, nämlich 1000 Mann zu Fuß und angeblich 500 Reiter, nur etwa ein Zwan-
zigstel der zum Kampfe versammelten Streitmacht. Dabei mag sogar die Zahl der
Reiter noch, entgegen der Wahrheit, erhöht worden sein, denn die Stadt hatte nur
drei Jahre früher, und unter erheblicher Anspannung, ein Reiterkorps von gerade
300 Mann aufstellen können.[21] Aber auch wenn es wirklich 500 Reiter gewesen
sein sollten, bleibt die athenische Streitmacht doch äußerst bescheiden. Daß gleichwohl der Athener Kallippos den Oberbefehl aller Griechen geführt haben soll, ist
schwer glaublich und mit Recht beanstandet worden.[22] Auch diese Angabe gehört
zu der die Rolle Athens glorifizierenden Tendenz.

Am stärksten aber ist diese, wie die oben angeführten Stellen zeigen, mit der
Rolle verknüpft, die die athenischen Schiffe gespielt haben sollen. Hier ist nun zunächst sehr auffällig, daß in der Liste der Aufgebote mit präzisen Ziffern für alle
beteiligten Kontingente eine Zahl nur bei den athenischen Schiffen fehlt und statt
dessen gesagt wird, die Athener hätten alle seefähigen Trieren damals eingesetzt,
was schwer glaublich ist. Das sieht vielmehr ganz danach aus, als seien diese Schiffe
im Katalog des ursprünglichen Berichts nicht enthalten gewesen, sondern nach-
träglich in ihn eingeführt worden, um daran die angebliche Aristie der athenischen
Flotte knüpfen zu können. Diese selbst ist anstößig genug und mit Recht von Niese
und anderen beanstandet worden, von Niese mit den Worten: «Pausanias X 22, 12
erzählt, die Verteidiger hätten sich auf die attischen Schiffe gerettet. Dies ist kaum
glaublich; es wäre für die meisten sehr unzweckmäßig gewesen. Der Rückzug zu
Lande stand ihnen ja offen.»[23] Vor allem aber zeigt der oben erwähnte athenische

---

[21] Die Vermehrung des athenischen Reiterkorps von 200 auf 300 Mann im Jahre 282/1
wird in einem Dekret der Hippeis als das Maximum des derzeit Möglichen bezeichnet (AD
18, 1963, 104 nr. 1). Die reguläre Truppe kann 279 schwerlich stärker gewesen sein, doch
könnte sie anläßlich des Zuges gegen die Kelten vielleicht kurzfristig auf 500 Mann gebracht
worden sein. Vgl. die Erörterung von Kroll, Hesperia 46, 1977, 95–97, der die Pausaniasstelle leider nicht erwähnt und nicht bespricht.

[22] Pausanias 10, 20, 5, verworfen von Niese, Geschichte 2, 17 Anm. 2, von Segre, Historia
1, 1927, 26, und von Flacelière, Aitoliens 96 Anm. 4; akzeptiert mit unzureichender Begründung von Tarn, Antigonos 151, und CAH 7, 102.

[23] Niese, Geschichte 2, 18 Anm. 3. Segre 28 Anm. 57.

Volksbeschluß mit aller wünschenswerten Klarheit, daß die Teilnahme athenischer Schiffe überhaupt eine Erfindung ist, denn der Demos hat zur Abwehr der Kelten ἐπίλεκτοι und ἱππεῖς ausgesandt, nicht mehr. Es ist ausgeschlossen, daß dort die Flotte, hätte sie teilgenommen, unerwähnt geblieben wäre,[24] und ganz undenkbar, daß zwar die Reiter genannt worden sein sollten, die sich nach der Versicherung des Berichts für die Griechen wegen des Geländes als ebenso unnütz erwiesen wie die der Kelten,[25] daß dagegen die Schiffe und Flottenmannschaften verschwiegen sein könnten, die nicht nur mit der größten Auszeichnung gekämpft, sondern die vereinigten Griechen geradezu vor der Vernichtung gerettet haben sollen. Vielmehr sind Teilnahme und Leistungen der athenischen Flotte ebenso erfunden wie die höchst merkwürdige Rolle, die, nach der Rettung von Delphi, athenische Boten und angeblich erneut aufgebotene athenische Truppen noch gespielt haben sollen.[26]

Es ist mithin recht klar, daß ein vorzüglich informierter und durch die Nennung der athenischen Archonten auch genau datierter[27] Bericht eines zeitgenössischen Historikers später durch einen athenerfreundlichen, vielleicht athenischen Autor überarbeitet und durch Erfindungen zum höheren Ruhme Athens stark ausgeschmückt worden ist. Dies ist im wesentlichen auch das Ergebnis von Segre (Anm. 5), der darüber hinaus weitgehende Imitationen Herodots im Bericht aufgedeckt hat. Aus dem Bestreben der sekundären Quelle, der Erzählung herodoteische Züge beizumischen, erklärt Segre auch die den Tatsachen nicht entsprechende Rolle der athenischen Schiffe, und er konstatiert zu Recht, daß die proathenische Tendenz und die Herodotimitationen ein und demselben Autor gehören, der den Originalbericht, d.h. also wohl Hieronymos, später überarbeitet hat. Dank der offenkundigen Tendenz der Interpolationen lassen die beiden Schichten des Berichts sich ziemlich rein voneinander scheiden. Ist dies geschehen, so läßt sich über Maß und Wert der athenischen Mitwirkung an der Abwehr der Kelten urteilen.

---

[24] So, unzweifelhaft richtig, Niese a.O. 17 Anm. 2. Beloch, GG IV 1, 562 Anm. 3. Segre, Historia 1, 1927, 28 Anm. 57.

[25] Pausanias 10, 21, 2: τά τε ἱππικὰ ἀμφοτέροις ἀχρεῖα ἐγένετο.

[26] Pausanias 10, 23, 11: Nach dem Abzug der Kelten von Delphi kommen Ἀθηναίων ἄνδρες nach Delphi, um zu rekognoszieren. Sie erstatten nach ihrer Rückkehr Bericht, die Athener ziehen daraufhin aus, ihnen schließen sich in Böotien die Böoter an, und gemeinsam folgen sie den Kelten und töten die jeweils letzten der Fliehenden. Dies ist Erfindung, um auch Athen an der Vernichtung der Kelten einen Anteil zu geben, und ist schon aus chronologischen Gründen unmöglich. Sobald Brennos die Thermopylen umgangen hatte, waren die Athener wie andere Griechen nach Hause abgezogen (Pausanias 10, 22, 12: καὶ οἱ μὲν κατὰ τὰς πατρίδας ἕκαστοι τὰς αὑτῶν ἐσκεδάσθησαν), und damit war der Krieg für sie zu Ende.

[27] Pausanias 10, 23, 9, der die Invasion und die Ereignisse in Delphi nach dem athenischen Archon Anaxikrates und dem 2. Jahr der 125. Olympiade datiert, den Übergang der Gallier nach Asien durch die Nennung des Archons Demokles. Siehe oben, Anm. 9 Ende.

Es ergibt sich dann, daß die Athener mit einer zahlenmäßig bescheidenen, aber ausgesuchten Streitmacht von 1000 Mann zu Fuß und maximal 500 Reitern unter dem Kommando des Kallippos an dem Kriege teilgenommen haben. Bekanntlich haben alle Peloponnesier sich der Teilnahme versagt, ausgenommen die Stadt Patras. Für den Entschluß Athens zur Mitwirkung dürften, wie wohl auch im Falle von Megara, Besorgnisse um die eigene Sicherheit und das Empfinden, aus Gründen panhellenischer Solidarität nicht abseits stehen zu dürfen, bestimmend gewesen sein.

Ein begrenztes Engagement dieses Umfanges entsprach durchaus den sehr bescheidenen Möglichkeiten, die Athen damals hatte, in einer Zeit, in der man so stark von fremdem Getreide abhängig war und in der man König Ptolemaios Philadelphos um Hilfe angehen mußte, wenn es wieder möglich werden sollte, das seit längerer Zeit nicht gefeierte Fest der Panathenäen zu begehen.[28] Ganz unabhängig von der Tatsache, daß der Piräus im Jahre 279 weiterhin in makedonischer Hand war, was die Entsendung von Kriegsschiffen jedenfalls erschwert, wenn nicht unmöglich gemacht hätte,[29] war Athen damals finanziell jedenfalls außerstande, eine Flotte zu bemannen und in See gehen zu lassen.

Die athenische Streitmacht an den Thermopylen war klein, aber sie muß sich, wie die Ehrungen für Kallippos und den gefallenen Kydias zeigen, hervorragend geschlagen haben, in der Schlacht an den Thermopylen und vielleicht auch noch beim Abzug der Griechen aus der umgangenen Stellung. Athen hatte mithin durchaus Grund, auf seine Mitwirkung stolz zu sein, wie es das Dekret des Kybernis zeigt, und nicht zuletzt darauf, daß man, anders als die Peloponnesier, in der Stunde der Gefahr für Griechenland die unmittelbar bedrohten Staaten nicht allein gelassen hatte. Auch die Aitoler haben den Wert der athenischen Beteiligung an den Kämpfen anerkannt. Aber mit der Rettung des Heiligtums von Delphi, die ein Verdienst der Phoker und der Aitoler war, und mit der Dezimierung der sich zurückziehenden Gallier hatten die Athener nichts mehr zu tun. Die Rolle der Stadt in diesen Ereignissen war ihren Möglichkeiten angemessen und ihrer Vergangenheit nicht unwürdig. Aber eine Großtat attischer Geschichte, die, wie der tendenziöse Bericht bei Pausanias (Anm. 17) es will, der Leistung der Spartaner an den Thermopylen im Jahre 480 ebenbürtig gewesen wäre, ist von den Athenern im Jahre 279 nicht vollbracht worden.

Im folgenden Frühjahr haben die Amphiktyonen in Delphi den dionysischen Techniten Athens Privilegien verliehen,[30] und ein weiteres Jahr später, im Früh-

---

[28] Agora Inv. I 7295, 64–70 mit dem Kommentar von Shear, Kallias 35–44.
[29] Athen verfügte natürlich auch ohne den Piräus über Häfen, wie in IG II² 654, 29 klar gesagt wird.
[30] IG II² 1132. FD III 2, 68 (Sylloge 399). Flacelière, Aitoliens 113. 121.

jahr 277, ist in der Versammlung erneut ein athenischer Hieromnemon, Phokion, bezeugt.[31] Die Annahme ist daher vielleicht richtig, daß die Leistung der Aitoler in der Invasion der Barbaren und daß die aitolisch-athenische Waffengemeinschaft aus diesem Anlaß dazu beigetragen hat, daß Athen den Boykott des Rates beendete, der ein Protest dagegen gewesen war, daß die Aitoler die heilige Stätte okkupiert hatten.[32]

---

[31] Flacelière, Aitoliens 181ff. 186.

[32] So Flacelière, Aitoliens 107ff. 114. 181ff. Vgl. aber oben, Kapitel V, Anm. 42.

# VIII. DIE MAKEDONISCHE GARNISON IM PIRÄUS UND DIE URSACHEN DES CHREMONIDEISCHEN KRIEGES

## 1. Das Problem

Durch den Ausgang des Lamischen Krieges wurde Athen zur bedingungslosen Kapitulation vor dem Sieger Antipatros gezwungen. Dieser verlangte nicht nur eine Verfassungsänderung im timokratischen Sinne, sondern auch die Aufnahme einer makedonischen Besatzung in der Festung Munychia, die den Piräus kontrollierte. Hierin war das Schicksal Athens im Jahre 322 härter, die Demütigung tiefer als nach der bedingungslosen Kapitulation gegenüber Sparta und seinen Verbündeten im Jahre 404. Vergebens bemühte sich der bei Antipatros hoch angesehene Phokion, seiner Vaterstadt die Besetzung des Hafens zu ersparen.[1] Gegen Mitte September, am 20. Boedromion im Jahre des Archons Philokles, 322, während der Feier der Eleusinischen Mysterien, zog eine makedonische Garnison unter dem Kommandanten Menyllos in die Munychia ein.[2]

Sie blieb, mit Unterbrechungen, bis zum Jahre 229, in dem die Athener, eine durch den Thronwechsel verschärfte Schwäche Makedoniens ausnutzend, den damaligen Befehlshaber Diogenes bestimmen konnten, die Besatzungstruppe im Piräus und in den Festungen Attikas aufzulösen – um den Preis von 150 Talenten, die Diogenes verlangte, um seine Söldner auszahlen zu können.[3] Die Summe wurde im wesentlichen durch befreundete Staaten und Persönlichkeiten aufgebracht, unter ihnen der achäische Staatsmann Arat, der selbst zwanzig Talente gab,[4] böotische Städte wie Theben und Thespiai[5] und vielleicht König Ptolemaios III. Euergetes.[6]

---

[1] Plutarch, Phokion 27. Vgl. zuletzt H.-J. Gehrke, Phokion, 1976, 88 ff.

[2] Plutarch, Phokion 28; Demosthenes 28. Diodor 18, 18,5. Pausanias 1, 25,4. Marmor Parium, FGrHist 239 B 10. Plutarch, mor. 188 EF. Vgl. auch Plutarch, Phokion 30. Athenaios 4, 168 E.

[3] Beloch, GG IV 1, 639–640 mit den Zeugnissen.

[4] Plutarch, Arat 34. Pausanias 2, 8,6 (25 Talente). Vgl. F. W. Walbank, Aratos of Sicyon, 1933, 70 ff. 189 ff.

[5] M. Feyel, Contributions à l'épigraphie béotienne, 1942, 19–37; derselbe, Polybe et l'histoire de Béotie au III siècle avant notre ère, 1942, 122–123.

[6] Ferguson, HA 207. Beloch, GG IV 1, 639. M. Holleaux, CAH 7, 748. M. Maaß, Die Prohedrie des Dionysostheaters in Athen, 1972, 112.

Die Frage, wann innerhalb dieses Zeitraumes von 93 Jahren der Piräus unter makedonischer Kontrolle stand, wann dagegen die Athener über ihn verfügen konnten, ist für das Verständnis der Geschichte und der Politik Athens in der frühhellenistischen Zeit fundamental. Sie ist daher oft untersucht worden. Einigkeit besteht darüber, daß die Makedonen den Piräus von 322 bis 307 ohne Unterbrechung kontrollierten, wobei dem von Antipatros ernannten Menyllos die von Kassander eingesetzten Befehlshaber Nikanor (Herbst 319 bis Herbst 317) und Dionysios (wohl von 317, spätestens vom Herbst 313, bis etwa Juli 307) folgten.[7] Auch darin sind alle Forscher sich einig, daß seit der Befreiung Athens durch Demetrios Poliorketes im Sommer 307 und der von ihm angeordneten Schleifung der Munychia[8] der Piräus von einer fremden Besatzung fast dreizehn Jahre lang frei war, ehe Demetrios nach der erneuten Einnahme der Stadt im Frühjahr 294 wiederum eine makedonische Truppe dorthin legte.[9] Endlich gibt es keine Meinungsverschiedenheiten darüber, daß diese Garnison jedenfalls im Jahre 287, als die Athener im Aufstand gegen Demetrios die Zwingburg in der Stadt, das Museion, erstürmten, in ihrer Stellung blieb und daß vom Ende des Chremonideischen Krieges, d.h. seit 262 oder 261, bis zum Jahre 229 die makedonischen Könige stets eine Truppe im Piräus unterhielten.

Strittig ist die Frage der makedonischen Besatzung im Piräus allein für die Zeit zwischen 287 und 262/1, d.h. zwischen der Befreiung der Stadt und ihrer Kapitulation am Ende des Chremonideischen Krieges. Seit dem Ausgang des letzten Jahrhunderts stehen zwei Meinungen einander gegenüber, die von einer kleinen Minderheit vertretene Auffassung, daß die makedonische Garnison während dieser ganzen Zeit, und tatsächlich von 294 bis 229, den Piräus ohne Unterbrechung besetzt gehalten habe,[10] ihr gegenüber die herrschende Meinung, daß die Athener den Hafen bald oder einige Zeit nach 287 befreit und erst mit der Kapitulation am Ende des Chremonideischen Krieges wieder verloren hätten.[11] Diese Auffassung ist im Laufe

---

[7] Beloch, GG IV 2, 457–458.

[8] Marmor Parium, FGrHist 239, B 21. Diodor 20, 46, 1. Plutarch, Demetrios 10. Dionys. Halic. de Dinarcho 3 = Philochoros, FGrHist 328 F 167.

[9] Plutarch, Demetrios 34. Pausanias 1, 25, 7. Vgl. Ferguson, CPh 24, 1929, 19–20. Daß Demetrios damals auch in die Stadt, und zwar auf den Musenhügel, eine Besatzung legte, sagen übereinstimmend Plutarch und Pausanias. Plutarch bemerkt ergänzend, daß er damit aus eigener Machtvollkommenheit handelte, denn die Athener hatten ihm durch das Psephisma des Dromokleides nur den Piräus und Munychia überantwortet.

[10] G. F. Unger, Philologus-Suppl. 5, 1889, 690–691. De Sanctis, Studi di storia antica 2, 1893, 33 Anm. 3 (Scritti minori 1, 1970, 276 Anm. 1). Derselbe, RFIC 55, 1927, 495 ff. (Scritti minori 1, 496 ff.), und RFIC 64, 1936, 144–147. Ihm haben zugestimmt Manni, Demetrio 58. A. R. Deprado, RFIC 81, 1953, 27 ff.

[11] Wilamowitz, Antigonos 257. Hitzig–Blümner, Pausanias 1, 1896, 283. Niese, Ge-

der Zeit insofern modifiziert worden, als mehr und mehr Zeugnisse bekannt wurden, die für bestimmte Jahre zwischen 287 und 262 die Anwesenheit der fremden Besatzung im Piräus zeigten oder unzweideutig voraussetzten. Sie ist aber im Prinzip nicht aufgegeben worden und ist noch immer die vorherrschende Meinung, wenngleich durch die genannten Zeugnisse die Zahl der Jahre, in denen die Athener über den Piräus verfügt haben *könnten*, immer mehr zusammengeschrumpft ist, und wenngleich in jüngster Zeit die entgegenstehende These von De Sanctis einige Anhänger unter den italienischen Gelehrten gefunden hat (s. Anm. 10). Mehrere Forscher haben sich zu der weiteren Annahme gedrängt gesehen, daß der Piräus zwischen 287 und 270 *zweimal* den Besitzer gewechselt habe: Einer Befreiung durch die Athener sei nach gewisser Zeit, noch vor dem Chremonideischen Krieg, die Rückeroberung durch Antigonos Gonatas gefolgt.[12] Wieder andere haben, ohne sich für ein bestimmtes Jahr auszusprechen, ausdrücklich festgestellt, daß die Athener unter Olympiodors Führung den Piräus einmal zurückerobert hätten.[13]

Der Grund dafür, daß die meisten Gelehrten daran festhalten, daß der Piräus wenigstens *eine Zeitlang* der athenischen Verfügung unterstanden habe, ist ein einziger Satz des Pausanias (1, 26, 3). Dieser scheint unzweideutig festzustellen, daß der Athener Olympiodor den Makedonen die Kontrolle des Hafens einmal entrissen hat.[14] Und die Versuche mehrerer Gelehrter, den Aussagewert dieses Satzes zu entkräften,[15] waren nicht überzeugend. Die Forschung steht hier offensichtlich vor einer Aporie. Sie zu lösen ist das Ziel der folgenden Ausführungen. Wenn die vorgeschlagene Lösung richtig ist, ergeben sich bedeutsame Folgerungen für die allgemeine Geschichte Athens in der ersten Hälfte des 3. Jahrhunderts v. Chr.

---

schichte 2, 231 mit Anm. 5. Tarn, Antigonos 118. 417–418; derselbe CAH 7, 89. Ferguson, Athenian Tribal Cycles, 1932, 72–73. Tarn, JHS 54, 1934, 33 ff. Ferguson, AJPh 55, 1934, 320 Anm. 15. Meritt, Hesperia 7, 1938, 103–104. Dinsmoor, List 56. Davies, APF 165. Diese alle datieren die Befreiung des Piräus durch Olympiodor, im einzelnen mit unterschiedlichen Daten, zwischen 287 und 280. Für die Jahre zwischen 280 und 272 haben sich ausgesprochen Beloch, GG IV 2, 453–454. 607–609, und RFIC 54, 1926, 333–335. M. Segre, Annuario del R. Liceo Dante Alighieri di Bressanone, 1928–1929, 1–9 (non vidi). Flacelière, Aitoliens 84 Anm. 2. 190. Lévêque, Pyrrhos 574 Anm. 7. D. Kienast, RE Pyrrhos (1963) 157, für die Zeit zwischen 283 und 266 Maier, Mauerbauinschriften 75.

[12] So zuerst Ferguson, HA 152 Anm. 4. Tarn, JHS 54, 1934, 36ff. M. Launey, Recherches sur les armées hellénistiques 2, 1950, 638 f. und 639 Anm. 2. Lévêque, Pyrrhos 574.

[13] H. Bengtson, Die Strategie in der hellenistischen Zeit 2, 1944, 372 Anm. 2. Roussel, Histoire 369 Anm. 71. J. R. McCredie, Hesperia-Suppl. 11, 1966, 106 Anm. 11. Will, Histoire 1, 189. Heinen, Untersuchungen 165–166. 180–181.

[14] Dazu unten, Abschnitt 3.

[15] Unger a. O. (Anm. 10). Ähnlich De Sanctis, Studi (Anm. 10) 33 Anm. 3; RFIC 55, 1927, 495–496. Dazu unten, Abschnitt 3.

## 2. Die Zeugnisse

Es ist unbestritten, daß beim Abzug des Königs Demetrios nach Asien im Herbst 287 der Piräus noch von seiner Garnison unter Herakleides[16] besetzt war. Die weiteren Zeugnisse für die Anwesenheit der Makedonen dort sind die folgenden:

Juli 286 oder später:[17] Ein Versuch der athenischen Strategen Hipparchos und Mnesidemos, den Piräus mit Hilfe von Verrat zu nehmen, scheitert. Mnesidemos und mehr als 400 Athener fallen.[18] Ihre Gräber auf dem Kerameikos hat Pausanias noch gesehen.[19] Vielleicht bezieht sich hierauf auch das private Epigramm für Chairippos, einen in Kämpfen um die Munychia gefallenen Athener.[20]

Etwa Frühjahr 285:[21] Der in die Gefangenschaft des Seleukos geratene Demetrios weist seine Befehlshaber in Griechenland an, keiner Order von ihm mehr zu folgen. Genannt werden die Kommandeure um Antigonos Gonatas sowie diejenigen in Athen und in Korinth.[22]

Juni/Juli 284: Der Paionenkönig Audoleon verspricht, den Athenern seine Dienste zur Wiedergewinnung des Piräus zu leihen, [ε]ἴς τε τὴν τοῦ Πειραιέως κομιδ[ή]ν.[23]

September 283: Der Komödiendichter Philippides wird damals geehrt, u. a. dafür, daß er König Lysimachos gedrängt hat, Athen mit Geld und Getreide zu unterstützen, ὅπως ἂν διαμένει ὁ δῆμος ἐλεύθερος ὢν καὶ τὸν Πειραιᾶ κομίσηται καὶ τὰ φρούρια τὴν ταχίστην. Dies hat Lysimachos vor athenischen Gesandten

---

[16] Polyän 5, 17,1: Δημήτριος Ἡρακλείδην φύλακα τῶν Ἀθηνῶν συντάξας αὐτὸς μὲν ἦν περὶ τὴν Λυδίαν...

[17] Der Vorfall kann nicht in Xenophons Jahr (287/6) gehören, da damals Phaidros Hoplitenstratege war (IG II² 682, 44–45), der Überfall auf den Piräus aber zweifellos vom Hoplitenstrategen geleitet wurde, ob es nun Mnesidemos oder Hipparchos war.

[18] Polyän a. O. aus athenischer Quelle (Wilamowitz, Antigonos 231 Anm. 5), die außer den beiden beteiligten Strategen mindestens sieben gefallene Offiziere nannte, deren Namen Polyän noch mitteilt.

[19] Pausanias 1, 29, 10, der in der Sache gut mit Polyän zusammengeht.

[20] N. Kyparissis–W. Peek, AM 57, 1932, 146–150, jetzt bei Moretti, Iscrizioni 13, mit Kommentar und weiterer Literatur.

[21] Die Briefe müssen wegen ihrer Intention sehr bald nach der Gefangennahme des Demetrios geschrieben worden sein. Diese ist ausreichend datiert: Winter 286/5 (Beloch, GG IV 1, 236), bzw. Anfang 285 (Roussel, Histoire 366. Beloch, GG IV 2, 107) oder Frühjahr 285 (Niese, Geschichte 1, 382). Vgl. Kapitel IV, Anm. 63.

[22] Plutarch, Demetrios 51. Die Briefe sind gerichtet an τοῖς περὶ τὸν υἱὸν καὶ τοῖς περὶ Ἀθήνας καὶ Κόρινθον ἡγεμόσι.

[23] IG II² 654, 30–35 aus dem Jahr des Diotimos, 285/4, vom 25. Skirophorion, am 25. Tage der 12. Prytanie. Das Jahr des Diotimos scheint mir durch den Schreiberzyklus und durch die Koppelung an den Nachfolger Isaios gesichert.

oft bezeugt.[24] Der ganze Zusammenhang läßt keinen Zweifel daran, daß zur Zeit der Beschlußfassung der Hafen nicht in athenischer Hand ist.[25]

Ende 282/Anfang 281: Der durch den Beschluß geehrte Archon des Jahres 283/2, Euthios, soll um zusätzliche Ehren dann ersuchen dürfen, «wenn der Piräus und die Stadt wieder vereinigt sind», ὅταν ὁ Πειραιεὺς καὶ τὸ ἄστυ ἐν τῶι αὐτῶι γένηται.[26] Dies bedeutet unzweifelhaft, daß Stadt und Hafen zur Zeit voneinander getrennt sind, der Hafen mithin noch unter makedonischer Kontrolle steht.[27]

Zwischen 280 und 277: Der ehemalige Finanzminister des Königs Lysimachos, Mithres, befindet sich in makedonischer Haft im Piräus. Der in diesem Zusammenhang genannte Antipatros ist vermutlich der Besatzungskommandant, mithin der oder ein Nachfolger des Herakleides.[28]

273 oder 272: Im Amphiareion von Oropos trifft Hierokles, ὁ ἐπὶ τοῦ Πειραιῶς, mit dem kürzlich in der Herrschaft über Eretria gestürzten Philosophen Mene-

---

[24] IG II² 657, 31–38 (Sylloge 374), aus dem Jahr des Euthios, 283/2, vom 18. Boedromion, dem 19. Tag der 3. Prytanie. Auch Euthios ist durch den Schreiberzyklus und Koppelungen an den Vorgänger Isaios und den Nachfolger Nikias festgelegt.

[25] Vgl. Dittenbergers Anmerkung zu diesem Dekret (Sylloge 374, Anm. 14): «Apparet igitur hinc mense Septembri a. 287 portum castellaque nondum expugnata fuisse ab Atheniensibus.» Das von Ditterberger genannte Jahr entspricht dem damaligen Stand der Archontenforschung.

[26] Meritt, Hesperia 7, 1938, 100 nr. 18, 28–31 (Moretti, Iscrizioni 14).

[27] Richtig erklärt von Meritt a. O. 103–104. Moretti ist einem Mißverständnis zum Opfer gefallen, wenn er meint (a. O. 30), der Text zeige, daß damals auch die *Stadt* (erneut) eine makedonische Besatzung gehabt habe. Die richtige Auffassung, in Auseinandersetzung mit Moretti, auch bei Shear, Kallias 28 Anm. 58.

[28] Pap. Hercul. 1418, col. 32 a, ed. A. Vogliano, RFIC 54, 1926, 320, und erneut mit verbesserten Lesungen, darunter Beiträgen von Wilamowitz, ebenda 55, 1927, 501ff. Für weitere Beiträge zur Lesung, die aber das hier Wesentliche nicht berühren, s. C. Diano, Lettere di Epicuro e dei suoi, 1946, 19–20 nr. 14, und G. Arrighetti, Epicuro, Opere, 1960, 425–426 nr. 49. Zur Interpretation des Textes vgl. Beloch, RFIC 54, 1926, 331–335, und, wesentlich glücklicher, De Sanctis, ebenda 55, 1927, 491–500 (Scritti minori 1, 493–500), dem sich Diano und Arrighetti angeschlossen haben. Die Ereignisse haben sich frühestens einige Zeit nach dem Tode des Lysimachos abgespielt, da Mithres erst auf die Kunde hiervon nach Korinth gereist sein dürfte. Dort von Krateros, dem Bruder des Antigonos Gonatas, in Haft genommen, danach in makedonischen Gewahrsam im Piräus überstellt, war er unfähig, das mit Krateros vereinbarte Lösegeld von 20 Talenten aufzubringen. Es war schon bekannt und wird durch den neuen Papyrus bestätigt, daß Epikur und sein Schüler Metrodor damals seinetwegen interveniert haben und daß Metrodor deshalb zu Fuß zum Piräus gegangen ist (für die Einzelheiten s. De Sanctis). Dies alles kann kaum früher als 280 gewesen sein, aber auch nicht nach dem Tode Metrodors 277. Zur Zeit, da Epikur den Brief schrieb, ist anscheinend Olympiodor einer der athenischen Strategen gewesen, da der Brief von einem ὑπηρέτης der Strategen παρ' Ὀλυμπιοδώρου in den Piräus überbracht wird.

demos zusammen, um ihn zu einer gemeinsamen Intervention in Eretria zugunsten des Königs Antigonos zu bestimmen.[29]

262: Nach der Kapitulation Athens legt Antigonos Gonatas eine makedonische Garnison in die Stadt Athen, und zwar in das Museion, wie dies sein Vater Demetrios (Anm. 9) im Frühjahr 294 getan hatte.[30] Daß sowohl Apollodor in der Chronik wie Pausanias beide nur diese Garnison als Bestandteil des Friedensinstruments nennen, dagegen nicht von der Stationierung einer makedonischen Truppe im Piräus sprechen, läßt den Schluß zu, daß die zuletzt 273 oder 272 im Piräus bezeugte Garnison auch 262 noch immer dort stand.[31]

Ungewisser Zeit, zwischen 287 und dem Ende des Chremonideischen Krieges, ist das fragmentarische Dekret Athens, das ebenso wie die Beschlüsse für Audoleon von 284 und für Philippides von 283 von dem Bemühen der Athener spricht, den Hafen zurückzugewinnen, Zeile 5: --τὸν Πει[ρ]αιᾶ ᾳ--, Zeile 6: [κ]ομίσηται ὁ δῆ[μος], Zeile 7: [τ]αύτας τὰς εὐε[ργεσίας].[32]

Jede unbefangene Prüfung dieser Zeugnisse und Daten wird die praktisch lückenlose Bezeugung der makedonischen Garnison im Piräus für die Jahre 287 bis mindestens 280 (und möglicherweise noch einige Jahre darüber hinaus) konstatieren. In diesen Jahren ist für die Befreiungstat des Olympiodor jedenfalls kein Raum. Es ist allerdings daran zu erinnern, daß die Zeugnisse für Juni/Juli 284 und für September 283, die mit den Archonten Diotimos und Euthios verknüpft sind, erst durch die Festlegung dieser Archonten auf die genannten Jahre, die W.B. Dinsmoor 1954 mit Hilfe neuer Inschriften gelang, so spät zu stehen kamen, während sie zuvor beide ein bis vier Jahre höher angesetzt worden waren.[33] Weiter ist das

---

[29] Diog. Laert. 2, 127; zur Datierung Beloch, GG IV 2, 608; RFIC 54, 1926, 334–335. De Sanctis, RFIC 55, 1927, 493. 495.

[30] Apollodor, FGrHist 244 F 44: καὶ φρουρὰ[ν εἰς] τὸ Μουσεῖον [τότε] εἰσῆχθ[αι ὑπ’] Ἀντιγόνου. Pausanias 3, 6, 6: ... εἰρήνην, ἐφ’ ᾧ τέ σφισιν ἐπαγάγῃ φρουρὰν ἐς τὸ Μουσεῖον. Ähnlich Polyän 4, 6, 20: τὸν δὲ ... Ἀντίγονον εἴσω τοῦ ἄστεως ἐσεδέξαντο.

[31] H.H. Schmitt, Die Staatsverträge des Altertums III, 1969, 134 nr.477, schreibt die in der vorigen Anm. genannten Zeugnisse aus, paraphrasiert sie aber so: «Der König legte Besatzungen auf Museion und Munychia, in den Piräus und andere attische Forts.» Ähnlich Maier, Mauerbauinschriften 75: «Athen erhielt einen Militärgouverneur, Museion, Piräus und Eleusis wieder makedonische Garnisonen» (Hervorhebungen von mir). Richtiger Heinen, Untersuchungen 180–181.

[32] Meritt, Hesperia 30, 1961, 211 nr.6 (SEG 21, 358). Die von Meritt gegebene Datierung auf ca. 285/4–282/2 geht hinsichtlich der unteren Grenze von der Annahme einer bald nach 283/2 erfolgten Befreiung des Piräus durch Olympiodor aus und wird unverbindlich, sobald diese in Zweifel gezogen werden muß.

[33] Dinsmoor, Hesperia 23, 1954, 284ff., mit übersichtlicher Tabelle verschiedener Datierungsvorschläge auf S. 287.

Zeugnis für die Jahreswende 282/1 erst 1938 und das für 280−277 erst 1926 bekanntgeworden.

Sind so die achtziger Jahre jetzt annähernd lückenlos abgedeckt (vielleicht auch noch der Anfang der siebziger Jahre durch den Epikurbrief aus Herculaneum), so wird andererseits der mögliche Spielraum für eine athenische Wiedereroberung des Piräus vor dem Ausbruch des Chremonideischen Krieges sehr eng, denn 273 oder 272 ist die makedonische Besatzung erneut bezeugt und steht sie unter Hierokles, der schon 286 Unterbefehlshaber des Herakleides gewesen war.[34] Es ist daher gut möglich, daß er den Piräus in diesen Jahren nicht verlassen hat, sondern bei der Ablösung des Herakleides (oder des 280−277 vielleicht in dieser Stellung bezeugten Antipatros) in dessen Stelle aufgerückt ist. Und die − in diesem Zusammenhang bisher merkwürdigerweise gar nicht beachteten − Zeugnisse zum Friedensschluß von 262, die nur die makedonische Garnison in der Stadt als neues Faktum nennen, von einer Besetzung des Piräus dagegen schweigen, machen es m. E. sicher, daß der Piräus auch während des Chremonideischen Krieges fest in makedonischer Hand gewesen ist und den Athenern nicht zur Verfügung stand.

Dies hat De Sanctis schon vor langer Zeit richtig gesehen. Er hat seine Beobachtungen vor allem durch die Tatsache untermauert, daß dem ptolemäischen Strategen Patroklos,[35] der während des Krieges mit einer Flotte den Athenern zu Hilfe kam, der Piräus verschlossen blieb, weshalb er an verschiedenen Plätzen vor und an der Küste Attikas operieren mußte, vor allem an der kleinen, Sunion vorgelagerten Insel, die von seiner Anwesenheit den Namen ‹Insel des Patroklos› erhielt, und von dem Lager bei Koroni aus.[36] Beloch hat zwar eingewendet, die Athener selbst hätten ihm den Zutritt zum Hafen verwehrt, da sie sich sonst König Ptolemaios II. mit gebundenen Händen überliefert hätten.[37] Aber De Sanctis hat sofort die durchschlagende Antwort gegeben, daß die Athener, hätten sie nur den Piräus besessen, den Patroklos jedenfalls eingelassen hätten, ehe sie vor Antigonos auf Gnade oder Ungnade kapitulierten.[38] Es ist mithin kein Zweifel daran möglich, daß Antigonos während des Krieges über den Piräus verfügte[39] und daß er nach der Kapitulation der Stadt nur in das Museion eine zusätzliche Garnison legte.

---

[34] Polyän 5, 17. Zur Identität der Personen Beloch, GG IV 2, 455 Anm. 1.

[35] Vgl. M. Launey, REA 47, 1945, 33 ff. Habicht, AM 72, 1957, 211. McCredie, Hesperia-Suppl. 11, 1966, 18−25. Heinen, Untersuchungen 142 ff.

[36] Außer Launey (Anm. 35) siehe besonders das neue Dekret für den athenischen Strategen Epichares: B. Chr. Petrakos, AD 22 A, 1967, 38 ff. (SEG 24, 154), und dazu J. und L. Robert, Bull. épigr. 1968, 247. Heinen, Untersuchungen 152−159. Y. Garlan, BCH 98, 1974, 112−116.

[37] Beloch, GG IV 2, 453; RFIC 54, 1926, 334.      [38] De Sanctis, RFIC 55, 1927, 498.

[39] Zu der von A. N. Oikonomides, Neon Athenaion 1, 1955, 9−14, veröffentlichten und auf die Zeit des Chremonideischen Krieges bezogenen Inschrift s. die Bemerkungen von J. und

Es sind diese Gründe, die einige Forscher, vor allem Tarn,[40] bestimmt haben, zu der alten Auffassung von Ferguson[41] zurückzukehren (die dieser selbst später aufgegeben hatte), daß seit etwa 273, d. h. jedenfalls seit der Begegnung des im Piräus befehligenden Kommandeurs Hierokles mit Menedemos, der Hafen in makedonischer Hand war. Da aber Pausanias eine Befreiung durch den Athener Olympiodor zu bezeugen schien, waren diese Forscher gezwungen, zwischen 280 und ca. 273 einen *zweimaligen* Wechsel in der Verfügung über den Piräus anzunehmen. Das bedeutet aber, daß Athen in den siebziger Jahren Krieg gegen Antigonos Gonatas geführt haben müßte, d. h. zu einer Zeit, in der Antigonos längst im sicheren Besitz Makedoniens und der makedonischen Krone war. Es ist für diese Annahme äußerst mißlich, daß es für einen solchen Krieg nicht nur an jedem Zeugnis fehlt, sondern daß vielmehr alle verfügbaren Indizien darauf hindeuten, daß in den siebziger Jahren zwischen beiden Mächten Friede herrschte.[42] Die Annahme eines zweimaligen Wechsels in der Herrschaft über den Piräus während der siebziger Jahre hat schlechterdings nichts für sich, was sie empfehlen könnte[43] – es sei denn jenes Zeugnis des Pausanias, daß Olympiodor den Hafen für die Athener zurückerobert habe. Es ist daher an der Zeit, den Text des Pausanias näher zu betrachten.

### 3. Das Zeugnis des Pausanias (1, 26,3)

Pausanias 1, 26,3 berichtet im Anschluß an die Erstürmung des Museions durch Olympiodor im Jahre 287: Ὀλυμπιοδώρῳ δὲ τόδε μέν ἐστιν ἔργον μέγιστον,

---

L. Robert, Bull. épigr. 1958, 300 (vgl. auch McCredie a. O. 109 Anm. 22). Danach wird man den Text mit Wahrscheinlichkeit auf die Ereignisse von 229 zu beziehen haben.

[40] JHS 54, 1934, 32 ff. So auch Launey, Recherches sur les armées hellénistiques 2, 1950, 638–639.

[41] HA 152 Anm. 4.

[42] So war z. B. das Jahr des Archons Olbios, 275/4, ein Jahr des Friedens, da das am Jahresende für die abgehenden Taxiarchen beschlossene Dekret nur von Routinehandlungen spricht (Hesperia 2, 1933, 156 nr. 5 = SEG 15, 101). Es ist ausgeschlossen, daß es in diesem Jahre Kampfhandlungen gegeben haben könnte. Dasselbe ist, aus den gleichen Gründen, für das Jahr des Philokrates, 276/5, anzunehmen, da der allein erhaltene Beginn des Dekrettenors ebenfalls ganz routinemäßig ist (IG II² 685). Der von Ad. Wilhelm auf ca. 276 datierte Beschluß IG II² 477, der von einer Gesandtschaft zu König Antigonos und von der Erneuerung der Freundschaft der Stadt mit dem König spricht, gehört dagegen mit Sicherheit in die Zeit nach dem Chremonideischen Kriege (Wilhelm, Attische Urkunden 3, 1925, 39–42 [Akademieschriften 1, 499–502]. Meritt, Hesperia 7, 1938, 140–142. Pritchett–Meritt, Chronology 97–98. Meritt, Hesperia 38, 1969, 434. Heinen, Untersuchungen 189).

[43] Vgl. De Sanctis, RFIC 64, 1936, 145: «ipotesi que ognuno vede quanto sia arbitraria e complicata.»

χωρὶς τούτων ὧν ἔπραξε Πειραιᾶ καὶ Μουνυχίαν ἀνασωσάμενος· ποιουμένων δὲ Μακεδόνων καταδρομὴν ἐς Ἐλευσῖνα κτλ.

Dies ist das einzige Zeugnis, das von einer Wiedereroberung des Piräus und der Munychia spricht (oder zu sprechen scheint). Es ist daher für das Problem der makedonischen Garnison im Piräus von fundamentaler Bedeutung. Wenn Pausanias hier wirklich die Befreiung des Hafens und seiner Festung von einer makedonischen Besatzung bezeugt, so ist die von Unger und De Sanctis verfochtene Hypothese, der Piräus sei von 294 bis 229 ohne Unterbrechung in makedonischer Hand gewesen, hinfällig bzw. nur dann möglich, wenn Olympiodors Tat vor das Jahr 294 fällt.

Unger und De Sanctis haben daher zunächst versucht, den Zeugniswert der Stelle durch die Behauptung zu entkräften, der Text sei verderbt. Unger nahm an, Pausanias habe ἀνασωσόμενος geschrieben, mithin nur von einem (mißglückten) Versuch der Befreiung gesprochen.[44] Aber der von Ferguson und Beloch dagegen erhobene Einwand[45] schlägt durch: Ein erfolgloser Versuch wäre kein Ruhmestitel für Olympiodor gewesen und daher in der Urkunde für ihn, auf die Pausanias, direkt oder indirekt, jedenfalls zurückgeht,[46] nicht zu finden gewesen. Dasselbe gilt von der Konjektur ἀνασωζόμενος, die De Sanctis, recht halbherzig, zunächst vertreten hatte.[47] Und sein Versuch, dem Pausanias die Glaubwürdigkeit pauschal abzusprechen,[48] ist niemals überzeugend gewesen.

Es ist vielmehr davon auszugehen, daß die Aussagen des Pausanias über Olympiodor auf urkundlichen Quellen beruhen und daß der Text des fraglichen Satzes korrekt überliefert ist. Dies hat schließlich auch De Sanctis stillschweigend zugestanden[49] und gleichzeitig eine andere Lösung vorgeschlagen, nämlich das Ereignis auf 295 zu datieren. Er verbindet es mit den zum Sturze des Lachares führenden Vorgängen, und zwar so, daß Olympiodor als athenischer Befehlshaber im Piräus sich gegen den Tyrannen in der Stadt gestellt habe, «assicurando al popolo il possesso del Pireo e di Munichia».[50] Aber dies kann schwerlich richtig sein, denn nur kurze Zeit danach überantworteten die Athener durch das von Dromokleides vorgelegte Psephisma den Piräus und die Munychia dem König Demetrios, ohne von

---

[44] Unger, Philologus-Suppl. 5, 1889, 690–691.
[45] HA 152 Anm. 4. Beloch, GG IV 2, 453.
[46] Vgl. Wilamowitz, Antigonos 206 Anm. 31. Tarn, JHS 54, 1934, 33 Anm. 37.
[47] De Sanctis, Studi di storia antica 2, 1893, 33 Anm. 3; RFIC 55, 1927, 495–496.
[48] De Sanctis, Studi a. O.: «Il passo di Paus. I 26,3 … non ha gran peso per la qualità della fonte e perchè sembra corrotto.» RFIC a. O.: «Ma questa testimonianza d'uno scrittore tardo e confusionario è invalidata dalla stessa inconsistenza e inesattezza del testo.»
[49] De Sanctis, RFIC 64, 1936, 144–145.
[50] Ebenda 147. Das hatte als Möglichkeit schon Ferguson, CPh 24, 1929, 4 Anm. 1, erwogen.

ihm dazu aufgefordert zu sein.[51] Olympiodors Befreiungstat wäre mithin nur von ganz ephemerer Bedeutung gewesen und könnte in den Augen der Athener nicht das Gewicht gehabt haben, das die Urkunde für Olympiodor, aus der Pausanias schöpft, ihr beimißt. Auch dieser Ausweg aus der Aporie ist versperrt.

Die Lösung, so scheint es, liegt nicht in willkürlicher Änderung des Textes und nicht in Zweifeln an der Aussage des Pausanias, sondern in einem anderen und richtigeren Verständnis dessen, was er tatsächlich sagt. Dabei kommt alles an auf die Bedeutung, die ἀνασωσάμενος in dem betreffenden Satze hat. Unzweifelhaft heißt ἀνασῴζω, Aktiv und Medium, oft ‹wiederherstellen›, ‹etwas Verlorenes retten›, ‹Verlorenes sich wieder aneignen›, ‹recover what is lost›, mithin aus der Verfügungsgewalt eines anderen wieder zur eigenen Verfügung gewinnen.[52] ’Ανασῴζω ist insofern fast gleichbedeutend mit ἀνακομίζω, wie leicht aus den parallelen Stellen der Dekrete von Adulis und Kanopos zu sehen ist, an denen von der Wiederbeschaffung und Zurückführung der einst von den Persern aus Ägypten geraubten Götterbilder durch Ptolemaios, bald mit dem einen, bald mit dem anderen Verbum, die Rede ist.[53] Dabei sind nur die Nuancen verschieden, indem ἀνασῴζω ausdrückt, daß der frühere Verlust ungeschehen gemacht wird, während ἀνακομίζω unterstreicht, daß man das Verlorene zurückbringt und mithin über die betreffende Sache wieder verfügen kann. Κομίζω und κομιδή (nicht ἀνασῴζω) sind, nebenbei bemerkt, die Ausdrücke, mit denen die athenischen Dekrete des 3. Jahrhunderts v. Chr. solche Vorgänge beschrieben.[54]

Aber ἀνασῴζω hat daneben immer auch eine andere Bedeutung, die im Zusammenhang mit der Pausaniasstelle unberücksichtigt geblieben ist. Diese ist ‹sich etwas erhalten›, ‹etwas Verlorengegebenes retten›, ‹retten›, ‹rescue›, mithin etwas,

---

[51] Plutarch, Demetrios 34. Es ist aus Plutarchs Bericht wahrscheinlich, daß die Flotte des Demetrios bereits in den Piräus eingelaufen war, ehe die Stadt übergeben wurde, denn nachdem das Dekret des Dromokleides verabschiedet war, legte der König eine Besatzung in das Museion – der Piräus bleibt unerwähnt. Auch Pausanias 1, 25,7 sagt, daß der König nach der Einnahme der Stadt den Athenern den Hafen nicht zurückgab, οὐκ ἀπέδωκέ σφισι τὸν Πειραιᾶ, wonach er eben schon unter seiner Kontrolle war. Mithin sanktionierte das Dekret des Dromokleides nur einen durch den Kriegsverlauf bereits gegebenen Sachverhalt. Das hat Wilamowitz richtig gesehen (Antigonos 240): «dem sehr wahrscheinlichen factum, dass die häfen vor der stadt gefallen sind.»

[52] Siehe die Wörterbücher von Pape, Passow, Liddell–Scott–Jones und den Thesaurus des Stephanus.

[53] OGI 54, 21–22: καὶ ἀναζητήσας ὅσα ὑπὸ τῶν Περσῶν ἱερὰ ἐξ Αἰγύπτου ἐξήχθη καὶ ἀνακομίσας. OGI 56, 10–11: καὶ τὰ ἐξενεγχθέντα ἐκ τῆς χώρας ἱερὰ ἀγάλματα ὑπὸ τῶν Περσῶν ἐξστρατεύσας ὁ βασιλεὺς ἀνέσωισεν εἰς Αἴγυπτον. Dies ist schon in den Inschriften der Pharaonen ein Topos.

[54] Vgl. z. B. IG II² 654,33. 657,35. Hesperia 30, 1961, 211 nr. 6, Zeile 5–6. Ähnlich von der Stadt (ἄστυ) in IG II² 653,22. 654,17 und von der Freiheit in 657,31.

das nicht verloren ist, aber verlorenzugehen droht, heil bewahren, vor dem Verlust retten. Dies ist sehr klar z. B. in Wendungen wie ἀνασῴζεσθαί τινα φόνου.[55] Die athenischen Reiter, die 362 vor Mantineia die an Zahl überlegenen Feinde angriffen, obwohl diese, Thessaler und Thebaner, als Reiter in höchstem Rufe standen, taten dies nach Xenophon (dessen Sohn dabei sein Leben ließ), ἐρῶντες ἀνασώσασθαι τὴν πατρῴαν δόξαν,[56] «um sich den Ruhm der Vorfahren ungeschmälert zu erhalten», nicht aber um verlorene Waffenehre wiederherzustellen.

In der zur Diskussion stehenden Stelle kommt es nun hauptsächlich auf den Sprachgebrauch der Kaiserzeit an. Tatsächlich ist das Wort mit dieser zweiten Bedeutung im 2. Jahrhundert n. Chr., d. h. zur Zeit des Pausanias, noch durchaus geläufig. Jedenfalls bietet die Glückwunschadresse von Ephesos zum Regierungsantritt des Antoninus Pius hierfür einen Beweis, denn in ihr heißt es vom neuen Kaiser: π[ᾶν μὲν τὸ] τῶν ἀνθρώπων ἀνασώιζει γένος, d. h. er bewahrt die Menschheit vor möglichem Schaden.[57]

Daher spricht alles dafür, im Satze des Pausanias über Olympiodor diese Bedeutung des Wortes anzunehmen und zu übersetzen: «Dies war Olympiodors größte Tat, abgesehen von dem, was er vollbrachte, indem er Piräus und Munychia (unversehrt) bewahrte.» Dieses Verständnis des Satzes wird dadurch dringend empfohlen, daß man bei der alternativen Übersetzung «indem er Piräus und Munychia zurückeroberte» in die inzwischen hinlänglich deutlich gewordene Aporie gerät. Versteht man dagegen die Worte in dem hier vorgeschlagenen Sinn,[58] so verschwindet nicht nur jenes sachliche Dilemma, sondern die Aussage rückt in ein ganz neues Licht und verbreitet ihrerseits neues Licht.

Man wird vielleicht einwenden wollen, diesen Sinn könne der Satz doch nur haben, wenn einmal die akute Gefahr drohte, der Piräus könne verloren gehen, und wenn die näheren Umstände dieser von Olympiodor gebannten Gefahr bei

[55] Sophokles, Elektra 1133. Ebendieser Umstand, daß etwas vor dem Verlust bewahrt wird, liegt auch der Bedeutung von ἀνασῴζω = ‹im Gedächtnis bewahren› zugrunde, die bei Herodot 6, 65, 3 vorliegt: Leotychidas ἀνασῴζων ἐκεῖνο τὸ ἔπος, τὸ εἶπε ᾿Αρίστων τότε, d. h. Leotychidas entsinnt sich eines Wortes, das der Vater seines Gegenspielers Demarat bei dessen Geburt gesprochen hatte.

[56] Xenophon, Hellenika 7, 5, 16.

[57] OGI 493, 21. Im Sinn von ‹retten› (vor dem Verlust des Lebens) begegnet das Verbum im Dekret der Garnison von Rhamnus vom Jahre 236/5 (Moretti, Iscrizioni 25, 22–24): καὶ τῶν πολιτῶν [ἕ]να ἀπηγμένον ἐπὶ θανάτωι ἐξείλετο ἐκ τοῦ [δε]σμωτηρί[ου] καὶ ἀνέσωισεν.

[58] Diesem Sinn ist De Sanctis in seiner letzten Äußerung hierzu ganz nahegekommen (RFIC 64, 1936, 147): «assicurando al popolo il possesso del Pireo e di Munichia», ohne sich bewußt zu werden, wie weit er damit von dem kanonischen Verständnis des Satzes abgerückt war. Wie es scheint, haben mit dieser Ausnahme alle Kommentatoren und Übersetzer ἀνασωσάμενος als ‹zurückerobernd› verstanden.

Pausanias wenigstens angedeutet waren. Der Einwand ist berechtigt, aber leicht zu beheben, denn Pausanias beschreibt diese Umstände tatsächlich und deutlich. Dem Satz über Olympiodor folgt unmittelbar der weitere ποιουμένων δὲ Μακεδόνων καταδρομὴν ἐς Ἐλευσῖνα, Ἐλευσινίους συντάξας ἐνίκα τοὺς Μακεδόνας. Danach fährt Pausanias fort, daß Olympiodor noch früher (πρότερον δὲ ἔτι τούτων) bei einem Einfall Kassanders nach Attika die Aitoler zur Hilfeleistung bestimmen und auf diese Weise die Stadt retten konnte.

Man hat den Satz über den Angriff der Makedonen bei Eleusis als etwas Neues verstanden, das mit dem Bericht über den Piräus nichts zu tun habe und durch das δέ von ihm abgehoben sei.[59] Dies ist unverständlich, da Pausanias zuvor ausdrücklich sagt, er wolle die andere Großtat des Olympiodor, neben der Erstürmung des Museions, beschreiben: χωρὶς τούτων ὧν ἔπραξε Πειραιᾶ ... ἀνασῳσάμενος. Er sagt nicht χωρὶς τούτου ὅτι Πειραιᾶ ἀνεσῴσατο, d.h. er will nicht nur die Tatsache der Rettung erwähnen, sondern schildern, auf welche Weise, unter welchen Umständen Olympiodor den Piräus rettete. Mit anderen Worten: der Satz gibt die nähere Begründung, wie und von wem denn der Piräus bedroht war, und was Olympiodor zu seiner Rettung getan hat. Das δέ leitet nicht einen neuen Bericht ein, sondern es ist begründend, an Stelle eines γάρ, wie so oft.[60] Es ist daher zu übersetzen: «Als *nämlich* die Makedonen einen Einfall nach Eleusis hinunter machten, bot Olympiodor die Eleusinier auf und besiegte (mit ihnen) die Makedonen.» Eben durch diesen Sieg wurde die Gefahr für den Piräus, auf den die Makedonen es abgesehen hatten, gebannt, wurden Piräus und Munychia unversehrt bewahrt.[61] Erst danach kommt ein neuer Gedanke und ein weiteres Verdienst des Olympiodor, dieses nun sehr klar gegenüber dem Vorausgehenden abgegrenzt durch die Worte: «Noch vor diesen Ereignissen aber ...».

Hieraus scheint sich zugleich zu ergeben, daß Pausanias in seinem Bericht über Olympiodor in rückläufiger Weise referiert: die Erstürmung des Museions 287, (vorher) Rettung des Piräus und der Munychia vor einem makedonischen Überfall, noch früher Mobilisierung aitolischer Hilfe für Athen gegen Kassander.

Aus dem Gesagten folgt, daß Olympiodor nicht den Piräus aus der Gewalt der Makedonen für die Athener zurückeroberte, sondern daß er ihn vor einem makedonischen Angriff geschützt hat, als der Hafen und seine Festung unter athenischer

---

[59] So z. B. Wilamowitz, Antigonos 256–257.

[60] Kühner–Gerth, Ausführliche Grammatik der griechischen Sprache II 2, 1904, 274–275. J. D. Denniston, The Greek Particles[2], 1954, 169 («This is quite common»).

[61] Vergleichbar ist der Vorstoß des Spartaners Sphodrias im Jahre 378, den er von Thespiai aus zur Überrumpelung des Piräus unternahm und der, wenngleich aus anderen Gründen, ebenfalls bei Eleusis scheiterte. Xenophon, Hellenika 5,4, 20ff. Plutarch, Pelopidas 14. Diodor 15, 29, 5. Fiehn, RE Sphodrias (1929) 1750.

Verfügung standen. Das muß mithin vor 294 gewesen sein, und die angreifenden makedonischen Truppen waren nicht solche des Demetrios, sondern Makedonen Kassanders. Und da Kassander seit der Schlacht von Ipsos zumindest korrekte Beziehungen zu Athen unterhielt,[62] muß dieser Überfall zwischen 307 und 301 stattgefunden haben, aber wohl später als die von ihm unternommene Belagerung der Stadt, während der die Athener die Hilfe der Aitoler erhielten. Wie groß die Gefahr für den Piräus gewesen wäre, wenn die Makedonen über Eleusis hinaus hätten vordringen können, wird unmittelbar einsichtig, wenn man sich erinnert, daß Demetrios 307 die Munychia hatte zerstören lassen (oben Anm. 8). Die symbolhafte Handlung hatte die Intentionen der Könige Antigonos und Demetrios und die Freiheit der Stadt Athen nach außen sichtbar machen sollen; sie zeigte nur wenig später, beim Vorstoß der Makedonen Kassanders auf Eleusis, ihre andere Seite, die Schutzlosigkeit des Hafens, sofern nur ein Angreifer bis zu ihm vordringen konnte.

Die Rettung des Piräus durch Olympiodor fällt nach den Worten des Pausanias anscheinend später als die Mobilisierung aitolischer Hilfe für das von Kassander belagerte Athen. Dieses Ereignis wird allgemein und wohl richtig ins Jahr 306 datiert.[63] Während der Abwesenheit des Demetrios aus Griechenland von 306 bis 304 ist Athen durch Kassander erneut in ernstliche Gefahr gekommen, als er, unterstützt von den Böotern, in Attika einfiel, die attischen Grenzfestungen Panakton und Phyle eroberte, die athenische Flotte in einem Treffen schlug, dann Salamis besetzte und von dieser Basis aus die Stadt Athen selbst belagerte, bis endlich der aus Rhodos zurückkehrende Demetrios Athen von der Belagerung befreite und Kassander zum Rückzug hinter die Thermopylen zwang.[64]

Mit diesen Vorgängen kann die Nachricht des Pausanias schlecht verbunden werden, denn sie deutet eher auf einen überraschenden Vorstoß der Makedonen hin, dessen Ziel eben der unbefestigte Piräus war, der aber bei Eleusis an dem von Olympiodor offenbar improvisierten (und wohl unvorhergesehenen) Widerstand scheiterte. Ein solcher Vorstoß ist dagegen im Jahre 305 denkbar, da der Krieg seinen Fortgang nahm, und ebenso in einem der Jahre zwischen 303 und 301. Allzuviel kommt auf eine genauere Datierung für den hier verfolgten Zweck nicht an.[65].

---

[62] IG II² 641, 12ff. Pausanias 1, 25,7. Ad. Wilhelm, Attische Urkunden 3, 1925, 28–29. Beloch, GG IV 1, 159 Anm. 3. Ferguson, CPh 24, 1929, 15. De Sanctis, RFIC 64, 1936, 148. M. Fortina, Cassandro re di Macedonia, 1965, 115–118.

[63] Quellen und Literatur sind übersichtlich zusammengestellt von H. Hauben, ZPE 14, 1974, 10.

[64] Hauben a. O.

[65] Ein Zeitpunkt nicht später als 304 ist jedoch wahrscheinlich, denn der Vorstoß auf Eleusis setzt anscheinend voraus, daß Kassander Böotien kontrollierte, das aber 304 von dem Bündnis mit ihm zum Bündnis mit Demetrios übergegangen ist (Plutarch, Demetrios 23; vgl.

## 4. Die Ursachen des Chremonideischen Krieges

Es gilt nun, die wesentlichen Folgerungen aus den vorstehenden Ausführungen zu ziehen. Sie betreffen vor allem das Verhältnis Athens zu Antigonos Gonatas vor dem Chremonideischen Krieg. Wenn sich ergeben hat, daß De Sanctis mit seiner fast allgemein abgelehnten Ansicht recht hat, daß der Piräus von 294 bis 229 stets eine makedonische Besatzung gehabt hat,[66] dann hat Antigonos Gonatas nie die Kontrolle über diesen wichtigsten Hafen Athens verloren. Es liegt auf der Hand, daß dieses Faktum die Beziehungen zwischen der Stadt und dem König entscheidend bestimmt hat. Die Anwesenheit der fremden Besatzung im Piräus und die Unmöglichkeit, über den Hafen und seine Anlagen frei zu verfügen, beschränkten empfindlich die Möglichkeiten, die Bewegungsfreiheit und das politische Gewicht Athens und machten die Stadt immer verwundbar. An den Aufbau einer eigenen nennenswerten Kriegsflotte war unter diesen Umständen nicht zu denken. Die Athener haben dies nur allzu deutlich gefühlt und daher alles darangesetzt, die Kontrolle über den Piräus wiederzuerlangen.

Für die Bedeutung, die man in Athen seit Themistokles dem Besitz des Piräus mit guten Gründen immer beigemessen hat, gibt es viele sprechende Zeugnisse. Es war 378 der gescheiterte Handstreich des Spartaners Sphodrias auf den Hafen gewesen (Anm. 61), der Athen aufgerüttelt, zum Bündnis mit Theben und zur Gründung des Zweiten Seebunds bestimmt hatte. Als nach dem Ende des Lamischen Krieges zum ersten Male eine fremde Garnison in den Piräus einzog, erregte dies in der griechischen Welt weithin Aufsehen, und es ist dafür bezeichnend, daß noch Generationen später die Parische Marmorchronik dies als eins der beiden mitteilenswerten Ereignisse des Jahres 322/1 angeführt hat.[67] Die öffentliche Meinung in Athen war deswegen so erregt, daß Phokion ihr Rechnung tragen mußte und, entgegen dem, was die Sorge um die eigene Sicherheit ihm hätte vorschreiben müssen, sich bei Antipatros nachdrücklich dafür verwandte, diese Knebelung der Stadt

---

mor. 851 E). Nicht auf eine Befreiung des Piräus von einer makedonischen Garnison, sondern auf die Wiederherstellung der ausschließlichen athenischen Kontrolle nach dem Abzug der Flotte des Demetrios von dort, vor oder nach der Schlacht von Ipsos, beziehen sich die Worte über den Vater oder den Großvater des Tyrannen Aristomachos von Argos im athenischen Dekret für diesen, IG II² 774; dazu Wilhelm, Attische Urkunden 3, 1925, 19–34 (Akademieschriften 1, 479–494), besonders 28.

[66] Daß kein athenischer Stratege für den Piräus in den Jahren zwischen 287 und 229 bezeugt ist, besagt angesichts der spärlichen Zeugnisse für diese Strategie wenig; wenn ich richtig sehe, ist das Amt nach dem Lamischen Kriege erst wieder im Jahre 172/1 bezeugt, SEG 17, 66.

[67] Oben Anm. 2; das andere ist die Eroberung von Kyrene für Ptolemaios I. durch Ophellas.

abzuwenden (oben Anm. 1). Und es ist nicht von ungefähr, daß noch viel später Plutarch sich veranlaßt gesehen hat, ein Stimmungsgemälde vom denkwürdigen Einzug fremder Truppen in den Piräus zu zeichnen (oben Anm. 2). Es ist daher verständlich, daß es seit 322 das oberste Ziel der athenischen Politik gewesen ist, diese Garnison loszuwerden.[68] Und in diesem Ziel waren sich alle Athener, ungeachtet der Verschiedenheit ihrer politischen Einstellung, weitgehend einig.[69] Es kostete 319 Demades und seinen Sohn Demeas das Leben; Polyperchon hoffte im gleichen Jahr, durch Entgegenkommen in dieser Frage Athen für die Könige und für sich selbst zu gewinnen; und es war der Streit um den Piräus, der 318 zum Sturz und zur Hinrichtung des Phokion und seiner politischen Freunde führte.[70]

Unter Demetrios von Phaleron, der für Kassander das Regiment von 317 bis 307 führte, mußte die Auseinandersetzung naturgemäß verstummen. Ein um so größerer Tag war für Athen 307 die Befreiung des Piräus und die Zerstörung der Zwingburg Munychia durch Demetrios. Die göttlichen Ehren für ihn und für seinen Vater Antigonos sind vor allem der Dank hierfür gewesen.[71] Daß es Olympiodoros zwischen 305 und 301 einmal gelungen ist, einen Vorstoß makedonischer Truppen Kassanders auf den ungeschützten Piräus zu vereiteln (oben Abschnitt 3), wird von Pausanias als gleichwertige Tat neben die Erstürmung des Museions im Jahre 287 gesetzt. Und 301 oder wenig später half der Vater oder der Großvater des Tyrannen Aristomachos von Argos den Athenern, sich erneut im sicheren Besitz des Piräus und der Langen Mauern zu etablieren – Grund genug für die Ekklesie, sich dieser Hilfe noch ein halbes Jahrhundert später dankbar zu erinnern.[72]

Freilich hat im Jahre 294, nach dem Sturz des Tyrannen Lachares und angesichts der unerwartet gnädigen Behandlung Athens durch Demetrios, der Politiker Dromokleides durch sein Psephisma dem König Piräus und Munychia wieder überantwortet. Aber dies war, wie die Darstellung Plutarchs zeigt,[73] nur durch die Emotionen des Augenblicks möglich und verständlich, und auch dieses Psephisma tat wohl nicht mehr, als ein bereits bestehendes Faktum zu sanktionieren, an dem die Athener ohnehin nichts ändern konnten.[74] Der Friede mit Demetrios im Jahre 287, der König Ptolemaios verdankt wurde,[75] ersparte zwar der Stadt, die unter Olympiodor gerade die Garnison des Demetrios vom Musenhügel vertrieben hatte, die

---

[68] Diodor 18, 48, 1 ff. 18, 64 – 67. Plutarch, Phokion 30. Vgl. auch Athenaios 4, 168 E.

[69] H.-J. Gehrke, Phokion, 1976, 104.

[70] Diodor 18, 56, 1 ff. und weiter besonders die in Anm. 68 genannten Zeugnisse.

[71] Vgl. Habicht, Gottmenschentum 44 ff.          [72] IG II² 774; oben Anm. 65.

[73] Plutarch, Demetrios 31.          [74] Oben Anm. 51.

[75] Plutarch, Pyrrhos 12. Vgl. Beloch, GG IV 1, 232 Anm. 3. Ferguson, HA 149 Anm. 4, und CPh 24, 1929. 28. Lévêque, Pyrrhos 161. Im Dekret für Kallias sind über diesen Frieden wesentliche neue Nachrichten enthalten; s. Shear, Kallias 74 ff. und, in Auseinandersetzung mit ihm, die Ausführungen oben, Kapitel IV, Abschnitt 2.

erneute Aufnahme einer königlichen Besatzung, aber er beließ die makedonische Truppe im Piräus.[76]

Es war daher nur allzu verständlich, daß von da an, wie nach 322, das Hauptziel der athenischen Politik die Vertreibung dieser Besatzung gewesen ist. Die Athener scheuten sich nicht, um dieses Zieles willen, den Frieden (oder die Waffenruhe) zu brechen, bald nachdem Demetrios Griechenland verlassen hatte. Aber der mit großem Einsatz unternommene Versuch einer Überrumpelung scheiterte unter hohen Blutopfern.[77] Antigonos Gonatas war in diesen Jahren, wie es scheint, zu wirksamer Vergeltung für den Friedensbruch außerstande, aber er hielt den Piräus nach wie vor fest. Auf diplomatischem Wege bemühten athenische Gesandte sich, auswärtige Hilfe für die Befreiung des Hafens zu erhalten, und materielle Hilfe in Form von Geld und anderen Spenden leisteten Ptolemaios sowie der Paionenkönig Audoleon und König Lysimachos, die beide auch weitere Dienste in Aussicht stellten.[78] Auch gegen Ende des Jahres 282 oder zu Beginn des folgenden Jahres war es weiterhin das oberste Ziel athenischer Politik, die Kontrolle über den Piräus zurückzugewinnen oder, wie eine Urkunde dieser Zeit es ausdrückt, die ‹Wiedervereinigung› von Stadt und Hafen endlich zu erreichen.[79] Die Hilfe, die zwischen Mai und Juli 279 der kurzlebige makedonische König Antipatros Etesias in Form von 20 Talenten sandte, dürfte vom Gesandten Demochares, dem Neffen des Demosthenes, hauptsächlich erbeten und vom Spender hauptsächlich gegeben worden sein als ein Beitrag zur Vertreibung der Garnison des Antigonos aus dem Piräus.[80] Dasselbe gilt für die von König Ptolemaios den Athenern gewährte Finanzhilfe von 50 Talenten, um die eine von Demochares auf den Weg gebrachte Gesandtschaft gebeten hatte.[81]

Das Ziel wurde gleichwohl in den achtziger Jahren nicht erreicht, und es rückte ferner, nachdem Antigonos sich seit 277/6 fest in der Herrschaft über Makedonien hatte etablieren können. Und doch gaben die Athener ihre Bemühungen zur Wiedergewinnung des Piräus nicht auf. Sie knüpften 272 mit Pyrrhos an, als dieser die von Makedonien beherrschten griechischen Staaten zum Kampf für ihre Freiheit aufrief. Die athenischen Gesandten, die in Megalopolis bei ihm erschienen,[82] haben, wie man gewiß vermuten darf, vor allem über die makedonische Garnison

---

[76] Diese Tatsache ist in der Forschung nie strittig gewesen. Sie ist die Voraussetzung für den wenig später erfolgten Überrumpelungsversuch der Athener; s. die folgende Anm.

[77] Oben S. 98 und dazu die Anm. 17–20.

[78] Oben S. 98 f. mit den Anm. 23–25.

[79] Oben S. 99 mit den Anm. 26 und 27, ferner die in Anm. 32 genannte Inschrift.

[80] Plutarch, mor. 851 E aus dem Psephisma für Demochares. Beloch, RFIC 54, 1926, 332. Vgl. Heinen, Untersuchungen 58.

[81] Plutarch a. O. IG II² 682, 28–30. Oben, Kapitel IV mit den Anm. 60 und 62.

[82] Justin 25, 4, 4. Vgl. Lévèque, Pyrrhos 575. Kienast, RE Pyrrhos (1963) 157–158.

seines Gegners Antigonos im Piräus mit dem König gesprochen.[83] Mit dem Tode des Pyrrhos im gleichen Jahr und der ihm folgenden Stabilisierung der makedonischen Herrschaft in Griechenland zerschlugen sich auch diese Hoffnungen Athens.

Im Jahre 271 waren die Athener mithin in dieser für die Stadt brennenden Frage noch immer da, wo sie schon 287 gewesen waren, als die Überwindung der Makedonen im Museion geglückt war. Die Hoffnungen, mit der neuerlichen Kontrolle über den Hafen zugleich wieder größeren politischen Spielraum zu gewinnen, waren immer wieder gescheitert. Aber nicht Resignation war die Folge, sondern Radikalisierung. Es ist die Zeit kurz vor dem Ausbruch des Chremonideischen Krieges. Wie Hegesandros erkennen läßt, gewannen in Athen damals Demagogen an Einfluß, die dem Volke vortrugen, wenn auch die Griechen in allem anderen gleich seien, so wüßten doch nur die Athener den Weg, der zum Himmel führt.[84] Dies sind nationalistische Töne, wie sie, konkreter freilich, im Psephisma des Chremonides wiederkehren, d. h. in der Urkunde, die von dem gegen Makedonien gerichteten Bündnis Athens mit König Ptolemaios II., König Areus von Sparta, mit Elis, Achaia, Tegea, Mantinea, Orchomenos, Phigalia, Kaphye und Kreta nähere Kunde gibt.[85]

Obwohl bis heute eine klare Antwort auf die Frage, warum Ptolemaios Philadelphos damals in den Krieg gegen Antigonos eingetreten ist, nicht gefunden wurde, gilt es doch weiterhin als Axiom, daß seine Initiative zu diesem Krieg geführt habe.[86] Aber die Tatsache, daß er die stärkste Macht im Bündnis war, bedeutet nicht ohne weiteres auch, daß er die treibende Kraft gewesen sein müßte. Dem steht vielmehr die merkwürdige, schon von Pausanias angemerkte Tatsache entgegen, daß er den Krieg mit geringerer Entschiedenheit geführt hatte, als man danach erwarten müßte.[87] Was die Motive Athens betrifft, so ergeben sie sich aus den vorstehenden Ausführungen wohl von selbst. Wie schon Tarn richtig gesehen hat,

---

[83] Lévêque a. O., der sich den Piräus damals in athenischer Hand denkt (oben Anm. 11), kann sich folgerichtig nicht vorstellen, daß die Athener etwas gegen Antigonos im Sinn gehabt hätten: «de fait on ne voit pas qu'ils aient *alors* tenté quoi que ce soit contre Antigone» (Hervorhebung von Lévêque). Tarn, JHS 54, 1934, 37, formuliert dagegen die Hypothese, die Athener hätten sich mit Pyrrhos verbündet und als Repressalie habe ihnen Antigonos wenig später, unter Bruch eines angeblich 279 geschlossenen Vertrages, den Piräus erneut entrissen.

[84] Athenaios 6, 250F: οἱ δὲ δημαγωγοῦντες, φησίν (sc. Hegesandros), Ἀθήνησιν κατὰ τὸν Χρεμωνίδειον πόλεμον κολακεύοντες τοὺς Ἀθηναίους τἆλλα μὲν ἔφασκον πάντα εἶναι κοινὰ τῶν Ἑλλήνων, τὴν δ᾽ ἐπὶ τὸν οὐρανὸν ἀνθρώπους φέρουσαν ὁδὸν Ἀθηναίους εἰδέναι μόνους.

[85] Die Staatsverträge des Altertums III, 1969, 129 nr. 476.

[86] Siehe zuletzt Heinen, Untersuchungen 97–100.

[87] Pausanias 1, 7, 3. Vgl. auch 3, 3, 5.

hat Athen vor allem deshalb Krieg geführt, um, was es aus eigener Kraft nicht konnte, mit Hilfe der Verbündeten zu bewirken: den Piräus zurückzugewinnen[88] und damit die Unversehrtheit seines Staatsgebiets, die im Bündnis mit Sparta als eine Grundlage des Vertrages genannt wird,[89] endlich zu verwirklichen. Dieser Krieg war nicht der Krieg des Königs Ptolemaios, dies war der Krieg Athens. Athenische Politiker waren die treibenden Kräfte, nicht der alexandrinische Hof, der sich vielleicht von Anfang an nur auf ein begrenztes Engagement einzulassen bereit war. Bei einem begrenzten Einsatz eigener Mittel würden militärische Erfolge der Verbündeten für die Politik der Ptolemäer jedenfalls Gewinn abwerfen, militärische Mißerfolge ihr aber nur bescheidenen Schaden tun, da die Zeche dann weitgehend von den griechischen Bundesgenossen zu zahlen war. Athen vor allem hat sie nach dem verlorenen Krieg bezahlen müssen; die wichtigsten für den Krieg verantwortlichen Politiker fanden Zuflucht und Verwendung in Alexandreia,[90] der Piräus blieb weiterhin, für ein Menschenalter, in makedonischer Hand, und eine makedonische Garnison zog wiederum in die Stadt selbst ein. Der lange Kampf um den Piräus war vergeblich gewesen, aber er war um ein Ziel geführt worden, das des Kampfes würdig war. In diesem Kampf manifestiert sich noch einmal der Geist von Männern wie Thrasybul und Konon, wie Demosthenes, Hypereides und Leosthenes.[91]

---

[88] Tarn, JHS 54, 1934, 37: «It was to get Piraeus back that Athens fought the Chremonidean war.» Ebenso 38.

[89] Staatsverträge a. O., Zeile 72.

[90] Teles, περὶ φυγῆς, ed. O. Hense², p. 23. Zu Chremonides und Glaukon vgl. zuletzt J. Pouilloux, Hommages C. Préaux, 1975, 376—382, der gezeigt hat, daß Chremonides der ältere der beiden Brüder war (unrichtig mit anderen noch Habicht, Chiron 6, 1976, 9). Für zwei andere der damals führenden athenischen Politiker im demokratischen und nationalistischen Lager vgl. Habicht, Chiron 6, 1976, 7—10.

[91] Vgl. Wilamowitz, Antigonos 202: «die jahre 295—260 sind Athenas nicht unwürdig.»

# IX. ZUR CHRONOLOGIE DER ARCHONTEN NACH DEM CHREMONIDEISCHEN KRIEG (261–230 V. CHR.)

## 1. Zum Stand der Forschung

Bis zum Jahre 292/1 sind die athenischen Archonten in ihrer Reihenfolge und absoluten Chronologie durch literarische Quellen bekanntlich sicher festgelegt. Dagegen muß vom Jahre 291/0 an die weitere Liste rekonstruiert werden. Nach diesem Zeitpunkt stehen im 3. Jahrhundert nur sechs Archonten, durch Gleichungen mit Olympiadenjahren oder durch eindeutig datierbare literarische Zeugnisse, zweifelsfrei fest: Gorgias 280/79, Anaxikrates 279/8, Demokles 278/7, Pytharatos 271/0, Diognetos 264/3 und Thrasyphon 221/0. Drei weitere sind durch Angaben von Jahresintervallen, die an Klearchos 301/0 ihren Fixpunkt haben, annähernd datiert, nämlich die unmittelbar aufeinander folgenden Antipatros und Arrheneides kurz vor 260, sowie, seinerseits von Arrheneides abhängig, Iason um 230. Alle drei sind deshalb nicht eindeutig festgelegt, weil die Lesung der Jahresintervalle nicht zweifelsfrei und weil darüber hinaus strittig ist, ob diese Intervalle exklusive oder inklusive Zählung aufweisen.

Die Bemühungen um eine möglichst vollständige Rekonstruktion der Liste bedürfen keiner Rechtfertigung, da die Dekrete des athenischen Staates, seiner Teilkörperschaften und kultischer Vereinigungen nach den Archonten datiert sind und weil auch innerhalb dieser Beschlüsse bestimmte Ereignisse oder Stufen in der Laufbahn eines Beamten durch die Nennung des jeweiligen Archons chronologisch festgelegt werden. Nur wenn diese Angaben entschlüsselt, d.h. in Jahre unserer Zeitrechnung umgesetzt werden können, haben Interpretationen der Dekrete, Untersuchungen zur Geschichte der Stadt, ihrer Institutionen, ihrer gesellschaftlichen Entwicklung usw. das erforderliche Fundament. Daher sind die Bemühungen der Forschung um eine Rekonstruktion der Archontenliste seit dem Ende des letzten Jahrhunderts überaus intensiv gewesen. Nach Fergusons Entdeckung des Schreiberzyklus sind sie, vor allem durch die Funde der amerikanischen Ausgrabungen auf der Agora von Athen, mehr und mehr zu einer Domäne der amerikanischen Forscher geworden, von denen Ferguson, Dinsmoor, Meritt und Pritchett besonders viel geleistet haben. Nach Pritchetts und Meritts gemeinsamer Rekonstruktion der Archontentafel für die Jahre 307/6 bis 101/0[1] hat Meritt, abgesehen von zahlreichen spezielleren Arbeiten für Teilbereiche, noch zweimal zusammenhängende

---

[1] Pritchett–Meritt, Chronology XV–XXXV.

Archontenlisten für mehrere Jahrhunderte vorgelegt, 1961 für die Jahre 346/5 bis 81/0[2] und soeben, 1977, für die Jahre 347/6 bis 48/7.[3] Neben ihm sind in jüngster Zeit nur A. Samuel[4] und E. Manni[5] mit vergleichbaren Listen hervorgetreten, die aber, jedenfalls bisher, sehr viel geringere Resonanz gefunden haben als Meritts Bemühungen. Meritts letzte Liste darf ohne weiteres als repräsentativ für den derzeitigen Forschungsstand gelten. Im Zusammenhang von Untersuchungen zur politischen Geschichte Athens im 3. Jahrhundert v. Chr. ist eine kritische Auseinandersetzung mit den einschlägigen Teilen von Meritts Archontentafel unumgänglich.

Dabei können zunächst die Jahre 291 bis 266 weitgehend außer Betracht bleiben, da für sie günstigere Bedingungen bestehen als für die folgenden Jahrzehnte und mithin die erzielten Resultate zuverlässiger sind. Vier der 26 Archonten dieses Zeitraumes sind von vornherein zweifelsfrei festgelegt (s. oben); von den verbleibenden 22 Eponymen ist nur für sieben die Phyle ihres Schreibers unbekannt, und einer von diesen sieben (Isaios 284/3) ist durch IG II² 656 mit seinem unmittelbaren Vorgänger Diotimos verklammert. Zudem besteht in diesen 26 Jahren nicht der geringste Anhaltspunkt dafür, daß der normale Schreiberzyklus gestört worden wäre. Unter diesen Umständen gibt es für die Einordnung des einen oder anderen Namens in die Kette und mithin für seine Zuweisung zu einem bestimmten Jahr noch manche Zweifel, so vor allem für Peithidemos, in dessen Jahr der Chremonideische Krieg begann, oder für Philippides, aber die Mehrzahl der Archonten dieser Zeit dürfte in Meritts letzter Tabelle ihren richtigen Platz gefunden haben.

Nach dem Jahr 266 steht Diognetos für 264/3 durch das Marmor Parium fest. Etwas später als er sind die unmittelbar aufeinander folgenden Archonten Antipatros, in dessen Jahr der Chremonideische Krieg durch die Kapitulation Athens zu Ende ging, und Arrheneides, in dessen Jahr Zenon starb.[6] Es ist strittig, welches ihre beiden Jahre sind, doch kommen wohl nur 263/2 und 262/1 oder 262/1 und 261/0 ernstlich in Frage.[7]

---

[2] Meritt, Year 231–238.

[3] B. D. Meritt, Historia 26, 1977, 161–189.

[4] A. E. Samuel, Greek and Roman Chronology (Handbuch der Altertumswissenschaft I 7), 1972, 212–222 für die Jahre 307/6–89/88.

[5] E. Manni, Historia 24, 1975, 17–32 für die Jahre 292/1–141/0.

[6] Apollodor, FGrHist 244 F 44. Dazu vor allem Meritt, Year 221 ff. W. K. Pritchett, Athenian Calendars on Stone, 1963, 385 ff. Heinen, Untersuchungen 182 ff.

[7] Für die früheren Jahre Meritt, Hesperia 38, 1969, 112; Historia 1977, 174. Für die späteren Jahre Heinen, Untersuchungen 182 ff., dem sich mit neuen, aus der Chronologie Delphis gewonnenen Argumenten R. Étienne und M. Piérart, BCH 99, 1975, 59–62, angeschlossen haben. Vgl. noch G. Daux, BCH-Suppl. 4, 1977, 57–61, sowie J. und L. Robert, Bull. épigr. 1977, 231. J. Pouilloux, FD III 4, 1976, nr. 358, S. 28. G. Nachtergael, Les Galates en Grèce et les Sôtéria de Delphes, 1977, 272.

Außer Betracht bleiben können weiter die letzten 30 Jahre des 3. Jahrhunderts, seit der Befreiung der Stadt 229/8, denn auch hier liegen für die Rekonstruktion der Eponymenliste verhältnismäßig günstige Bedingungen vor. So ist zwischen 229/8 und 213/2 für eine größere Anzahl von Archonten durch eine inschriftliche Liste die Abfolge der Namen sicher, und ihre Zuweisung an bestimmte Jahre läßt nur wenig Raum für Zweifel. In dieser Zeit ist nämlich Thrasyphon durch die Gleichsetzung mit dem Olympiadenjahr (Inschriften von Magnesia 16) für 221/0 festgelegt. Zwar fehlt sein Name in einer Lücke der inschriftlichen Liste, doch erlaubt es die Phyle seines Schreibers, seinen Platz in derselben zu bestimmen, womit dann die ganze Gruppe datiert wird.[8] Und weiterhin sprechen alle Anzeichen dafür, daß von 229 bis 201 die regelmäßige Schreiberfolge eingehalten worden ist, was die Festlegung der Archonten dieses Zeitraumes wesentlich erleichtert.

Die größten Schwierigkeiten bestehen dagegen in der Zeit vom Ausgang des Chremonideischen Krieges bis zum definitiven Ende der makedonischen Fremdherrschaft über Athen, d.h. für die Jahre 261 bis 230. Für diese Zeit fehlt es noch immer an einer ausreichenden Zahl verläßlicher Bausteine, aus denen die Liste der eponymen Archonten rekonstruiert werden könnte. Dieser Mangel an Informationen hängt mit der Tatsache der fremden Herrschaft kausal zusammen: Es fehlt in dieser Zeit zwar nicht an Dekreten überhaupt, aber ihre Zahl, vor allem die der staatlichen Dekrete (und nur in diesen sind die Schreiber genannt), ist verhältnismäßig gering. Dekrete zu Ehren von Bürgern auswärtiger Staaten, die sich um Athen verdient gemacht hatten, wie sie vor und nach dieser Zeit häufig sind, fehlen für die Jahre 261–230 fast völlig; so gibt es z.B. nicht mehr als zwei Bürgerrechtsverleihungen.[9]

Die folgenden Darlegungen werden deutlich machen, wie unsicher für diese Zeit *alle* Archontendaten sind, wie unverbindlich *jede* Zuweisung eines Namens an ein bestimmtes Jahr einstweilen noch ist. Es liegt in der Natur der Sache, d.h. in der Lückenhaftigkeit des zur Verfügung stehenden Materials, daß wohl dies deutlich gemacht, nicht aber eine berichtigte neue Archontentafel an die Stelle derjenigen von Meritt jetzt schon gesetzt werden kann. Es ist mir bewußt, daß dies unbefriedigend ist. Noch weniger befriedigt jedoch eine Archontenliste, die überall unsicher, in Teilen jedenfalls falsch ist und gleichwohl bei denen, die den Problemen fernerstehen, den Eindruck der Zuverlässigkeit erweckt, mit deren Daten daher operiert wird, als seien sie gesichert. Eine solche Liste birgt zudem die zusätzliche Gefahr in sich, daß sie der unbefangenen und richtigen Auswertung neuer Funde und neuer Erkenntnisse, die ihr widersprechen, im Wege steht. Eine auf nicht ausreichendem Fundament erstellte Archontenliste, in der z.B. ein Archon mit einem bestimmten

[8] IG II² 1706. St. Dow, Hesperia 2, 1933, 418ff.
[9] IG II² 707. 808. Vgl. M. J. Osborne, AncSoc 5, 1974, 96–97.

Schreiber ohne zwingenden Grund gekoppelt ist, oder das Jahr eines Archons als Normaljahr bezeichnet wird, weil das seines vermeintlichen Vorgängers (ohne daß dieser als unmittelbarer Vorgänger feststeht) ein Schaltjahr war, kann richtigere Erkenntnis erschweren, verzögern oder sogar verhindern. Jeder einigermaßen mit attischen Inschriften Vertraute weiß, daß unzählige Ergänzungen von Präskripten nur vorgelegt worden sind, um einem bestimmten Jahr die Länge eines Normaljahres oder eines Schaltjahres zu geben, obwohl diese Länge nur angenommen und nicht wirklich bekannt war.[10] Im Interesse eines Fortschritts in diesen schwierigen Problemen gilt es, überall dort, wo Sicherheit derzeit noch nicht erreicht werden kann, die Optionen freizuhalten, statt Sicherheit zu suggerieren. Dieser methodische Grundsatz rechtfertigt und verlangt die folgende kritische Auseinandersetzung, auch wenn deren Ergebnisse im Augenblick fast destruktiv erscheinen mögen.

## 2. Die Schreiberfolge und Störungen des Schreiberzyklus

Von 261/0, Meritts Datum für den Nachfolger des Arrheneides (Anm. 7), bis 230/29 haben 32 Archonten amtiert. Ihre Namen sind offenbar alle bekannt. Meritt rechnet zwar damit, daß ein Name fehlt (in seiner Liste der Archon von 251/0), doch dürfte Diogeiton, den er 268/7 ansetzt, jedenfalls, wie Heinen ausgeführt hat, in die Zeit nach dem Chremonideischen Kriege gehören.[11] Nur für die

---

[10] In lehrreicher Weise hat kürzlich Mikalson, Calendar, gezeigt, daß die Ergänzungen zahlreicher Dekretpräskripte falsch sein müssen, da sie Versammlungen (des Rates bzw. der Ekklesie) an Tagen voraussetzen, an denen derartige Versammlungen ungesetzlich waren.

[11] Heinen, Untersuchungen 115–117. 213. Durchschlagend an seiner Argumentation scheint mir der erneute Hinweis darauf, daß Peithidemos den Archonten Menekles 267/6 und Nikias 266/5 vorausgehen muß und ihnen nicht (wie in Meritts Liste) folgen kann, denn unter Peithidemos wurde auf Antrag des Chremonides das Bündnis mit Sparta geschlossen und brach, wie jetzt durch SEG 24, 154 bestätigt wird, der Krieg aus, unter Menekles und Nikias aber bestand Kriegszustand (IG II² 665, 7–8. 666, 18. 667, 6). Die letzten Äußerungen Meritts hierzu lassen erkennen, daß er von Heinens Beweisführung nicht unbeeindruckt geblieben ist (er bezeichnet die Frage als «now moot», Hesperia 46, 1977, 256). Er hält ihr im wesentlichen entgegen, daß für den von ihm 268/7 angenommenen Diogeiton schwerlich ein anderer Platz gefunden werden könne (Hesperia a. O.: «This is difficult»; Historia 1977, 101: «Diogeiton who has no other available year»). Dies ist alles andere als überzeugend und beweist nur, wie sehr Meritt von seiner eigenen Rekonstruktion der Archontenliste gebannt ist. Diogeiton hat einen Grammateus aus der Phyle X und kann, da Athenodoros der einzige weitere Archon der Jahre 261–230 ist, für den ebenfalls ein Schreiber aus der X bezeugt ist, innerhalb dieser Jahre jedenfalls Platz finden, um so eher, als, wie deutlich werden wird, bisher keinem einzigen Archon dieser Zeit ein bestimmtes Jahr mit Sicherheit zugewiesen worden ist. Für die Notwendigkeit der Herabdatierung Diogeitons spricht über das von Heinen Bemerkte hinaus, daß Ἀκρότιμος Αἰσχίου Ἰκαριεύς, der als Antragsteller in Diogeitons

knappe Hälfte dieser 32, nämlich für 15 Archonten, ist das Demotikon und mit ihm die Phyle des jeweiligen Schreibers bezeugt.[12] Für die anderen 17 sind Demotikon und Phyle unbekannt.[13] In vier weiteren Fällen ist das Demotikon von Schreibern ganz oder teilweise bekannt, und alle vier sind bestimmten Archonten zugewiesen worden, indem in ihren Inschriften der Name eines Archons ergänzt wurde. Aber alle diese Zuweisungen sind äußerst fraglich.[14] Endlich erscheinen für drei Archonten in den Präskripten die (unvollständigen) Namen ihrer Schreiber, doch fehlt jeweils das Demotikon, so daß die Phyle nicht ermittelt werden kann.[15]

Nur insgesamt fünf der 32 Archonten fügen sich zu zwei, miteinander nicht verbundenen, Gruppen dadurch zusammen, daß einer aus anderen Gründen sicheren oder wahrscheinlichen Abfolge auch das reguläre Fortschreiten in der Phylenziffer ihres Schreibers entspricht. Es sind die Gruppe Thersilochos, Polyeuktos und Hieron, die sowohl untereinander verklammert ist als auch Schreiber aus den Phylen VI, VII bzw. VIII hat, und das Paar Ekphantos und Lysanias, verbunden durch IG II² 788 und durch Schreiber aus den Phylen II bzw. III. Aber wenigstens die erste dieser beiden Gruppen schwebt in der Luft, solange über die notorische Streitfrage der Datierung des Polyeuktos[16] keine Klarheit besteht.

Es liegt auf der Hand, daß ein so schmales Fundament nicht weit trägt. Gleichwohl hat Meritt die 31 Namen, mit denen er rechnet, ausnahmslos bestimmten Jahren zugewiesen. Seine Liste erweckt mithin den Eindruck weitgehender Sicherheit.

---

Jahr erscheint (IG II² 772), im Jahre 238/7 in Thermos mit der aitolischen Proxenie ausgezeichnet wurde (IG IX 1², 73). IG II² 772 ist von der Hand des ‹Cutter 4› und daher nicht später als 240 (unten Anm. 136).

[12] Es sind (in Meritts Reihenfolge): Kleomachos, Philinos, Kallimedes, Thersilochos, Polyeuktos, Hieron, Diomedon, Philoneos, Kydenor, Athenodoros, Lysias, Ekphantos, Lysanias, Antimachos sowie (vgl. Anm. 11) Diogeiton.

[13] Es sind (in Meritts Reihenfolge): Polystratos, Antiphon, Thymochares, Lykeas, Eubulos, Alkibiades, --bios, (N. N. = Meritts Archon von 251/0, doch wird die erforderliche Zahl von Archonten durch die Einfügung des Diogeiton erreicht, s. Anm. 11), Theophemos, Eurykleides, Phanomachos, Lysiades, Aristion, Kimon, Philostratos, Phanostratos, Pheidostratos und Iason.

[14] Es sind [---]ης Λυσιστράτου Μαρ[αθώνιος] XI (Hesperia 32, 1963, 8 nr. 8, [...]ων Μιλτιάδου ᾿Αλωπεκῆθεν XII (IG II² 702), [---Φ]ανοπόν[πο]υ Π[ο]τά[μιος] I, II oder VI (IG II² 477; für die drei möglichen Phylen vgl. Pritchett, The Five Attic Tribes after Kleisthenes, Diss. John Hopkins 1942, 6. 12 Anm. 23; Meritt, Hesperia 38, 1969, 434; Traill, Hesperia-Suppl. 14, 1975, 128, und vor allem Hesperia 47, 1978, 107–109) und [-- ca. 27 --]ιεύς (IG II² 774, wo die Ergänzung [Κηφισ]ιεύς [Dinsmoor; Meritt] neben zahlreichen Alternativen bereits von der vorgefaßten Meinung diktiert ist, daß der Schreiber zur Phyle III gehören müsse). Diese vier Fälle werden unten, Abschnitt 3, einzeln besprochen.

[15] Es sind Σώστρατο[ς] ᾿Α[ρι]στ[-- 16 --] im Jahre des Theophemos (IG II² 700), Προκ[λ]ῆς ᾿Απ[-- 15 --] in dem des Thymochares (IG II² 795) und ᾿Αριστόμαχος ᾿Αριστο[-- c. 15–16 --] im Jahre des Lysiades (IG II² 775, 28).

[16] Vgl. dazu unten S. 134 mit Anm. 97.

Die Rekonstruktion orientiert sich an zwei Grundannahmen: daß der Schreiberzyklus in diesen Jahren zumeist beachtet wurde und daß vorkommende Störungen von möglichster Kürze waren. Meritt nimmt an, daß der Zyklus aus dem frühen 3. Jahrhundert über das Ende des Chremonideischen Krieges hinaus regelmäßig weiterlief, daß dann aber im Sommer 259 ein Bruch eintrat, indem statt eines Schreibers aus der 7. Phyle 259/8 ein solcher aus der 9. Phyle im Amt war (obwohl für dieses Jahr und wenigstens ein weiteres auch nach Meritts Tabelle kein Schreiber bezeugt ist). Dann sei, so Meritt, 12 Jahre, d.h. einen Zyklus lang, alles wieder normal verlaufen, bis zu Hieron 248/7 mit einem Schreiber aus der Phyle VIII;[17] danach manifestiere sich ein erneuter Bruch, denn unter Diomedon, der dem Hieron unmittelbar folgte, amtierte, wie J.Kroll kürzlich nachgewiesen hat,[18] ein Schreiber der Phyle XII. Er beginnt jedoch keinen neuen Zyklus, sondern für mehrere Jahre folgten einander Schreiber in anscheinend wahlloser Ordnung. In dem Wunsch, die Unregelmäßigkeit möglichst kurz zu befristen, nimmt Meritt, ohne einen materiellen Anhaltspunkt dafür zu haben, die Wiederaufnahme des Zyklus im Jahre 245/4 mit einem Schreiber der 5. Phyle an, danach Regelmäßigkeit, bis 201 ein neuer (in Meritts Tabelle S.179 nicht in der üblichen Weise als «Break in the Secretary Cycle» gekennzeichneter) Bruch offenkundig wird.

Die Probleme liegen tatsächlich viel verwickelter, als Meritts tabellarische Darstellung vermuten läßt. Ziemlich sicher scheint zu sein, daß innerhalb dieser Zeit die Schreiberfolge *zweimal* unterbrochen wurde. Aber für keine der beiden Unterbrechungen läßt sich das Jahr, für keine die Dauer der Unregelmäßigkeit bestimmen. Der *erste* Bruch hat frühestens 265 stattgefunden und jedenfalls vor Thersilochos, der in die erste Hälfte der vierziger Jahre gehört.[19] Daß er gerade im Jahre 259 erfolgt sei, ist eine willkürliche Annahme und daher ohne jede Gewähr. Ebenso willkürlich ist die weitere Vermutung, die Unregelmäßigkeit sei auf ein Jahr beschränkt geblieben. Der sozusagen natürliche Zeitpunkt, einen Bruch, von welcher Dauer auch immer, anzunehmen, ist sicher nicht Sommer 259, sondern eher der Amtsantritt des dem Ende des Chremonideischen Krieges folgenden Archons, d.h. des Arrheneides, da nach dem Zeugnis Apollodors[20] König Antigonos damals

---

[17] Polyeuktos mit seinem Schreiber aus der Phyle VII kommt wiederum ins Jahr 249/8 zu stehen, in das ihn Pritchett und Meritt 1940 gesetzt hatten.

[18] Hesperia 46, 1977, 121–122.

[19] Die Annahme dieses Bruches ist vermeidbar, wenn das Jahr des Polyeuktos 247/6 gewesen sein sollte. Dies ist zwar nicht wahrscheinlich (unten S.134 Anm.97), aber doch nicht mit Sicherheit auszuschließen. Daher muß diese Möglichkeit immer mit bedacht werden.

[20] FGrHist 244 F 44. Dazu H.Bengtson, Die Strategie in der hellenistischen Zeit 2, 1944, 372ff. und 375 mit der älteren Literatur. J.Pouilloux, BCH 70, 1946, 488–496.

die athenischen Beamten ernannt hat.[21] Das Beispiel seines Vaters Demetrios in
den Jahren 294 und 293[22] legt die Vermutung nahe, daß unter diesen auch die
eponymen Archonten waren, und auch die Grammateis könnten, in der einen oder
anderen Weise, betroffen gewesen sein. Freilich, ein Beweis dafür, daß der Bruch
im Zyklus damals erfolgt sei, läßt sich sowenig geben wie für ein anderes, dem
Archon Thersilochos vorausgehendes Jahr.

Danach kehrt erst mit der erwähnten Gruppe Thersilochos–Polyeuktos–Hieron
die Ordnung in erkennbarer Weise wieder. Sie mag früher wiedereingetreten sein
und ist sehr wahrscheinlich auch früher als am Beginn der vierziger Jahre wiedereingetreten, vielleicht mit der Rückgabe der Autonomie an die Stadt durch den
makedonischen König in der Mitte der fünfziger Jahre.[23] Aber beim gegenwärtigen
Stand unserer Erkenntnis läßt sich kein früheres Datum demonstrieren, denn die
von Meritt für die Jahre 257/6 bis 252/1 gegebene Folge von Archonten und
Schreiberphylen, die Regelmäßigkeit aufweist und, wäre sie zuverlässig, Sommer
257 als Terminus ante quem ergäbe, ist in sich, wie unten gezeigt werden wird,
äußerst brüchig. In dieser Folge von sechs Archonten befinden sich die vier, denen
ein Grammateus nur durch Kombination, in keinem Falle durch überzeugende
Kombination, zugewiesen ist. Unter ihnen befindet sich weiter Philinos mit einem
Grammateus der Phyle II (252/1 nach Meritt), der aber, wie in Abschnitt 4 dargelegt wird, dem von Meritt 260/59 angesetzten Kleomachos jedenfalls vorausgehen
muß. Erst mit Thersilochos kommt man für eine freilich sehr kurze Strecke von
drei Jahren wieder auf festeren Grund.

Die Probleme um den *zweiten* Bruch der Schreiberfolge dieser Zeit, nach dem
Jahr des Hieron (Phyle VIII), sind eher noch komplizierter als diejenigen um die
erste Unregelmäßigkeit. Man hatte angenommen, daß nach dem schon längst kon-
statierten Bruch am Ende von Hierons Amtsjahr im folgenden Jahr, unter Diomedon, ein neuer Schreiberzyklus, beginnend mit der Phyle III, eingesetzt habe, der
dann mehr als 40 Jahre lang störungsfrei funktioniert habe.[24] Jetzt hat sich jedoch
herausgestellt, daß Diomedons Sekretär nicht der Phyle III, sondern der XII angehörte,[25] der Grammateus des ihm unmittelbar folgenden Archons Philoneos nicht
zur Phyle IV, sondern zur VI gehörte und daß diesem im Abstand von zwei Jahren,
unter Kydenor, nochmals ein Sekretär aus der Phyle VI folgte. Die Unregelmäßigkeit war mithin größer und von längerer Dauer als angenommen. Klaffenbach hat
recht behalten mit seiner Skepsis gegenüber der zuversichtlichen Annahme, von

---

[21] Vgl. auch die Ernennung des jüngeren Demetrios von Phaleron durch Antigonos zum
Thesmotheten (Hegesandros bei Athenaios 4, 167 F).
[22] Oben S. 27–28.
[23] Beloch, GG IV 1, 598. IV 2, 511–512.
[24] Vgl. die Tabelle bei Meritt, Year 234–235.
[25] Oben Anm. 18; vgl. Meritt, Historia 1977, 163–164.

Diomedon an sei der Zyklus regelmäßig gelaufen.[26] Und es ist auch keineswegs ausgemacht,[27] daß dem Schreiber des Kydenor aus der Phyle VI derjenige des Athenodoros aus der Phyle X im Abstand von vier Jahren gefolgt, mithin der Zyklus spätestens unter Kydenor wieder in Ordnung gewesen ist. Vielmehr weist, wie unten (Abschnitt 6) dargelegt werden wird, alles darauf hin, daß Athenodoros in das Jahr, in das er seit langem gesetzt wird (240/39), schwerlich gehören kann. Ziemlich sicheren Boden erreicht man erst wieder 239/8 mit Lysias und seinem Grammateus der Phyle XI.

So hat im Falle des Diomedon das Bekanntwerden der Phyle seines Sekretärs wieder einmal eine vermeintlich sichere Hypothese der Forschung zerstört.[28] Dasselbe ist gerade eben auch, in etwas früherer Zeit, mit dem Jahr des Sosistratos geschehen. Man hatte ihn dem Jahre 277/6 zugewiesen und einen Schreiber aus der 1. Phyle für ihn postuliert. Die neue Urkunde für Kallias von Sphettos (oben Kapitel IV) lehrt nun, daß der Sekretär der Phyle VIII angehörte. Sie verweist mithin den Sosistratos ins Jahr 270/69, aus dem er nun seinerseits den Philippides verdrängt.[29] Jeder mit der attischen Archontenforschung des 3. und 2. Jahrhunderts auch nur einigermaßen Vertraute weiß, daß diese beiden jüngsten Fälle sich zu zahlreichen anderen stellen, in denen man durch neue Texte gleichartige Überraschungen erlebt hat. Gegen eine solche Überraschung (die als Erweiterung unserer Kenntnis immer willkommen ist) ist niemand gefeit, der auf diesem Felde arbeitet, und es wäre verkehrt, wegen derartiger latenter Gefahren die Bemühungen um eine Rekonstruktion der Archontenliste resignierend aufzugeben. Aber den auf Rekonstruktion beruhenden Archontentafeln muß mit der jeweils gebotenen, d.h. differenzierten Skepsis begegnet werden. Sie hat um so größer zu sein, je geringer die Zahl verläßlicher Bausteine ist, aus denen die Liste einer bestimmten Zeit erstellt wurde. Für die Jahre 261 bis 230 ist deren Zahl zur Zeit noch so gering, daß die Schlußfolgerung unvermeidlich ist: *In diesen Jahren kann kein einziger Archon als einem bestimmten Jahr in überzeugender Weise zugewiesen gelten.* Es kann durchaus sein, daß einige wirklich in die Jahre gehören, in denen sie in Meritts letzter Liste er-

---

[26] RE Polyeuktos (1952) 1627.

[27] Meritt, Historia 1977, 164. Krol! a. O. 122.

[28] Es sei denn, daß doch mit J. Kirchner, HSCP-Suppl. 1, 1940, 503–507, zwei Archonten des Namens Diomedon zu unterscheiden wären, von denen der Sekretär Phoryskides aus der Phyle XII mit der Inschrift, in der er genannt ist, der großen Epidosisliste (IG II² 791), dem späteren gehören müßte.

[29] Es ist vorschnell, daß Philippides nun sofort ins Jahr 269/8 verwiesen wird (Meritt, Historia 1977, 174), das durch die Herabdatierung des Philinos vor einiger Zeit freigeworden war, ohne daß mögliche Alternativen geprüft werden. Solche sind z.B. das bisher von Sosistratos besetzte Jahr sowie 268/7, aus dem Diogeiton jedenfalls weichen muß (Anm. 11).

scheinen. Aber es ist beim gegenwärtigen Erkenntnisstand nicht gerechtfertigt, auch nur eine einzige Zuweisung für hinlänglich gesichert zu halten.

Auf der anderen Seite sind wohl noch nicht alle Möglichkeiten ausgeschöpft, mit den verfügbaren Daten, gewisse, freilich bescheidene, Fortschritte zu erzielen. Vor allem hat der Wunsch, um einer vorausgesetzten regelmäßigen Schreiberfolge willen Archonten oder Schreiber bestimmten Jahren zuzuweisen, gelegentlich dazu geführt, daß andere wesentliche Indizien der Dekrete zur Chronologie entweder nicht beachtet oder leichthin fortinterpretiert wurden.

## 3. Fragwürdige Koppelungen von Archonten und Schreibern

In diesem Abschnitt werden die vier Fälle näher besprochen, in denen Schreiber mit bekannten Demotika den Namen bestimmter Archonten durch Kombination zugewiesen worden sind.[30]

1. In einem Dekret für Prytanen der Antigonis ist als Grammateus ----ης Λυσιστράτου Μαρ[αθώνιος] genannt.[31] Der Name des Archons ist restlos verloren, seine Buchstabenzahl läßt sich nicht einmal annähernd bestimmen. Meritt hat gleichwohl sofort Lykeas ergänzt, allein deshalb, weil er früher für das Jahr 257/6 Lykeas, wenn auch mit einem Fragezeichen versehen, als Archon und einen Schreiber aus der 11. Phyle angenommen hatte.[32] Da der Schreiber des Dekrets für die Prytanen der Phyle XI angehört, ergab sich für Meritt die Zuweisung des Textes an das Jahr des Lykeas sozusagen von selbst, und in Meritts neuester Tabelle ist auch das Fragezeichen verschwunden.

Aber nicht nur das Jahr des Lykeas, sondern auch seine Zusammengehörigkeit mit dem Schreiber aus Marathon ist äußerst fraglich. Der Archon Lykeas ist bekannt durch ein Dekret der thrakischen Orgeonen der Bendis, das nach Wilhelms allein auf den Schriftcharakter gestütztem Urteil in die Mitte des 3. Jahrhunderts gehört,[33] und von einem Horosstein aus Marathon, den sein Herausgeber Peek eher für später zu halten geneigt ist.[34]

---

[30] Vgl. oben S. 117 mit Anm. 14, wo alle diese Verbindungen als fraglich bezeichnet worden sind.

[31] Meritt, Hesperia 32, 1963, 7 nr. 8; SEG 21, 376; Agora XV 84.

[32] Meritt, Year 233.

[33] IG II² 1284, 19; dazu Wilhelm, JÖAI 5, 1902, 132. 133. Der in Zeile 21 genannte Antragsteller ist auch Antragsteller in einem anderen Beschluß der gleichen Kultvereinigung aus dem Jahr des Archons Polystratos, IG II² 1283, 2. Auch dieser Text ist nur nach Wilhelms Urteil über die Schrift ungefähr datiert (s. die Abbildung bei Wilhelm a. O. 127), nach Wilhelm vor die Mitte des 3. Jahrhunderts. In Meritts letzter Archontenliste ist Polystratos der Archon des Jahres 261/0. Wilhelm hat (a. O. 136 Anm. 1) auch die Archonten Ekphantos und Lysanias in die Mitte des Jahrhunderts gewiesen, die jetzt für die Zeit des Demetrischen

Es ist daher zunächst zu sagen, daß es für die Datierung des Archons Lykeas einstweilen keinen einigermaßen verläßlichen Anhaltspunkt gibt. Was den Grammateus betrifft, so muß das Dekret für die Prytanen, in dem er genannt ist, wegen der Phyle Antigonis jedenfalls dem 3. Jahrhundert angehören, doch läßt es sich nicht sicher datieren. Daß es den Jahren zwischen 261 und 230 angehören müsse, ist vielleicht nicht einmal die wahrscheinlichste Annahme.[35] Je nach seiner Zeit ist der Schreiber aus Marathon ein Mitglied der Phyle XI (bis 224/3) oder der Phyle XII (nach diesem Jahr) gewesen. Seine Verbindung mit einem bestimmten Archon ist einstweilen unmöglich. Beide Elemente müssen daher in der Diskussion getrennt behandelt, d. h. Lykeas muß aus der Verbindung mit dem Dekret für die Prytanen und mit dessen Grammateus gelöst werden.

2. In einem anderen Beschluß für Prytanen, der nach Kirchner vor die Mitte des 3. Jahrhunderts fällt und in dem der Epistates Δημήτριος Δημητρίου Φαληρεύς sicher zur Familie des berühmten Regenten Demetrios von Phaleron gehört, aber wohl nicht mit dessen Enkel identisch ist, den König Antigonos zum Thesmotheten eingesetzt hat, lautet der zum Teil erhaltene Name des Schreibers [...]ων Μιλτιάδου ᾿Αλωπεκῆθεν; seine Phyle ist die XII.[36] Die Urkunde ist nicht stoichedon ge-

---

Krieges (236/5 bzw. 235/4) ziemlich fest stehen. Unter diesen Umständen ist die Festlegung eines nur auf Grund der Schriftformen datierbaren Archons in ein bestimmtes Jahr leichtfertig. Es ist darüber hinaus nicht einmal wirklich sicher, daß Lykeas und Polystratos wegen des ihren Urkunden gemeinsamen Antragstellers zeitlich sehr nahe zusammengehören müssen, denn die zwei ähnlichen Beschlüsse der einheimischen Orgeonen der Bendis, IG II² 1317 und 1317b, sind zwar durch drei ihnen gemeinsame Kultbeamte miteinander verbunden, aber dennoch durch mindestens 24 Jahre voneinander getrennt: 1317 ist aus dem Jahre des Lysitheides (272/1), 1317b aus dem des Hieron (frühestens 248/7). In diesem Zusammenhang kann auch daran erinnert werden, daß der Eumolpide Aristokles wenigstens 31 Jahre lang Hierophant gewesen ist (SEG 19, 124. Unten S. 152 Anm. 10).

[34] AM 67, 1942, 36 nr. 43 (der Text auch bei Fine, Hesperia-Suppl. 9, 1951, 36 nr. 27). Peek erwähnt die für Lykeas vorgeschlagenen Datierungen 257/6 (Dinsmoor, Archons 169) und 247/6 (Meritt, Hesperia 7, 1938, 136) und bemerkt: «Die Schriftformen des Horos-Steines empfehlen eine frühere Datierung jedenfalls noch weniger als der angeführte Volksbeschluß» (sic). Den Archon Lykeas hat Dinsmoor später (Hesperia 23, 1954, 315) auf 255/4 (mit einem Fragezeichen) herabgesetzt; Pritchett und Meritt, Chronology XX, hatten 259/8 für ihn angenommen.

[35] Ein chronologisches Indiz bietet vielleicht Zeile 7: In den Opfern der Prytanen für das Wohl von Rat und Volk fehlt die Erwähnung des Königs und seiner Familie. Da sie zur Zeit der makedonischen Herrschaft sonst regelmäßig erscheint (Kapitel V, Anm. 19), spricht das Fehlen dafür, das Dekret entweder vor 261 (bzw. vor 273/2: Agora XV p. 5) oder aber nach 230 anzusetzen.

[36] IG II² 702; Hesperia-Suppl. 1 nr. 21; Agora XV 87. Kirchner hat im Kommentar zu IG II² 702 den Epistates mit dem Thesmotheten und Enkel des Regenten identifiziert (vgl. auch Davies, APF S. 109). Eine neue Prytaneninschrift macht jetzt jedoch den Buleuten Δημήτριος Φα[νοστράτου] Φαληρεύς um 240 bekannt (Traill, Hesperia 47, 1978, 281

schrieben. Kirchner hat den Namen des Archons auf sieben Buchstaben veranschlagt, aber unergänzt gelassen. Pritchett und Meritt (Chronology XXI) haben den des Eubulos (acht Buchstaben) ergänzt, und diese Verbindung von Archon und Dekret erscheint, ohne jedes Fragezeichen, auch in Meritts neuester Liste zum Jahre 256/5. Daß der Archon Eubulos ungefähr in diese Zeit gehört, etwa zwischen 260 und 245, zeigen zahlreiche prosopographische Bezüge zwischen den beiden Prytaneninschriften aus seinem Jahr[37] und datierten anderen Inschriften.[38] Nichts spricht jedoch dafür, gerade seinen Namen in IG II² 702 zu ergänzen.

3. Von historischer Bedeutung ist das fragmentarische Dekret IG II² 477 (SEG 3, 89) für Theoi--, einen Funktionär des Königs Antigonos, der sich athenischen Gesandten gegenüber hilfreich bei ihren Bemühungen erwiesen hat, die φιλία zum König wiederherzustellen.[39] In ihm ist ein Schreiber aus dem Demos Potamos genannt, für den die Phylen I, II und VI in Frage kommen (Anm. 14). Der Name des Archons ist verloren, Köhlers und Kirchners Ergänzung des Euxenippos (305/4) längst widerlegt, seitdem dessen Sekretär bekanntgeworden ist. Wilhelm rechnet für den Namen des Archons mit 12, Meritt bald mit 11, bald mit 10 Buchstaben.[40] Folgende Vorschläge sind gemacht worden: Sosistratos (Ferguson 1932),[41] Eurykleides (Meritt 1935), Polystratos (Meritt 1938), Demokles (Dinsmoor 1939), Philostratos (Pritchett–Meritt 1940), Alkibiades (Meritt 1969).

Wie man sieht, ist allein Meritt mit vier (!) verschiedenen Namen von Archonten nacheinander hervorgetreten. Da neue Vorschläge neue Annahmen über die Länge des Jahres mit sich brachten, sind wiederholt neue Ergänzungen des Präskripts nur deshalb vorgeschlagen worden, um den Text den wechselnden Annahmen eines Normaljahres bzw. eines Schaltjahres jeweils anzupassen. Die Beliebigkeit einer

---

nr. 8). Es ist nach Traill der Enkel des Regenten und zugleich der Stratege im Jahr des Antimachos (IG II² 1285; SEG 3, 123), der Epistates dagegen dessen Onkel.

[37] Es sind IG II² 678 (Hesperia-Suppl. 1 nr. 10; Agora XV 85; der Name des Archons in Zeile 11) und Hesperia-Suppl. 1 nr. 9 (Agora XV 86). Die Gleichsetzung ist durch die gleichen Beamten gesichert.

[38] Vier dieser Bezüge hat Ferguson nachgewiesen (AJPh 66, 1934, 219 Anm. 3). Weiteres dazu hat St. Dow, Hesperia-Suppl. 1, 51–52, ausgeführt. Hinzu kommt, daß Εὐθυκράτης Εὐθυμάχου Ἁλαιεύς, Ephebe ca. 235, ein Sohn des Εὐθύμαχος Εὐθυκράτου Ἁλαιεύς (Agora XV 85, II 21; vgl. p. 395) ist und daß der ebenda II 41 genannte ΕΥΑΙΤΗΣ Δ[Ε]ΙΝΙΟΥ ΦΙΛΑΙΔΗΣ (Pocockes Abschrift) entweder identisch ist mit Εὐαγίδης Δεινίου Φιλαίδης, Spender im Jahre des Diomedon (IG II² 791, 17), oder eher, wenn Εὐάγης herzustellen ist, dessen Bruder (Davies, APF 5232).

[39] In den Zeilen 17–18 scheint mir Meritts Herstellung die beste: [πρὸς ἀνανέω]σιν τῆς φιλί[ας τῆς πρὸς τὸν βασιλ]έα Ἀντίγο[νον].

[40] Meritt, Hesperia 7, 1938, 141: 11; Hesperia 38, 1969, 434: 10.

[41] Athenian Tribal Cycles 24 und 77 Anm. 1. Jahr und Schreiber des Sosistratos sind jetzt durch den Beschluß zu Ehren des Kallias von Sphettos bekanntgeworden (Kapitel IV), womit Fergusons Vermutung sich erledigt hat.

derart spielerisch gehandhabten Methode wird hier besonders offenkundig. Mit Recht hat Heinen[42] Zweifel an der letzten Ergänzung, auf den Namen des Archons Alkibiades, bekundet. Keine der vorgeschlagenen Ergänzungen kann als einigermaßen verläßlich angesehen werden, geschweige denn als sicher.

Der Kontext führt darauf, daß die Ehrung im Zusammenhang mit der Rückgabe der Autonomie an Athen durch König Antigonos stehen könnte. Aber weder ist dies zwingend noch ist dieses Ereignis, das durch Eusebius bezeugt wird, selbst zweifelsfrei datiert (s. Anm. 23). Den Namen des Alkibiades neben den des Sekretärs zu stellen und als dessen Phyle die erste anzugeben, ohne beide Angaben und das Jahr unserer Zeitrechnung mit Fragezeichen zu versehen, ist jedenfalls methodisch nicht zu vertreten.

4. Von ebenso großer historischer Bedeutung wie IG II² 477 ist der Beschluß zu Ehren des Tyrannen Aristomachos von Argos, in dem seiner Waffengemeinschaft mit Athen gegenüber Alexandros, dem Sohn des Krateros, und des gemeinsam geschlossenen Friedens mit diesem gedacht wird, IG II² 774. An ihm hat sich unkritische Gelehrsamkeit besonders kraß manifestiert. Vom Namen des Archons ist nur die Endung --ου erhalten, von dem des Schreibers als ebenso bescheidener Rest des Demotikons nicht mehr als die Endung --ιεύς.[43] Demotika mit dieser Endung gibt es mindestens neunzehn,[44] und sie vertreten wenigstens zehn verschiedene Phylen. Gleichwohl hat Dinsmoor gemeint, unter Ausschluß der zahlreichen Alternativen [Κηφισ]ιεύς ergänzen zu können, und er hat damit für den unbekannten Schreiber die Phyle III gewonnen. Für sie war in seiner Rekonstruktion des Schreiberzyklus im Jahre 252/1 Platz, und in dieses Jahr hat er den Beschluß für Aristomachos daher gesetzt, sodann den ebenso vollständig wie die Ziffer der Prytanie verlorenen Monatsnamen zu [Σχιροφοριῶνος] ergänzt und damit den Frühsommer 251 als Abfassungszeit des Beschlusses ermittelt.

Man braucht diese Seiten Dinsmoors[45] nur nachzulesen, um der ganzen Luftigkeit dieser Kombinationen innezuwerden. Dies alles ist in der Tat auf Sand gebaut, und die zuversichtliche Behauptung «Lykeas, who is hereby dated with the greatest

---

[42] Untersuchungen 189.

[43] So die berichtigte Lesung von Meritt, Hesperia 4, 1935, 551–552.

[44] Dinsmoor a. O. 147–148 erwähnt einige weitere, doch müßte bei ihnen eine überhaupt oder für diese Zeit ungebräuchliche Form oder Orthographie angenommen werden. Er hat andererseits die Demotika Ἁλαιεύς und Ἐρχιεύς übersehen. In seiner Argumentation schließt er die Demotika von sieben Phylen nur deshalb aus, weil Schreiber aus diesen Phylen im Zyklus dieser Jahre, wie er ihn rekonstruierte, nicht unterzubringen seien, d. h. er setzte voraus, was erst zu beweisen war. Dann werden aus haltlosen politischen Erwägungen heraus die beiden ‹makedonischen› Phylen (I und II) ausgeschlossen, so als hätten sie, solange sie als Abteilungen der Bürgerschaft bestanden, einfach ‹übergangen› werden können. Danach bleibt dann die Phyle III als einzige übrig und durch sie das Demotikon [Κηφισ]ιεύς.

[45] List 146–149 und dazu die vorige Anmerkung.

probability» [46] ist wertlos. Gleichwohl sind Pritchett und Meritt [47] Dinsmoor in der Ergänzung des Demotikons gefolgt. In ihrem System war nun freilich für einen Schreiber der Phyle III der rechte Platz vielmehr ein Jahr früher, 253/2. Sie sind sodann noch einen erheblichen Schritt weitergegangen und haben für das gleiche Jahr das präskriptlose Dekret IG II² 792 in Anspruch genommen, in dem Sitonai im Jahre des Archons --bios geehrt wurden. Diesen Stand der Dinge repräsentiert auch Meritts letzte Archontenliste. [48] Der Archon --bios und der Sekretär [----------] ιεύς sind dort unter dem Jahre 253/2 zusammengeordnet, dem Sekretär ist die Phyle III beigeschrieben, und als Belege werden IG II² 774 und 792 verzeichnet – dies alles ohne ein einziges Fragezeichen oder eine Anmerkung, daß vielleicht nicht jede dieser Angaben (wenn überhaupt eine) stichfest ist. Mit Recht hat schon Will geurteilt, daß für die Zugehörigkeit von IG II² 774 zum Jahre des --bios schlechterdings nichts spricht. [49]

Was bei dieser Zuordnung tatsächlich herauskommt, ist das erstaunliche Ergebnis, daß Athen und Argos nicht später als 253/2 mit Alexandros Frieden geschlossen hätten. Das aber kann unmöglich sein: Der Friede ist frühestens 249 geschlossen worden, [50] einerlei, ob man (mit Beloch, Tarn, Ferguson und Will) das Jahr 253/2 als Jahr der *Revolte* Alexanders annimmt oder 249 (mit Porter und Walbank) oder ein noch späteres Jahr (mit De Sanctis). Es folgt aus diesen Bemerkungen, daß das Dekret zu Ehren des Aristomachos jedenfalls in die erste Hälfte der vierziger Jahre gehört. Der Beschluß aus dem Jahre des Archons --bios für die Sitonai enthält insofern Anhaltspunkte zu einer Datierung, als wenigstens drei der vier Sitonai, deren Namen erhalten sind, zu bekannten Familien gehören. Δεινίας Δείνωνος Ἐρχιεύς ist wahrscheinlich kein anderer als Δεινίας Ἐρχιεύς, der im Jahre 266/5 Agonothet der Panathenäen gewesen ist. [51] Ἐρίωτος Δημοφίλου Μελιτεύς ist identisch mit dem Eriotos, der sich im Jahre Diomedons an der Epidosis zum Schutze von Stadt und Land beteiligt hat. [52] Διοκλῆς Χαιρέου Παιανιεύς dürfte der Großvater des Διοκλῆς Χαιρέου Παιανιεύς gewesen sein, der sich im Jahre 183/2 an einer Epidosis (IG II² 2332, I 84) beteiligt hat. [53] Endlich muß

---

[46] Ebenda 149.

[47] Chronology 99.

[48] Historia 26, 1977, 175.

[49] Histoire 1, 287.

[50] Beloch, GG IV 1, 614. IV 2, 90. 521–522.

[51] Hesperia 37, 1968, 284 nr. 21. Diese Identifizierung bei Meritt, ebenda 285, dem ironischerweise das Versehen unterlaufen ist, das Dekret der Sitonai unter dem Archon --bios, das er dem Jahre 253/2 zugeteilt hatte, dort dem Archon Olbios und dem Jahre 275/4 zuzuschreiben. Vgl. auch Davies, APF S. 96.

[52] IG II² 791, 20.

[53] Kirchner, PA 4045 und IG a. O.

Χαίριππος Φιλίππου Λαμπτρεύς wohl ein Verwandter des Buleuten Φίλιππος Φιλιππίδου Λαμπτρεύς im Jahre des Eubulos II (Agora XV 86, 24) gewesen sein.[54] Wegen dieser Bezüge ist das Dekret für die Sitonai dem 3. Viertel des 3. Jahrhunderts zuzuschreiben[55] und mit ihm der Archon --bios.

## 4. Die Archonten Philinos und Kleomachos

Die obenstehenden Ausführungen haben ergeben, daß für die Archonten Lykeas, Eubulos, Alkibiades und --bios ihnen zuzuordnende Schreiber bisher nicht bekannt sind, daß mithin von den Phylen der Schreiber her auch ihre Abfolge nicht bestimmt werden kann. Damit sind aber vom Ende des Chremonideischen Krieges bis zum Jahre 251/0 überhaupt nur drei Archonten mit ihren Grammateis bekannt, nämlich Kleomachos (260/59 nach Meritt) mit einem Sekretär der Phyle VI, Philinos (254/3 nach Meritt) mit einem solchen der Phyle II sowie Kallimedes (252/1 nach Meritt) mit einem Grammateus der Phyle IV. Zu diesen könnte noch Diogeiton mit seinem Schreiber aus der Phyle X hinzukommen, denn er muß jedenfalls in die Zeit nach dem Chremonideischen Kriege herabgerückt werden (oben S. 116 mit Anm. 11), aber es ist nicht sicher, ob er in die fünfziger Jahre gehört.

Diese für jede Rekonstruktion einer Archontenliste der fünfziger Jahre allzu schmale Basis[56] wird noch weiter dadurch verkleinert, daß Kleomachos nicht in das Jahr gehören kann, in das Meritt ihn gesetzt hat. Ein klares Indiz spricht vielmehr dafür, daß er nicht vor, sondern nach Philinos amtiert hat. Es findet sich in der Laufbahn des Θούκριτος Ἀλκιμάχου Μυρρινούσιος. Dieser war nach IG II² 2856 viermal Stratege: im Jahr eines unbekannten Archons, unter Kleomachos, Kallimedes und Thersilochos. Die Annahme, daß die Archonten in dieser Weise aufeinander folgten, ist die natürliche, und sie wird für die Abfolge Kallimedes–Thersilochos durch IG II² 780 gesichert.[57] Durch die Neulesung von IG II² 1279 durch Y. Garlan steht aber jetzt auch fest, daß Thukritos im Jahre des Philinos Hipparch gewesen ist.[58] Das Kommando über die (sehr bescheidene) Reiterei muß wie in den vergleichbaren Fällen[59] der ersten Strategie zeitlich vorausgegangen sein. Daher ist

---

[54] Agora XV p. 460; vgl. Davies, APF 11948.

[55] Für Deinias (vgl. Anm. 51) muß vielleicht die Möglichkeit offengehalten werden, daß er ein jüngerer Verwandter des gleichnamigen Agonotheten von 266/5 ist. Vgl. Davies, APF S. 96.

[56] Noch immer gilt, was Pritchett und Meritt, Chronology 97, vor bald vierzig Jahren schrieben: «There is considerable uncertainty about the archons in the decade after Arrheneides.» So auch G. Nachtergael, Historia 25, 1976, 77.

[57] Vgl. Pouilloux, Rhamnonte 126 nr. 12 und 124 nr. 11.        [58] BCH 89, 1965, 342.

[59] Epichares, Hipparch unter Lysitheides (272/1), Stratege unter Peithidemos zu Beginn des Chremonideischen Krieges (SEG 24, 154); Theophrast, Hipparch unter Menekrates

Philinos vor Kleomachos und, da die erste Strategie derjenigen im Jahre des Kleomachos noch vorausging, mindestens zwei Jahre vor Kleomachos Archon gewesen.[60] Traills und Meritts prosopographischer Kommentar zur neuen Prytaneninschrift aus dem Jahr des Philinos (a.O. 422 ff. 432–433) macht es sicher, daß sie dem Jahre des Eubulos (IG II² 678) zeitlich sehr nahesteht, Eubulos und Philinos mithin als Archonten im Abstand von wenigen Jahren amtiert haben. Da die Festlegung des Eubulos auf 256/5 jedoch trügerisch ist (oben Abschnitt 3,2.), ist hieraus für die absolute Datierung des Philinos nichts zu entnehmen. Wohl aber läßt sich von der Laufbahn des Thukritos her sagen, daß Kleomachos mit einem Sekretär der Phyle VI, der wenigstens zwei Jahre später sein muß als Philinos mit einem solchen der Phyle II, wahrscheinlich eben vier Jahre später als Philinos Archon gewesen ist – sofern der Schreiberzyklus damals regulär verlief. Danach folgten dann, in einigem zeitlichen Abstand, die Strategien des Thukritos unter Kallimedes (IV) und unter Thersilochos (VI).

Ganz unabhängig von jedem Schreiberzyklus stellt sich die Laufbahn des Thukritos wie folgt dar:

| | |
|---|---|
| unter Philinos | Hipparch |
| unter N.N. | Stratege |
| unter Kleomachos | Stratege |
| unter Kallimedes | Stratege |
| unter Thersilochos | Stratege im Küstengebiet |
| unter Ergochares (226/5) | Antragsteller[61] |
| unter Menekrates (220/219) | Buleut.[62] |

Sein Vater Alkimachos war Hipparch im Jahre 282/1 und Paredros des Archons im Jahre 266/5.[63] Die mit der Hipparchie beginnende Laufbahn des Sohnes dürfte

---

220/19, Stratege unter Kalli-- 218/7 (IG II² 1303; SEG 25, 157; Moretti, Iscrizioni 31); Kallisthenes, Hipparch unter Antimachos, Stratege unter Phanostratos und Pheidostratos (IG II² 2854; Rhamnonte nr. 9; Moretti, Iscrizioni 26).

[60] Für Garlan ergab sich kein Problem, da er noch mit der damals herrschenden Ansicht in Philinos den Archon des Jahres 269/8 sah. Von diesem Jahr hat ihn Meritt, Hesperia 38, 1969, 432–436, auf 254/3 heruntergedatiert, nachdem sein Schreiber, aus der Phyle II, bekanntgeworden war, der dann auch erlaubte, IG II² 697 für das Jahr des Philinos in Anspruch zu nehmen. Gedanken über die notwendigen Konsequenzen dieser Herabdatierung des Philinos für die Datierung des Kleomachos und die Karriere des Thukritos hat Meritt sich offenbar nicht gemacht. Es ergibt sich, daß Pouilloux (Rhamnonte S. 126. 127) im wesentlichen richtig gesehen hatte.

[61] Moretti, Iscrizioni 28. Derselbe auch IG II² 791, d III 29.

[62] Hesperia 38, 1969, 427, 88.

[63] Für die Hipparchie AD 18 A, 1963, 104 (SEG 21, 525), für das Amt im Jahr des Nikias Otryneus IG II² 668, 19.

daher ganz in die Zeit nach dem Chremonideischen Kriege fallen, ihr Beginn bald nach dem Friedensschluß liegen, so daß der Archon Philinos eher etwas früher als 254/3 anzusetzen ist und schwerlich später als um die Mitte der fünfziger Jahre. Kleomachos aber kann nicht 260/59 sein; er muß jedenfalls um eine ganze Reihe von Jahren herabgerückt werden.

## 5. Antimachos und seine Gruppe

Im Zusammenhang mit der Herabdatierung des Philinos von 269/8 auf 254/3 ist ein anderer Archon, Antimachos, von 251/0 auf 233/2 hinuntergesetzt worden, da Philinos den Philostratos aus dem Jahr 254/3 verdrängte und dieser seinerseits durch die militärische Karriere des Kallisthenes am Beginn einer Kette von vier Archonten steht, in der Antimachos, Phanostratos und Pheidostratos ihm in dieser Folge, aber in ungewissen Abständen, folgten.[64] Spezifische Gründe dafür, Antimachos oder einen der drei anderen in die zweite Hälfte der dreißiger Jahre hinabzurücken, hat Meritt nicht vorgebracht, sondern nur für Antimachos ein in seiner Tabelle freies und für einen Schreiber aus der Phyle V passendes Jahr gesucht und dies in 233/2 gefunden. Die drei anderen Archonten mußten naturgemäß folgen, und die Neuansetzung brachte es weiter mit sich, daß alle vier, da Iason nicht später als 230/29 sein kann,[65] einander unmittelbar gefolgt sein müßten.[66] Das wird durch die Laufbahn des Kallisthenes zwar nicht geradezu ausgeschlossen, aber jedenfalls auch nicht gefordert und ist an sich nicht besonders wahrscheinlich. Eine Prüfung des Sachverhalts erscheint daher und wegen der mechanischen Art, in der diese vier Archonten jetzt plaziert worden sind, notwendig. Es wird sich zeigen, daß die Herabdatierung vorschnell war.

Die Prüfung muß sich vor allem an Antimachos orientieren, für den es einige Zeugnisse gibt, während für die drei anderen Archonten der Gruppe weitere Indizien nahezu völlig fehlen (für Pheidostratos s. unten S. 133). Folgende Jahre sind für Antimachos in neuerer Zeit vorgeschlagen worden: 257/6,[67] 251/0,[68] 250/49,[69] 244/3,[70] 233/2.[71] In der älteren Forschung sind noch andere Jahre genannt worden; die extremen Daten sind ca. 294 bis 203/2.[72]

---

[64] Meritt, Hesperia 38, 1969, 435. Die Inschrift des Kallisthenes ist IG II² 2854; Pouilloux, Rhamnonte nr. 9; Moretti, Iscrizioni 26.    [65] Vgl. die in Anm. 6 genannte Literatur.

[66] Allenfalls kann Iason, nach Meritt, Historia 26, 1977, 177, zwischen Phanostratos und Pheidostratos, d. h. ins Jahr 231/0, gesetzt werden.

[67] Ferguson, Athenian Tribal Cycles, 1932, 25. 81.

[68] Dinsmoor, Archons 171. Pritchett–Meritt, Chronology 99–100. Meritt, Year 234.

[69] Dinsmoor, List 149–151.    [70] Beloch, GG IV 2, 90. 97.

[71] Meritt, Hesperia 38, 1969, 435; Historia 26, 1977, 177.

[72] Siehe die Tabelle bei Dinsmoor, Archons 171.

Aus dem Jahr des Antimachos stammt die Urkunde zu Ehren eines in Athen ansässigen Pergameners, die auch den Schreiber des Archons und dessen Demotikon bekanntmacht.[73] Der Name des Schreibers kehrt in IG II² 769 wieder und sichert in diesem rhodische Theoren betreffenden und von Wilhelm mit IG II² 441 verbundenen Dekret[74] die Ergänzung des Archontennamens. In dem Beschluß zu Ehren des Pergameners wird u. a. hervorgehoben, daß dieser sich gerade eben an ἐπιδόσεις ἐγ [τῶι] δ[ήμωι - 8 - εἰς τὴν] τῆς πό[λεω]ς [φ]υλακήν beteiligt habe, und er wird dafür mit der Isotelie und mit dem Recht der Enktesis bedacht. Vom Inhalt des die Theoren aus Rhodos betreffenden Psephismas ist so gut wie nichts erhalten, doch wird der Antragsteller Λυκομήδης Δι[-- 16 -] von J. Traill sehr plausibel identifiziert mit Λυκομήδης Δι[οχάρου Κονθυλῆθεν], der im Jahre des Philinos einen Ratsbeschluß beantragt hat,[75] weiter mit dem Asklepiospriester Λυκομήδης Κονθυλῆθεν, den Pritchett und Meritt dem Jahre 267/6 zugewiesen haben,[76] wofür allerdings das chronologische Fundament nicht sehr tragfähig ist. Da der Archon Philinos, derzeit auf 254/3 datiert, schwerlich später als dieses Jahr, wohl aber etwas früher sein kann (oben Abschnitt 4), spricht dieser Umstand entschieden dafür, für Antimachos ein früheres Jahr als 233/2 anzunehmen, wenn es auch nicht geradezu ausgeschlossen ist, daß Lykomedes sowohl zu Beginn oder in der Mitte der fünfziger Jahre und am Ende der dreißiger Jahre Anträge gestellt haben kann.

Aus dem auf Antimachos folgenden Jahr stammt das Ehrendekret IG II² 798. Der geehrte Mann ist der Sohn eines Charias aus Kydathen.[77] Den Beschluß hat Kirchner in die Mitte des 3. Jahrhunderts gesetzt, der Name des Archons ist weggebrochen. Den unmittelbaren Anlaß zur Ehrung gaben die Verdienste des Mannes während seiner Agonothesie, und er wurde daher geehrt, sobald er für dieses Amt Rechenschaft abgelegt hatte (Zeile 22). Drei Momente hatten seine Amtsführung über das gewöhnliche Maß hinaus denkwürdig gemacht: eine großartige Gestaltung der Dionysien, bei denen neben den Athenern auch anwesende Aitoler, offenbar Gesandte oder Theoren, besonders bedacht wurden (12–15), weiter Aufwen-

[73] IG II² 768, verbunden mit 802 von Wilhelm, AM 39, 1914, 266; vgl. denselben, SBWien 1916, 12 (Akademieschriften 1, 436), ferner A. Kuenzi, Epidosis, Diss. Bern 1923, 54 Anm. 2.
[74] Wilhelm, AM 39, 1914, 266.
[75] Hesperia 38, 1969, 419 nr. 1, 23, und dazu Traill, ebenda 423.
[76] Chronology 70. 77. Zur Frage der Zuverlässigkeit dieser Datierungen der Asklepiospriester teile ich die weitgehende Skepsis von Heinen, Untersuchungen 115, und von Samuel (oben Anm. 4) 211 Anm. 2. Mehr dazu demnächst an anderer Stelle.
[77] Vgl. Davies, APF 5604. Der Hinweis im Dekret auf die Verdienste der Vorfahren macht es so gut wie sicher, daß der Geehrte zur Trierarchenfamilie des Εὐθυκράτης Χαρίου Κυδαθηναιεύς gehörte. Er war möglicherweise ein Enkel des Strategen Charias, der 298 im Bürgerkrieg gegen Lachares unterlag und hingerichtet wurde (oben Kapitel I, Abschnitt 4; Davies a. O.).

dungen aus dem eigenen Vermögen in Höhe von mehreren Talenten (18–19), endlich die Beteiligung an einer Epidosis zum Schutze des Landes (19–20). Daß auch
diese Epidosis noch ins Jahr seiner Agonothesie gehört, folgt aus Zeile 21. Die
Agonothesie aber ist, wie die Zeilen 10–11 zeigen, ἐπὶ ἄρχοντος ᾽Α-- ausgeübt
worden. Da nun durch IG II² 768 eine derartige Epidosis für das Jahr des Antimachos bezeugt ist, ergibt sich, wie Meritt richtig erkannt hat,[78] daß der Betreffende unter Antimachos Agonothet gewesen ist und im Jahre seines Nachfolgers
durch den vorliegenden Beschluß geehrt wurde.

Diese Epidosis im Jahre des Antimachos ist natürlich verschieden von derjenigen
unter Diomedon, die zudem auch der Sicherheit der Stadt, neben der des Landes,
galt.[79] Die Gefahr war offenbar unter Antimachos weniger groß als unter Diomedon. Es ist noch strittig, ob die Epidosis unter Diomedon in die vierziger Jahre
oder in eins der letzten Jahre des Demetrischen Krieges gehört.[80] Für diejenige
unter Antimachos kommt die Zeit des Krieges gegen Alexandros, den Sohn des
Krateros, in Betracht, der 249 oder nicht viel später mit Athen Frieden schloß.[81]
Ferner kann an die Jahre achäischer Einfälle nach Attika, 242 und 240, gedacht
werden,[82] endlich an den Demetrischen Krieg, d. h. an die dreißiger Jahre.

Zu berücksichtigen ist auch der Beschluß der Garnison von Eleusis für Demetrios, einen Strategen im eleusinischen Militärbezirk.[83] Er stellt zwei Hauptpro-
bleme, das der Identität des Strategen und das seines ersten im Beschluß erwähnten
Kommandos, das eben ins Jahr des Antimachos gehört. Allgemein sieht man in
diesem Demetrios den Enkel des Demetrios von Phaleron, für den durch Hegesandros (bei Athenaios 4, 167F) die Hipparchie ebenso bezeugt ist wie durch das
Dekret aus Eleusis für den Strategen.[84] Jetzt hat ein neuer Text gelehrt, daß der
Enkel des Regenten nicht auch Sohn eines Demetrios war, sondern, wie man es an

---

[78] Hesperia 4, 1935, 583. Die Argumentation wird nicht davon berührt, daß er damals
Kleomachos, später Thersilochos, endlich Phanostratos für den Nachfolger des Archons
Antimachos hielt.

[79] IG II² 791 mit den neuen Fragmenten Hesperia 11, 1942, 287ff. nr. 56. Näheres zu
diesem Text an anderer Stelle.

[80] Die herrschende Ansicht setzt Diomedon ins Jahr 247/6; das genaue Datum ist abhängig vom Jahr des Polyeuktos, dessen zweiter Nachfolger Diomedon gewesen ist (unten
Abschnitt 6). Kirchner vertrat in seiner letzten Veröffentlichung (HSCP-Suppl. 1, 1940,
503ff.) die Auffassung, daß es im Abstand von etwa 15 Jahren zwei Archonten des Namens
Diomedon gegeben habe und daß die Epidosis dem jüngeren Diomedon, am Ende des Demetrischen Krieges, zuzuschreiben sei.

[81] Oben Abschnitt 3, Ziffer 4.

[82] F. W. Walbank, JHS 56, 1936, 71.

[83] IG II² 1285, dazu Wilhelm, SBWien 1925, 36 (Akademieschriften 1, 496), danach SEG
3, 123.

[84] Zuletzt in diesem Sinne Davies, APF S. 109.

sich erwarten sollte, Sohn eines Phanostratos.[85] Tatsächlich kann keiner dieser beiden Phalereer mit dem Namen Demetrios, die miteinander zweifellos verwandt waren, der durch das Dekret aus Eleusis geehrte Mann sein. Denn der Kontext bei Hegesandros macht klar, daß der Enkel des Regenten sehr bald nach dem Chremonideischen Krieg von König Antigonos zum Thesmotheten Athens bestellt wurde, was jedenfalls nach der Mitte der fünfziger Jahre nicht gewesen sein kann.[86] Dieses vom König vergebene Amt war schwerlich das traditionelle athenische Amt, sondern gewiß eine spezielle Stellung, die der eines königlichen Bevollmächtigten nahekam. Die an Bedeutung viel geringere Hipparchie des Phalereers Demetrios muß früher liegen, jedenfalls erheblich früher als die Hipparchie des durch den Beschluß aus Eleusis geehrten Mannes. Dieser ist mithin ein späterer Homonymos, dessen Vatersnamen und Demotikon unbekannt bleiben.

Adolf Wilhelm hat allerdings gemeint, seine Identität mit dem Enkel des Regenten durch entsprechende Ergänzung des eleusinischen Dekrets wahrscheinlich machen zu können.[87] Seine Herstellung der Zeilen 4–6 von IG II² 1285 ist von diesem Wunsch diktiert und lautet: [στρατηγὸς δὲ ἐ|π'] Ἀντιμάχου ἄ[ρχοντος κατασταθεὶς ὑπὸ Ἀντιγόνου | ἵ]ππαρχός τε χε[ιροτονηθεὶς ὑπὸ τοῦ δήμου...].

Diese Herstellung hat den Beifall von Ferguson gefunden[88] und gilt geradezu als kanonisch. Sie kann jedoch nicht richtig sein, da dem Antigonos unter den von Wilhelm vorausgesetzten Umständen der Königstitel unbedingt hätte beigelegt werden müssen, so wie er in dem von Wilhelm als Modell benutzten Beschluß BCH 1924, 264ff. (SEG 3, 122) nicht weniger als dreimal beim Namen und ein viertes Mal (ergänzt) ohne den Namen steht.[89] Ergänzt werden kann vor der Hipparchie nicht ein mit ihr kumuliertes, sondern nur ein ihr vorausgehendes, von ihr verschiedenes Amt, und zwar nur die Phylarchie: Sie ist im Jahre des Antimachos von Demetrios versehen worden. Von königlicher Ernennung ist überhaupt nicht die Rede. Es handelt sich in den zitierten Worten um zwei verschiedene Offiziersposten, von denen der erste, da er weiter zur Hipparchie führte, natürlicherweise die Phylarchie war.[90] Als Hipparch hat Demetrios sich Bekränzung durch das Volk verdient, das

---

[85] Oben S. 122 Anm. 36.

[86] Oben S. 116.

[87] Wilhelm a. O.

[88] Brief Fergusons, zitiert bei Dinsmoor, Archons 172.

[89] Dies ist so eindeutig, daß es keiner weiteren Auseinandersetzung mit Wilhelms Hypothese bedarf, in IG II² 1285 seien die Hipparchie und die vom König verliehene Strategie miteinander identisch. Dies ist sicher falsch, und die vermeintliche Parallele aus dem Jahr 127 v. Chr. ist zur Stützung von Wilhelms Ansicht nicht geeignet.

[90] Im Banne der herkömmlichen Identifizierung mit dem jüngeren Phalereer habe auch ich seinerzeit gestanden (AM 76, 1961, 137). Aber es war schon damals meine Meinung, daß in Zeile 4–5 nur von der Phylarchie die Rede gewesen sein kann; nur habe ich sie damals nicht begründet. Daher bemerkt Davies, APF S. 109: «On no quoted authority Habicht 137 credits

ihn danach in die zur Zeit der Ehrung oder kurz zuvor versehene Position des Strategen für den eleusinischen Militärbezirk wählte.

Festzuhalten ist mithin, daß dieser Demetrios seine militärische Laufbahn im
Jahr des Antimachos mit der Phylarchie begonnen hat. Sein vorgesetzter Hipparch
ist ebenfalls bekannt: Kallisthenes, Sohn des Kleobulos, aus Prospalta, IG II² 2854
(oben S. 128). Dieser war unter Philostratos Phylarch gewesen und ist nach der
Hipparchie zu Strategien unter Phanostratos und Pheidostratos aufgestiegen, während Demetrios unter unbekannten Archonten Hipparch, sodann Stratege des eleusinischen Militärbezirks wurde. Die Zahl der Männer, die damals eine derartige
militärische Karriere absolvierten, war nicht groß und zwischen Phylarchie und
Hipparchie in der Regel wohl nur ein sehr kurzes Intervall. Kallisthenes war mithin
in seiner Laufbahn dem Demetrios nur um ganz wenige Jahre voraus.

Auch für den Strategen im eleusinischen Bereich hat sich aus dem Jahr des Antimachos eine Ehrung erhalten, leider aber nicht sein Name. Und zwar ist der Betreffende sowohl von der Garnison athenischer Bürger in Eleusis wie von den dort sta-
tionierten Söldnern durch Bekränzung geehrt worden.[91]

Endlich gibt es eine aus dem Jahr des Antimachos stammende Weihung von
Thiasoten, die am Südhang der Akropolis gefunden wurde, die aber, abgesehen
von dem Schriftcharakter, keine datierenden Merkmale enthält.[92]

Wie die vorstehenden Bemerkungen zeigen, ist es verhältnismäßig viel, was aus
dem Jahr des Antimachos bekannt ist. Der Zufall fügt es, daß für sein Jahr der
Phylarch Demetrios, der Hipparch Kallisthenes und der Stratege des eleusinischen
Militärbezirks, ferner auch der Agonothetes durch Ehrungen bezeugt sind. Weiter
hat in seinem Jahr eine Epidosis zum Schutze des Landes stattgefunden und sind
rhodische Theoren sowie Gesandte aus Aitolien (oder Theoren) in Athen bezeugt.
Die Dionysien, am ehesten wohl die großen Dionysien, sind mit mehr als gewöhn-
lichem Glanz begangen worden. Und doch ist der einzige für die Datierung des
Antimachos wirklich relevante Hinweis bisher der Umstand, daß ein Antragsteller

---

him with a year as phylarch as well.» Da Wilhelm jedenfalls in die Irre gegangen ist, da ferner
der ersten militärischen Stellung später Hipparchie und Strategie gefolgt sind, kann diese erste
Stellung nur die Phylarchie gewesen sein, da man von der Position des Taxiarchen nicht zu der
des Hipparchen aufrückt.

[91] IG II² 3460 mit den Kränzen IV, V und VII. Ich halte es für gut möglich, wenngleich
nicht für sicher, daß er identisch ist mit dem von den Söldnern dieses Militärbezirks durch
Bekränzung geehrten Strategen (Name von 6 Buchstaben) ἐπὶ τὴν χώραν τὴν ἐπ᾽ Ἐλευσῖνος
in der stoichedon geschriebenen Urkunde IG II² 1287, die Kirchner in die Mitte des 3. Jahrhunderts datiert hat. Wenn dies richtig ist, so ist dort in Zeile 1 [ἐπ᾽ Ἀντιμάχου] zu schreiben
(schon erwogen von Dinsmoor, Archons 188), und so würden weiter IG II² 1287 und 3460
vermutlich zum gleichen Stein gehören.

[92] Hesperia 16, 1947, 63 nr. 1, datiert ἐπὶ Ἀντιμάχο[υ ἄρχοντος].

in seinem Jahr, Lykomedes, auch im Jahre des Philinos einen Antrag gestellt hat. Er spricht für eine höhere Datierung des Antimachos als 233/2. Weiter führt nun endlich das einzige sonstige Zeugnis für das mindestens zwei Jahre spätere Archontat des Pheidostratos.

Es handelt sich um eine Weihung des Δεινίας Κηφ[ισο]δότου Βουτάδης, die dieser als Thesmothet im Jahre des Archons Pheidostratos, offenbar im Auftrage von Rat und Volk, dargebracht hat.[93] In der großen Buleutenliste vom Jahre 303/2 vertritt in der Phyle Oineis seinen Demos als einziger Ratsherr Κηφισόδο[τος Δε]ινί[ου] Βουτάδης.[94] Der Schluß drängt sich geradezu auf, daß der Buleut Kephisodotos der Vater des Thesmotheten Deinias im Jahre des Pheidostratos gewesen ist.[95] Ist dies richtig, so kann das Jahr des Pheidostratos jedenfalls nicht viel nach 250 fallen und ist der ihm wenigstens zwei Jahre voraufgehende Archon Antimachos eher vor als nach 250 anzusetzen, vermutlich in die zweite Hälfte der 50er Jahre. Und dies stimmt gut zu den für Lykomedes, Antragsteller im Jahre des Philinos und in dem des Antimachos, vorauszusetzenden Daten. Die 1969 herabdatierte Archontenreihe Philostratos, Antimachos, Phanostratos und Pheidostratos ist wiederum erheblich hinaufzurücken.

## 6. Polyeuktos und die Archonten von Thersilochos bis Lysias

Seit 1948 besteht in allen Lagern der attischen Archontenforschung Einmütigkeit darüber, daß insgesamt acht Archonten, unter ihnen Polyeuktos, einander in ununterbrochener Kette so gefolgt sind: Thersilochos, Polyeuktos, Hieron, Diomedon, Philoneos, Theophemos, Kydenor, Eurykleides.[96] Ein leiser Zweifel kann allenfalls noch daran bestehen, ob nicht etwa zwischen Diomedon und Theophemos noch ein weiterer Name, der am Ende der ersten Kolumne von SEG 2, 9 gestanden haben müßte, verlorengegangen ist. Umstritten ist weiterhin die Zuordnung dieser Archonten zu bestimmten Jahren. Die hauptsächliche Meinungsverschiedenheit ist dabei die, ob für Polyeuktos 246/5 das früheste mögliche Jahr

---

[93] IG II² 2855.

[94] Hesperia 37, 1968, 13, 122–123; Agora XV 62, 185–186. Durch ein neues Fragment ist sein Name (bisher IG II² 1746, 25–27) dort glücklich vervollständigt worden.

[95] Dieser Schluß ist Agora XV p. 376 vermieden, wo nur mit ‹cf.› vom Namen des Buleuten auf den des Thesmotheten verwiesen wird, offenbar mit Rücksicht auf den späten Ansatz des Archons Pheidostratos im Jahre 231/0 bzw. 230/29.

[96] Darin stimmen überein Meritt, Hesperia 17, 1948, 13. Klaffenbach, RE Polyeuktos (1952) 1623–1629. Dinsmoor, Hesperia 23, 1954, 315. Pélékidis, BCH 85, 1961, 66–67. Meritt, Year 234. Manni, Historia 24, 1975, 27–28. Meritt, ebenda 26, 1977, 175–176. Der dieser Ordnung zugrundeliegende Sachverhalt ist besonders klar auseinandergesetzt von Klaffenbach und Pélékidis.

ist oder ob, wie sowohl Meritt als auch Manni annehmen, auch ein etwas früheres Jahr in Betracht kommt.[97] Mit Robert, Klaffenbach, Pélékidis und Nachtergael halte ich es für bei weitem wahrscheinlicher, daß 246/5 das frühestmögliche Datum für ihn ist, d. h. daß die Einladung zu den aitolischen Soterien, die Athen im Jahre des Polyeuktos angenommen hat, gleichzeitig auch an Smyrna ergangen und das von dieser Stadt unter König Seleukos II. abgefaßte Antwortdekret etwa gleichzeitig mit dem athenischen ist und nicht mehrere Jahre später, was auf 246/5 als frühestes mögliches Jahr führt.

Wenn dies richtig ist, so ist Polyeuktos frühestens 246/5, Eurykleides frühestens 240/39 Archon gewesen. Andererseits ist der Demetrische Krieg, wie urkundlich feststeht, unter dem Archon Lysias ausgebrochen.[98] In Meritts letzter Archontenliste ist Lysias der vierte Nachfolger des Eurykleides. Er käme mithin, nach dem für Polyeuktos angenommenen Datum, frühestens ins Jahr 236/5 zu stehen. Dies ist für den Kriegsausbruch jedenfalls zu spät, der nicht später fallen kann als 237.[99]

---

[97] Der Forschungsstand ist bis 1948 klar beschrieben von Klaffenbach, RE Polyeuktos (1952) 1623–1629. Die Hauptfrage, an der sich die Meinungen scheiden, ist, ob Smyrnas Annahmedekret der aitolischen Soterien etwa gleichzeitig mit dem athenischen Annahmedekret aus dem Jahr des Polyeuktos ist. Sind beide Dekrete ungefähr gleichzeitig, so kann Polyeuktos nur in eins der Jahre zwischen 246 und 240 gehören. Ist dagegen der Beschluß von Smyrna erst einige Jahre später als der athenische gefaßt worden, so könnte Polyeuktos auch in ein früheres Jahr gehören, z. B. 249/8, wie Meritt im Einklang mit anderen amerikanischen Forschern seit langem annimmt. Er könnte sich jetzt auch darauf berufen, daß die Amphiktyonen in Delphi die Teilnahme an den Ptolemaia in Alexandreia erst lange nach ihrer Einrichtung und wesentlich später als die Nesioten (Sylloge 390) und die Athener (das neue Dekret für Kallias von Sphettos, oben Kapitel IV) beschlossen haben, wie jetzt unzweifelhaft feststeht (vgl. Habicht, Gottmenschentum 258–9, weiterführend Étienne und Piérart, BCH 99, 1975, 62, sowie T. L. Shear im Kommentar zu Agora Inv. I 7295). Für das Jahr 247/6 als das Jahr des Polyeuktos ist Pélékidis eingetreten (s. Anm. 96). Ist dies richtig, so braucht mit einem Bruch in der Schreiberfolge in den sechziger oder fünfziger Jahren nicht gerechnet zu werden (oben Anm. 19). Aber diese Datierung des Polyeuktos ist nicht mit Pélékidis' eigener Überzeugung zu vereinen, daß in seinem Amtsjahr Seleukos II. bereits König war, da die keilinschriftliche Liste mit den seleukidischen Königsdaten gelehrt hat, daß Seleukos II. im August 246 auf den Thron kam (A. J. Sachs und D. J. Wiseman, Iraq 16, 1954, 206. 210. Vgl. J. und L. Robert, Bull. épigr. 1955, 38 a. H. Bengtson, Historia 4, 1955, 113), mithin zu Beginn des attischen Jahres 246/5 (und nicht im Laufe des Jahres 247/6). Für das Jahr 246/5 als das Jahr des Polyeuktos argumentiert G. Nachtergael, Historia 25, 1976, 62–78; ders., Les Galates en Grèce et les Sôtéria de Delphes, 1977, 211–241.

[98] IG II² 1299, 57.

[99] Daß der Krieg in einem der ersten Jahre des Demetrios II. ausgebrochen ist, ist immer klar gewesen. Die derzeit herrschende Meinung, dies müsse schon 239 gewesen sein, geht zurück auf die These von M. Feyel (Polybe et l'histoire de Béotie au troisième siècle avant notre ère, 1942, 83–105), daß der in mehreren Dekreten von Megara genannte König Demetrios nicht, wie zuvor angenommen, Demetrios Poliorketes, sondern Demetrios II. sei, der die

Man hat daher, will man nicht die soben gerade geäußerte Ansicht über die Zeit des Polyeuktos sogleich revidieren, zu prüfen, ob die von Meritt zwischen Eurykleides und Lysias angesetzten drei Archonten Phanomachos, Lysiades und Athenodoros wirklich hier in die Kette einzufügen sind. Es wird sich zeigen, daß dies für keinen der drei notwendig ist.

1. Für Phanomachos gibt es kein zuverlässiges Kriterium, das seine Datierung erlaubte. Aus seinem Jahr stammt das kümmerliche Fragment einer Weihung [100] und weiter der Vertrag des Heptaphyleis mit den Sunieis. [101] Dem Mangel an zuverlässigen Anhaltspunkten ist es zuzuschreiben, daß die Datierung des Phanomachos in den letzten vierzig Jahren zwischen 260/59 und 230/29 geschwankt hat. [102] Irgendeine Notwendigkeit, ihn zwischen Eurykleides und Lysias unterzubringen, besteht daher offenkundig nicht (vgl. Anm. 136).

2. Für Lysiades gibt es den wichtigen Stein, der aus den beiden Teilen IG II² 775 und 803 zusammengesetzt worden ist. Er ist von R. O. Hubbe erneut am Original verglichen und mit Kommentar neu herausgegeben worden. [103] Nacheinander enthält er zwei Dekrete für Asklepiospriester, die miteinander durch den gleichen Antragsteller verbunden sind. Die früher vorherrschende Ansicht, daß die Beschlüsse zwei verschiedenen Priestern gelten und folglich aus zwei verschiedenen Jahren stammen müßten, hat Hubbe widerlegt: Sie können ebensowohl zu verschiedenen Zeiten des Jahres für denselben Priester beschlossen worden sein.

---

Stadt den Achäern im Kriege entrissen habe. Diese Ansicht ist fast allgemein akzeptiert worden (vgl. z. B. Pélékidis, BCH 85, 1961, 63 Anm. 5. F. W. Walbank, A Historical Commentary on Polybius 1, 1957, 235. Will, Histoire 1, 314. 316). Eine bestimmte Ablehnung hat anscheinend nur J. A. O. Larsen ausgesprochen (The Classical Tradition. Studies … Caplan 1966, 52 Anm. 25). Die These Feyels wird jedoch jetzt in überzeugender Weise widerlegt von R. Urban in einem Kapitel seines Buches: Wachstum und Krise des Achäischen Bundes, das ich dank der Liebenswürdigkeit des Verfassers im Manuskript einsehen konnte. Mit Recht legt Urban auf das Zeugnis des Polybios (20, 6, 8) Gewicht, daß Megara von 243 bis ca. 224 achäisch blieb. Aber auch die aus den megarischen Dekreten zu ermittelnden Sachverhalte, u. a. die Prosopographie, sprechen gegen die These von Feyel: In jenen Urkunden muß es sich tatsächlich um Demetrios Poliorketes handeln. Es besteht dann nicht länger Anlaß, den Ausbruch des Demetrischen Krieges gerade in das erste Jahr Demetrios' II. zu setzen, und man kehrt daher vielleicht am besten zur Ansicht Belochs zurück, der seinen Beginn ins Jahr 237 datiert (GG IV 2, 87–88. 527. 528: Spätsommer oder Herbst 237). Vgl. aber unten Abschnitt 7.

[100] Hesperia 29, 1960, 58 nr. 87; SEG 19, 228.

[101] Hesperia 7, 1938, 9 nr. 2.

[102] Ferguson, Hesperia 7, 1938, 74, hielt 260/59 oder ein Jahr nach 252/1 für möglich. Pritchett und Meritt, Chronology XX, nahmen 260/59 an. Manni, Historia 24, 1975, 28, tritt für 244/3 ein, Meritt (Year 234 und Historia 26, 1977, 176) für 242/1, Dinsmoor, List 159, für 230/29.

[103] Hesperia 28, 1959, 174 nr. 3; SEG 18, 19.

Das in Zeile 27 beginnende zweite Dekret ist aus dem Jahre des Lysiades; vom Namen des Schreibers ist Ἀριστόμαχος Ἀριστο[- ca. 15-] erhalten, was zu einer Identifizierung nicht ausreicht und mithin Demotikon und Phyle des Aristomachos im dunkeln läßt. Die ersten beiden Zeilen des ersten Dekrets und mit ihnen der Name des Archons in der ersten Zeile fehlen völlig. Es könnte Lysiades, es könnte aber auch einer seiner nicht weit entfernten Vorgänger gewesen sein. Sowohl Philoneos[104] wie Kydenor[105] sind vorgeschlagen worden. Der eine wie der andere Vorschlag ist ohne alle Gewähr. Beide gehen von der Voraussetzung aus, daß der Archon nicht Lysiades gewesen sein könne (was eben keineswegs sicher ist), und beide scheinen zudem bereits von einer vorgefaßten zeitlichen Einordnung des Lysiades bestimmt zu sein, zu dem man dann, wegen des gleichen Antragstellers in beiden Dekreten, einen Vorgänger in möglichst kurzem Zeitabstand und mit verhältnismäßig kurzem Namen suchte, der die Lücke füllen sollte.

Weiter führt dagegen die Beobachtung, daß im zweiten Dekret (dem nach Lysiades datierten) der Epistates Εὐχάριστος Χάρητος Ἀφιδναῖος ist. Sein Sohn Χάρης Εὐχαρίστου Ἀφιδναῖος ist gut bekannt als ein aktiver Politiker. Er hat 228/7 und 220/19 zwei Dekrete beantragt,[106] erscheint zwischen 229 und 224 einmal unter den Prohedroi eines Beschlusses[107] und ist 221/0, als einer von drei Areopagiten, zusammen mit drei anderen ἐξ ἁπάντων Ἀθηναίων, in eine Kommission gewählt worden.[108] Es kann nicht wirklich zweifelhaft sein, daß er (und nicht sein Großvater Chares) der jetzt auf einem neuen Zeugnis vom Kerameikos erscheinende Hippeus Chares, um oder kurz vor 250, ist.[109] Seine hauptsächliche politische Aktivität fällt in das Jahrzehnt zwischen 230 und 220. Danach sollte diejenige seines Vaters am ehesten in das Jahrzehnt zwischen 260 und 250 gehören. Dies wird bestätigt durch die Proxenieurkunde aus Oropos für ihn, die um die Mitte des 3. Jahrhunderts datiert wird.[110] Dies alles spricht dafür, den Archon Lysiades, unter dem Eucharistos einen Tag lang als Vorsitzender der Ekklesie fungiert hat, früher als um oder nach 240 anzusetzen, d. h. die Wahrscheinlichkeit ist größer,

---

[104] So Pritchett und Meritt, Chronology XXII und 78.

[105] So Dinsmoor, Hesperia 23, 1954, 315, dem sich hinsichtlich der Ergänzung (nicht der Datierung) Meritt inzwischen angeschlossen hat.

[106] Agora XV 120, 8 und 130, 5 und 42.

[107] IG II² 852, 9. St. Dow, Hesperia 32, 1963, 364–365.

[108] IG II² 839, 52.

[109] Die abweichende Meinung von J. Kroll, Hesperia 46, 1977, 104, erklärt sich eben daher, daß er von Meritts Datum für den Archon Lysiades (241/0) ausging und es als feste Größe für den Epistates Eucharistos in sein Kalkül einbezog.

[110] AE 1952, 196 nr. 26; SEG 15, 267 (von Kroll a. O. auf Grund meiner Mitteilung zitiert).

daß er *vor* die mit Thersilochos und Polyeuktos beginnende Kette von acht Archonten gehört, als daß er dem letzten Archon dieser Kette folgte. Jedenfalls besteht keinerlei Notwendigkeit, ihn zwischen Eurykleides, mit dem sie endet, und Lysias, unter dem der Demetrische Krieg begann, einzufügen.[111]

3. Es bleibt Athenodoros. Auch für ihn gibt es kein Indiz, das dazu zwänge, ihn zwischen Eurykleides und Lysias einzuschieben, wohl aber gibt es Anzeichen dafür, daß auch er vor die mit Thersilochos beginnende Kette der Acht gehört. Mehr noch: die traditionelle Datierung auf 240/39[112] ist nicht nur zu spät, sondern auch deshalb falsch, weil Athenodoros aller Wahrscheinlichkeit nach in ein Jahr der Großen Panathenäen gehört.

Aus dem letzten Monat und der letzten Prytanie seines Jahres stammt das Dekret IG II² 784 zu Ehren der Athlotheten der Panathenäen. Der Schreiber, Ἄρχετος Ἀρχίου Ἀμαξαντεύς, aus der Phyle X, ist sonst nicht bekannt. Geehrt werden die Athlotheten für die Ausrichtung der Panathenäen; mit ihnen wird Agathaios aus Prospalta für seine Mitwirkung bei der Veranstaltung der musischen, gymnischen und hippischen Agone belobt.[113] Nach dem Kontext ist es klar, daß er nicht selbst einer der Athlotheten ist,[114] sondern daß er diese aus eigener Initiative unterstützt hat, vermutlich, indem er Geld beisteuerte.[115]

Es muß sich hier um die Großen Panathenäen handeln, denn die Athlotheten sind «eine Behörde der peneterisch begangenen Panathenäen»,[116] während die Hieropoioi das kleine, jährliche Fest vollständig verwalten.[117] Die Agone sind Teile des großen Festes,[118] und dieses ist gemeint, wenn wie hier von τὰ Παναθήναια

---

[111] Die bisher für Lysiades angenommenen Daten reichen von 250/49 (v. Schöffer: s. Dinsmoor, Archons 54) bis 233/2 (Manni, Historia 24, 1975, 28).

[112] So schon der erste Herausgeber des Dekrets, Oikonomos (AE 1911, 222), sodann Kirchner zu IG II² 784; Ferguson, Athenian Tribal Cycles, 1932, 25. 26; Dinsmoor, List 154; Pritchett und Meritt, Chronology XXII; Meritt, Year 234, und Historia 26, 1977, 176. Vereinzelt wurden 243/2 (Dinsmoor, Archons 179), 242/1 (Manni a. O. 28) und 239/8 (Beloch, GG IV 2, 91) genannt. Nur Mannis Datum erfüllt wenigstens die Bedingung, ein Jahr der Großen Panathenäen zu sein.

[113] Zeilen 7–10: ἐπειδὴ οἱ ἀθλοθέται ἐπεμελήθησαν [τῆς διοικήσεως τῶ]ν Παναθηναίων Ἀγαθαίου Προσπ[αλ]τ[ίου συντελοῦντος κα]ὶ τοῦ ἀγῶνος τοῦ τε μουσικοῦ καὶ [τοῦ γυμνικοῦ καὶ τῆς ἱππ]οδρομίας κτλ.

[114] Anders, aber nach dem Wortlaut des Textes offenkundig irrig, Dinsmoor, Archons 179.

[115] So auch von Beloch, GG IV 2, 91, verstanden. Vgl. die Beschreibung ähnlicher Sachverhalte im Dekret für Phaidros (IG II² 682, 56–57) und in dem für Eurykleides (IG II² 834, 5–7).

[116] Ἀθπ. 60, 1. A. Mommsen, Feste der Stadt Athen, 1898, 128–129.

[117] IG II² 334. Mommsen 127.

[118] Ἀθπ. 60, 1. Mommsen 127.

schlechthin gesprochen wird.[119] Das kleine Fest dagegen führt den unterscheidenden Zusatz τὰ κατ' ἐνιαυτόν.[120]

Dinsmoor hat diese eindeutigen Beziehungen auf die Großen Panathenäen zunächst eingeräumt,[121] die richtige Erkenntnis dann aber aus dem einzigen Grund
preisgegeben, daß ein Schreiber aus der Phyle X in einem Jahr der Großen Panathenäen nicht in den (rekonstruierten) Schreiberzyklus passe.[122] Damit folgte er dem
ersten Herausgeber der Inschrift, Oikonomos (Anm. 112), und ihm folgt auch
Kirchner im Kommentar zu IG II² 784. Im späteren Buch Dinsmoors ist von den
auf die penteterische Feier weisenden Indizien dann schon keine Rede mehr; statt
dessen wird mit den Worten «no qualifying adjective was employed»[123] der Eindruck erweckt, daß, wären die Großen Panathenäen gemeint, dies durch einen
entsprechenden Zusatz hätte ausgedrückt werden müssen, so daß dessen Fehlen
auf die jährliche Feier weise. Das Gegenteil ist richtig: Es ist das kleine Fest, das, wo
ein Zweifel bestehen kann, des unterscheidenden Zusatzes bedarf.

Zweifel aber können hier gar nicht aufkommen, denn es gibt nicht den geringsten
Anhaltspunkt dafür, daß entweder die Athlotheten noch ein anderes Fest als die
penteterischen Panathenäen verwaltet hätten[124] oder daß auch das kleinere jährliche Fest ein umfassendes agonistisches Programm gehabt hätte.[125] Es steht daher
außer Zweifel, daß im Beschluß aus dem Jahr des Athenodoros die Großen Panathenäen gemeint sind. Dies ist auch die Auffassung von Beloch[126] und die entschie-
dene Ansicht eines so kenntnisreichen und kritischen Forschers wie Erich Preuner,
der geurteilt hat:[127] «Trotz Kirchners Zustimmung kommen meines Erachtens auch
hier nur die Großen Panathenäen in Frage und kann also Athenodoros nur Archon
eines dritten Olympiadenjahres gewesen sein.» Im ersten Monat seines Archontats
war das Fest gefeiert worden, im letzten Monat wurden seine Veranstalter geehrt,
deren vierjährige Amtszeit mit diesem Monat zu Ende ging.[128]

---

[119] Allerdings begegnet oft der jeden Zweifel ausschließende Zusatz τὰ μεγάλα (Index zu
Sylloge³, III p. 180).

[120] IG II² 334. Mommsen 43. L. Deubner, Attische Feste, 1932, 23.

[121] Dinsmoor, Archons 179: «At first glance, it might seem that this was a reference to
the Great Panathenaia ...».

[122] Dinsmoor, ebenda.

[123] Dinsmoor, List 154.

[124] Mommsen 129.

[125] E. Preuner, Hermes 57, 1922, 100.

[126] GG IV 2, 91.

[127] A. O. 101.

[128] Beloch a. O. irrt darin, daß er annimmt, es handele sich in IG II² 784 um die *Vorberei-
tungen* zum Fest, das im nächsten Monat (d. h. unter dem Nachfolger des Archons Athenodoros) gefeiert werden sollte. Eine Ehrung zu diesem Zeitpunkt wäre schwer verständlich.
Die Annahme widerspricht auch dem Text (Anm. 113), in dem die Ergänzung [τῆς διοικη-

Es ist methodisch nicht zu rechtfertigen, daß die klaren Aussagen einer Urkunde ignoriert werden um einer Regel willen (der Schreiberfolge), die, wie jedermann weiß, wiederholt durchbrochen wurde, die aber jedenfalls (auch wenn es keinen solchen Bruch gab) so lange nicht angewendet werden kann, als nicht wenigstens einige Archonten mit ihren Schreibern bestimmten Jahren dieser Zeit zuverlässig zugewiesen worden sind und hierdurch ein fester Rahmen geschaffen ist. Dies aber ist zwischen 261 und 240 nirgends der Fall. Daher ist für die Datierung des Athenodoros umgekehrt davon auszugehen, daß er in ein Jahr der Großen Panathenäen, mithin in das dritte Jahr einer Olympiade, gehört. Sobald es gelingt, dieses Jahr zu bestimmen, wird für alle weiteren Schritte der Umstand bedeutsam und hilfreich, daß sein Schreiber der Phyle X angehörte.

Einen ungefähren zeitlichen Rahmen für den Beschluß zu Ehren der Athlotheten aus dem Jahr des Athenodoros bietet zunächst die Tatsache, daß er stoichedon geschrieben und daher wahrscheinlich älter als 225 ist.[129] Von den genannten Personen sind der Grammateus und der Epistates unbekannt, doch ergeben sich prosopographische Beziehungen für den Antragsteller Καλλίας Θρασίππου Γαργήττιος und den mit den Athlotheten zusammenwirkenden Agathaios. Kallias ist das älteste bezeugte Mitglied einer in fünf Generationen bekannten Familie, deren Stemma St. Dow aufgestellt hat.[130] Er dürfte danach zwischen 255 und 225 aktiv gewesen sein. Ergiebiger ist Agathaios aus Prospalta. Er war selbst Agonothet im Jahre des Kallimedes und ist damals und wenig später im Jahre des Thersilochos durch die beiden Beschlüsse IG II² 780 geehrt worden, von denen auch der jüngere in Zeile 35 die vorausgegangene Agonothesie erwähnt. Spätere Angehörige sind IG II² 2355 als Orgeonen mit einer Weihung an Asklepios bezeugt, wonach Kirchner (PA 23) einen Stammbaum entworfen hat. Doch ist die Art der Verknüpfung mit Agathaios bisher nicht klar, auch jene Weihung nicht sicher datiert.[131]

Aber zwischen 287 und 261, in der Zeit der Unabhängigkeit der Stadt, ist ein Prospaltier Agathaios als Phylarch bezeugt.[132] Er wird von den Herausgebern der

---

σεως] sowohl durch den Sinn wie durch die stoichedon-Ordnung und durch 'Aϑπ. 60,1 gesichert wird: οὗτοι ... διοικοῦσιν τήν τε πομπὴν τῶν Παναθηναίων καὶ τὸν ἀγῶνα τῆς μουσικῆς καὶ τὸν γυμνικὸν ἀγῶνα καὶ τὴν ἱπποδρομίαν. Zugleich machen die Worte des Aristoteles klar, daß διοίκησις eben die Veranstaltung, nicht die Vorbereitung des Festes ist. In diesem Punkt hat Dinsmoor (Archons 179) richtiger geurteilt als Beloch.

[129] R.P. Astin, The Stoichedon Style in Greek Inscriptions, 1938, 108. A.G. Woodhead, The Study of Greek Inscriptions, 1959, 31.

[130] Hesperia-Suppl. 1, 1937, S. 123. Dort kann für Θράσιππος III Καλλίου II noch das Zeugnis Agora XV 243, 52; 135 und [244, 1] von 135/4 ergänzt werden.

[131] Kirchner, PA 23: «fin. s. II»; derselbe zu IG II² 2355: «s. III a.?».

[132] Vanderpool–Threpsiades, AD 18, 1963, 109 nr. 2, 26.

betreffenden Inschrift zu Recht mit dem Agonotheten identifiziert.[133] Es ist weiterhin wohl möglich, daß der zwischen 250 und 225 bezeugte Ritter Autokles ein Sohn dieses Agathaios war,[134] sicher allerdings nicht, da ihm kein Demotikon beigegeben ist und Alternativen denkbar sind.[135]

Indessen sind die bereits für Agathaios gesicherten Daten hilfreich genug. Da er schon vor dem Ende des Chremonideischen Krieges Phylarch war und da er unter Kallimedes und Thersilochos in kultischen Angelegenheiten aktiv war, kann die unter Athenodoros bezeugte Mitwirkung an der Ausrichtung der Großen Panathenäen überall zwischen 260 und 240 angesetzt werden. Sie gehört aber eher in die Zeit vor Thersilochos als in ein Jahr, das wegen der Kette der mit Thersilochos beginnenden Archonten mindestens neun Jahre später fallen müßte. Einer Datierung des Athenodoros in eins der Panathenäenjahre 258/7, 254/3 und 250/49 steht chronologisch nichts im Wege, während 238/7 (dann wohl als unmittelbarer Vorgänger des Lysias mit der Konsequenz, daß der Demetrische Krieg 237/6 ausgebrochen wäre) nicht geradezu ausgeschlossen werden kann, aber weitaus weniger wahrscheinlich als eins jener früheren Jahre ist.

Es stimmt hierzu vortrefflich, daß der Steinmetz des Dekrets aus dem Jahre des Athenodoros, IG II² 784, von St. Tracy als der ‹Cutter 4› identifiziert worden ist, dessen Aktivität durch datierte Inschriften für die Jahre zwischen 273/2 und 240/39 nachgewiesen worden ist.[136] Die untere Grenze in Tracys Liste der von ihm angefertigten Inschriften ist eben durch dieses Dekret für die Athlotheten repräsentiert.

Ein früheres Datum für Athenodoros als 240/39 empfiehlt sich auch deshalb, weil unter den in seinem Jahr amtierenden Sitophylakes sich auch Agatharchos aus Lamptrai befand,[137] ein Sohn des Epistates Πυργίων Ἀγαθάρχου Λαμπρεύς aus dem Jahre des Anaxikrates, 279/8.[138] Sein Bruder dürfte der durch Agora XV 91,10 bezeugte Πυργίων Πυργίωνος Λαμπτρεύς in der Mitte des 3. Jahrhunderts sein.

Es hat sich mithin ergeben, daß keiner der drei von Meritt zwischen Eurykleides und Lysias angenommenen Archonten (Phanomachos, Lysiades, Athenodoros)

---

[133] A. O. 111. Sie möchten, ebenda 110, seinetwegen mit dem Text eher an die untere Zeitgrenze hinabgehen.

[134] K. Braun, AM 85, 1970, 209 nr. 81–83.

[135] Es sind besonders Ἀναφλύστιος, Ἀχαρνεύς, Ἐροιάδης und Εὐωνυμεύς.

[136] St. V. Tracy, GRBS 14, 1973, 190–192. Mehr als 30 Inschriften hat Tracy diesem Steinmetz bisher zuweisen können, die (nach Meritts Chronologie) spätesten aus den Jahren des Thersilochos, Phanomachos und Athenodoros (250/49; 242/1 bzw. 240/39 nach Meritt). Nach dem im Text Ausgeführten ist es denkbar, daß die Aktivität des Cutters 4 schon einige Jahre vor 240 zu Ende gegangen ist.

[137] Hesperia 6, 1937, 444 nr. 2, A 6. B 8.

[138] So richtig die Herausgeberin, M. Crosby, a. O. Vgl. IG II² 672, 3.

wirklich zwischen diese beiden gehören muß. Insoweit ist es zu vertreten, daß in Pélékidis' Schema A[139] Lysias dem Eurykleides unmittelbar folgt. Allerdings hat Pélékidis nicht beachtet, daß der Vorgänger des Lysias einen Namen von zehn Buchstaben im Genitiv haben muß, wie aus der Urkunde Hesperia 8, 1938, 125 nr. 25, 11–12 hervorgeht.[140] Doch läßt sich nicht nur der Name des Athenodoros dort herstellen, sondern auch derjenige des Eurykleides, wenn man ἐπ' statt ἐπί schreibt und den ersten Buchstaben des Namens noch für die Zeile 11 annimmt: [ἐπ' Ε|ὐρυκλείδου]. Aber damit ist noch nicht gesagt, daß Eurykleides der unmittelbare Vorgänger des Lysias gewesen sein müßte.

## 7. Der Vorgänger des Athenodoros

Wenn Athenodoros der Vorgänger des Lysias nicht war, so fragt sich, ob dieser Vorgänger bestimmt werden kann. Die am Ende des vorigen Abschnitts erwähnte Inschrift verlangt einen Namen für ihn, der im Genitiv zehn Buchstaben hat oder, falls der Name mit einem Vokal begann und folglich ἐπ' statt ἐπί geschrieben gewesen sein kann, elf Buchstaben. Prüft man daraufhin die 32 insgesamt zur Verfügung stehenden Namen, so haben im Genitiv zehn Buchstaben Antiphon, Thymochares, Alkibiades, Kallimedes, Thersilochos, Polyeuktos und Athenodoros. Elf Buchstaben bei vokalischem Anlaut hat allein Eurykleides. Von den Genannten scheiden diejenigen aus, deren Nachfolger bekannt sind: Antiphon, Thersilochos und Polyeuktos. Es verbleiben somit (außer Athenodoros) Thymochares, Alkibiades, Kallimedes und Eurykleides.

Von diesen ist zunächst Kallimedes deshalb zu eliminieren, weil er durch IG II² 780 als einer der Vorgänger des Thersilochos bezeugt ist und mithin in die Jahre um 250 gehört. Auch Thymochares kommt nicht in Betracht, und zwar aus zwei Gründen: Einmal lautet der Genitiv seines Namens in den attischen Inschriften immer Θυμοχάρου mit neun Buchstaben, nie Θυμοχάρους,[141] zum anderen gehört sein Archontat mit größter Wahrscheinlichkeit in die frühen fünfziger Jahre, in eine wesentlich frühere Zeit als die des Lysias.[142] Ein früheres Jahr als ca. 240 wird für Kallimedes wie für Thymochares auch dadurch nahegelegt, daß Urkunden aus ihren Jahren vom ‹Cutter 4› aufgezeichnet worden sind.[143]

---

[139] BCH 85, 1961, 63. Ebenso G. Nachtergael, Historia 25, 1976, 77, mit um ein Jahr niedrigeren Daten.

[140] Vgl. Dinsmoor, List 154.

[141] IG II² 682,57. 682,72. 700,1. Hesperia 15, 1946, 192 nr. 37, 15. Agora Inv. I 7295,3 und 90. Dagegen findet sich die Form Θυμοχάρους in Delos (IG XI 2, 527). Vgl. Shear, Kallias 9 Anm. 4.

[142] Davies, APF S. 528.

[143] Vgl. Anm. 136.

Da auch für das Archontat des Athenodoros ein früheres Jahr und weiter ein Jahr der Großen Panathenäen wahrscheinlich gemacht worden ist (Abschnitt 6), bleiben als mögliche Vorgänger des Lysias nur Alkibiades und Eurykleides. Für das Archontat des Alkibiades sind in der Forschung bisher sehr verschiedene Daten genannt worden, die zwischen 256 und nach 240 schwanken.[144] Von daher ist es nicht ausgeschlossen, daß Alkibiades im Jahr vor dem Ausbruch des Demetrischen Krieges amtiert haben könnte.[145]

Weiter hilft endlich der Umstand, daß Lysias von den ihm folgenden Archonten her, von denen Thrasyphon für 221/0 feststeht (Abschnitt 1), mit Hilfe der nun wieder in größerer Zahl bezeugten Schreiberphylen und der 229/8 einsetzenden inschriftlichen Archontenliste (Abschnitt 1 mit Anm. 8), einigermaßen zuverlässig auf 239/8 datiert ist und schwerlich herabrücken kann, es sei denn, man rechne mit einem erneuten Bruch in der Schreiberfolge. Ist aber Lysias der Archon des Jahres 239/8 gewesen, so kann, soll nicht Polyeuktos doch über das für ihn wohl früheste mögliche Jahr 246/5 hinaufgerückt werden, nur Eurykleides sein unmittelbarer Vorgänger gewesen sein, nicht aber Alkibiades. Daher scheint, beim gegenwärtigen Stand unserer Kenntnis, viel dafür zu sprechen, die Gruppe der acht Archonten, von Thersilochos bis Eurykleides, dem Archontat des Lysias unmittelbar vorausgehen zu lassen.[146] Wenn dies richtig ist, so ist der Demetrische Krieg im Jahre 239/8, und spätestens im Frühsommer 238, ausgebrochen, ist Polyeuktos der Archon von 246/5, Diomedon derjenige von 244/3, und in dieses Jahr gehört dann die große Epidosis zur Rettung der Stadt und zum Schutze des Landes.[147]

## 8. Zusammenfassung

Es gilt nun, die Ergebnisse dieses Kapitels zusammenzufassen, so gut das eben möglich ist. In den Abschnitten 1 und 2 war ausgeführt worden, daß und warum keine einzige Zuweisung eines Archons in dieser Zeit, zwischen 261 und 230, als

---

[144] Dinsmoor, List 143. 144.

[145] Pritchett–Meritt, Chronology 97, betrachten das Jahr 255/4 für Alkibiades «almost as a fixed date.» Sie stützen sich auf die Nachricht des Pollux (10, 126), daß in seinem Archontat ein Inventar der Weihungen auf der Akropolis angelegt wurde, indem sie diese Angabe mit ihrer Ansicht verbinden, daß solche Inventare «normally in the first year of a new cycle» der Ratsschreiber gemacht worden seien. Das ist aber nicht nur für sich selbst äußerst unsicher (vgl. die von ihnen a. O. Anm. 30 referierte Auffassung Fergusons), sondern auch deshalb ganz fragwürdig, weil die Verbindung des Alkibiades mit einem Schreiber der Phyle I ganz willkürlich ist (oben Abschnitt 3.3).

[146] Das Jahr des Eurykleides muß dann, entgegen Meritts letzter Annahme, ein Normaljahr gewesen sein.

[147] IG II² 791 + Hesperia 11, 1942, 287. Wenigstens zwei Vorbehalte sind hier jedoch noch zu machen: 1. Wenn der Name des Eurykleides auf der Salamis-Stele (SEG 2, 9) wirk-

gesichert angesehen werden kann. Auch die soeben in Abschnitt 7 getroffene Festlegung der Archonten von Thersilochos bis Lysias auf die Jahre 247/6 bis 239/8
kann einstweilen nur als wahrscheinlich, dem derzeitigen Kenntnisstand am ehesten
entsprechend, angesehen werden. Darüber hinaus haben sich vielfach Indizien
dafür gefunden, daß die Folge der Archonten und deren Daten, wie sie in Meritts
letzter Liste gegeben sind, nicht richtig sein können. Für eine auch nur einigermaßen
gesicherte Liste aber reicht, wie schon zu Eingang dieses Kapitels auseinandergesetzt wurde, das Material derzeit noch nirgends aus.

Gleichwohl soll versucht werden, die Resultate der vorstehenden Untersuchungen, obwohl auch sie nur vorläufig sind, anschaulich darzustellen. Eine gewisse
Wahrscheinlichkeit spricht dafür, daß das folgende Teilstück einer Archontenliste
richtig sein könnte: [148]

| | | |
|---|---|---|
| 249/8 | Kallimedes IV | |
| 248/7 | ..... | |
| 247/6 | Thersilochos VI | |
| 246/5 | Polyeuktos VII | |
| 245/4 | Hieron VIII | |
| 244/3 | Diomedon XII | Bruch im Schreiberzyklus |
| 243/2 | Philoneos VI | |
| 242/1 | Theophemos | |
| 241/0 | Kydenor VI | |
| 240/39 | Eurykleides | |
| 239/8 | Lysias XI. | |

Dieses Teilstück stimmt, von Thersilochos bis Eurykleides, mit den Daten Nach-
tergaels überein,[149] doch ist dem Diomedon die inzwischen bekanntgewordene

---

lich ein späterer Nachtrag sein sollte, wie J. Kirchner gemeint hat (HSCP-Suppl. 1, 1940,
503 ff.), so wäre entweder die ganze Gruppe von Thersilochos bis Kydenor um ein Jahr her-
abzurücken oder eher, da Kydenors Name im Genitiv für den des unmittelbaren Vorgängers
des Lysias um einen Buchstaben zu kurz ist, zwischen Kydenor und Lysias ein weiterer Archon
(mit zehn Buchstaben im Genitiv) zu ergänzen. 2. Wenn das zu [-- 16 -- Ἀφιδ]ναῖος ergänzte
Demotikon des Schreibers im Jahre des Lysias vielmehr zu [-- 18 -- Οἰ]ναῖος zu ergänzen
sein sollte, so wäre die Phyle nicht notwendigerweise die XI, sondern entweder die X oder die
XI gewesen, da es zwei Demen des Namens Oinoe gab, von denen je eine der Hippothoontis
bzw. der Aiantis angehörte.

[148] In dem Schema bedeutet [, daß die so miteinander verbundenen Archonten mit hoher
Wahrscheinlichkeit unmittelbar aufeinander gefolgt sind, ..... bedeutet ein Jahr, für das der
Archon einstweilen nicht namhaft gemacht werden kann, ----- steht für eine unbestimmte
Zahl derartiger Jahre. Die römischen Ziffern geben die Phylen der Schreiber, soweit diese
bekannt sind.

[149] Historia 25, 1976, 77 (oben Anm. 97 Ende).

Schreiberphyle XII (statt der III) beigegeben. Der Schreiberzyklus könnte mit Eurykleides oder mit Lysias wiederaufgenommen worden sein; er war mithin entweder vier oder fünf Jahre außer Kraft gewesen.

In den dreißiger Jahren dürften die vier auf Lysias folgenden Archonten wohl richtig plaziert sein:

> 238/7   Aristion
> 237/6   Kimon
> 236/5   Ekphantos II
> [235/4  Lysanias III.[150]

Da weiter Heliodoros und seine Nachfolger für 229/8 und die folgenden Jahre gesichert sind, ist für Iason (oben Abschnitt 1) 230/29 das späteste mögliche Datum. In den späteren dreißiger Jahren fehlen somit die Namen von vier Archonten. Meritt hat zuletzt Philostratos, Antimachos, Phanostratos und Pheidostratos dorthin versetzt, doch müssen diese alle wohl früher datiert werden (Abschnitt 5). Am ehesten kommen für diese Jahre in Betracht Lykeas, Polystratos, Alkibiades und --bios, denn für alle anderen ist es entweder sicher oder wahrscheinlich, daß sie dem Thersilochos zeitlich vorausgehen. Über die Reihenfolge der Archontennamen in den Jahren 234/3 bis 230/29 läßt sich zur Zeit freilich so gut wie nichts sagen, außer daß Iason der letzte oder der vorletzte dieser fünf war.

Die vierzehn Archonten *vor Thersilochos* erlauben hinsichtlich ihrer Ordnung folgende Feststellungen:

Antiphon und Thymochares sind so, höchstwahrscheinlich unmittelbar, aufeinandergefolgt[151] und gehören nach dem oben S. 141 zu Thymochares Gesagten in die ersten Jahre nach dem Ende des Chremonideischen Krieges.

Philostratos, Antimachos, Phanostratos und Pheidostratos haben so nacheinander amtiert, doch sind etwa zwischen ihnen liegende Intervalle unbekannt. Für Pheidostratos ist das Jahr vor Thersilochos, d. h. 248/7, das späteste mögliche Jahr. Zwar könnte Antimachos nach seiner Schreiberphyle in das Jahr zwischen Kallimedes und Thersilochos gehören,[152] aber dies ist aus den in Abschnitt 5 dargelegten Gründen unmöglich: Antimachos muß früher sein und vor Kleomachos amtiert haben.

Archonten dieser vierzehn Jahre, deren Schreiberphylen bekannt sind, sind die folgenden: Philinos II, Antimachos V, Kleomachos VI, Athenodoros X, Diogeiton

---

[150] Für Kimon, Ekphantos und Lysanias vgl. besonders Beloch, GG IV 2, 87–88, für Aristion E. Vanderpool, AD 23, 1968, 1 ff., sowie L. Robert, AE 1969, 14 ff.

[151] IG II² 700 + Hesperia 7, 1938, 110 nr. 20.

[152] So hat den Antimachos Chr. Pélékidis, BCH 85, 1961, 66, angesetzt. In der Sache ebenso, allerdings mit einem anderen Datum, Pritchett–Meritt, Chronology 99–100.

X und Kallimedes IV. Aus der Laufbahn des Thukritos (Abschnitt 4) ergibt sich die Sequenz Philinos–Kleomachos–Kallimedes–Thersilochos. Philinos kann schwerlich später sein als 255 (Abschnitt 4), und ihm steht Eubulos jedenfalls sehr nahe (Abschnitt 3.2). Athenodoros sollte in ein Jahr der Großen Panathenäen gehören, 258/7, 254/3 oder 250/49 (Abschnitt 6). Bei ungestörter Schreiberfolge ist es nicht leicht, ihn und Diogeiton, die beide einen Schreiber aus der Phyle X haben, innerhalb verhältnismäßig kurzer Zeit unterzubringen. Aber es ist eben ganz unbekannt, ob mit einer solchen Folge gerechnet werden kann oder ob, und gegebenenfalls wie lange, die normale Abfolge unterbrochen war. Die Bezeugung von drei Schreibern aus der Phyle VI innerhalb von nur sieben Jahren (bei Thersilochos, Philoneos und Kydenor) zeigt jedenfalls, daß ein Nebeneinander von zwei Schreibern aus der Phyle X in geringerem Abstand als dem von zwölf Jahren möglich ist.

Nach dem Gesagten *könnte* sich für die vierzehn Archonten vor Thersilochos etwa folgendes Schema ergeben:

|  |  |
|---|---|
|  | ⎡ Antiphon |
|  | ⎣ Thymochares |
| Philinos II | Dem Philinos nahestehend: Eubulos |
| ..... |  |
| ..... |  |
| Antimachos V | Vor Antimachos: Philostratos |
| Kleomachos VI | Nach Antimachos: Phanostratos – Pheidostratos |
| ..... |  |
| ..... |  |
| ..... |  |
| Athenodoros X oder Diogeiton X |  |
| - - - - - |  |
| Kallimedes IV |  |
| ..... | Vor Thersilochos: Phanomachos; Lysiades |

247/6 Thersilochos VI usw.

Weiterzugehen erlauben die verfügbaren Materialien derzeit nicht, und auch das obige Schema enthält noch vieles Unsichere, da eben nicht zu sagen ist, wann mit normaler Schreiberfolge gerechnet werden kann und wann nicht. So könnte z. B. Athenodoros (oder Diogeiton) durchaus der unmittelbare Vorgänger des Kallimedes gewesen sein.

Endlich müssen für einige durch Dekretfragmente bekannte Schreiber die zu ihnen gehörenden Archonten noch gefunden werden; diese Schreiber sind in Abschnitt 3 behandelt.

Am Ende dieser Ausführungen bleibt festzustellen, daß Fergusons vor mehr als 70 Jahren geschriebene Worte noch immer aktuell sind: «The archons between 261/0 and 230/29 form a group by themselves and deserve a special study.» [153] Wesentliche Fortschritte in der Archontenforschung für diese Zeit sind seither erzielt worden, aber von einer vollständigen und sicheren Liste ist man noch weit entfernt. Gegenüber Versuchen, eine solche Liste schon jetzt zu geben, ist die Mahnung nützlich, die G. Daux in der vergleichbaren Sache der delphischen Archontenforschung für diese Zeit kürzlich gegeben hat: [154] «Un aveu d'ignorance, sous une forme quelconque, le refus d'en dire plus – c'est-à-dire trop – sont préférables à des affirmations trompeuses.»

---

[153] The Priests of Asclepius², 1907, 155.
[154] BCH-Suppl. 4, 1977, 57.

# X. VOM GEGENWÄRTIGEN STANDARD WISSENSCHAFTLICHEN BEMÜHENS UM EINE PROSOPOGRAPHIE DER ATHENER

Fünfundsiebzig Jahre nach dem Erscheinen von Johannes Kirchners bis auf die Zeit des Augustus reichender ‹Prosopographia Attica›[1] ist weder eine Fortsetzung dieses Werkes für die Kaiserzeit in Sicht noch für die ältere Zeit eine neue Ausgabe, die dem Stand unseres reicheren Wissens entspricht. Es ist eine durchaus offene Frage, ob sich Gelehrte finden werden, die bereit sind, das Werk des Berliner Gymnasiallehrers fortzuführen oder zu ersetzen. Das von der British Academy unter der Leitung von Peter Fraser in großem Stil begonnene ‹Lexicon of Greek Personal Names› berechtigt auch alle mit athenischer Prosopographie Befaßten zu schönen Hoffnungen, wird aber, da es onomatologisch und nicht prosopographisch orientiert ist, eine Prosopographie der Athener nicht ersetzen können.

An partiellen Versuchen, Kirchners Werk zu ergänzen, hat es nicht gefehlt. Zu nennen sind aus älterer Zeit vor allem die Arbeiten von Pierre Roussel[2] und Johannes Sundwall,[3] sodann mehrere Werke der jüngsten Vergangenheit: J. K. Davies, Athenian Propertied Families 600–300 B. C., 1971, B. D. Meritt und J. S. Traill, The Athenian Councillors (Agora XV), 1974, und Simone Follet, Athènes au IIe et au IIIe siècle: Études chronologiques et prosopographiques, 1977.[4] Die beiden ersten konnten auf Kirchners Prosopographie wenigstens aufbauen. Sie sind für die obenstehenden Untersuchungen vielfach hilfreich gewesen. Es soll hier gefragt werden, inwieweit sie für ihren jeweiligen Zweck dem von Kirchner gesetzten Standard entsprechen.

Davies möchte die besitzende und zu Liturgien verpflichtete Schicht der Athener in ihren Familienverhältnissen, ihren geschäftlichen und politischen Aktivitäten beleuchten, soweit dies mit dem vorhandenen Material geschehen kann. Er hat

---

[1] I. Kirchner, Prosopographia Attica, 2 Bde., 1901. 1903.

[2] P. Roussel, Les Athéniens mentionnés dans les inscriptions de Délos (Époque de la seconde domination athénienne). Contribution à la Prosopographia Attica de J. Kirchner, BCH 32, 1908, 303–444.

[3] J. Sundwall, Nachträge zur Prosopographia Attica, 1910.

[4] Zu erwähnen ist auch die im Werk von Margaret Thompson, The New Style Silver Coinage of Athens, 1961, enthaltene vollständige Liste aller Münzbeamten auf den Prägungen des Neuen Stils.

sich daher bemüht, dieses Material für die von ihm behandelten Männer vollständig und weit über das Jahr 300 v. Chr. hinaus zusammenzutragen.[5] Meritt und Traill stellen ihrerseits im Anschluß an die Edition aller bekannten Prytanen- und Buleuteninschriften das zur Erhellung der Namen beitragende prosopographische Material in einem umfangreichen ‹Prosopographical Index of Greek Names› zusammen, der 240 große Spalten füllt. Mit gutem Grund sehen sie in diesem Index den hauptsächlichen Kommentar zu den Texten.[6] Es ist klar, daß sie für ihren Zweck, wie Davies für den seinen, Vollständigkeit angestrebt haben, wobei natürlich Hinweise auf die Behandlung eines Namens oder einer Familie in der neueren Literatur die vollständige Anführung der einzelnen Belege zuweilen ersetzen konnten.

Für den Benutzer dieser Werke ist es wichtig, zu wissen, wieweit ihre Autoren die angestrebte Vollständigkeit tatsächlich erreicht haben. Es liegt in der Natur der Sache, daß eine erschöpfende Antwort hierauf nur derjenige geben könnte, der, im einen wie im anderen Falle, die beschriebene Arbeit selbst geleistet hätte. Partielle Antworten sind jedoch auch ohne diese Voraussetzung möglich. So ist für jeden Kundigen leicht zu sehen, welche gewaltige Arbeit sowohl Davies wie auch Meritt und Traill vollbracht haben. Jeder Forscher, der ihre Werke benützt, ist ihnen für das Geleistete zu Dank verpflichtet. Es ist Davies in vielen Besprechungen bescheinigt worden, daß sein Katalog besitzender Athener mit größter Akribie erarbeitet worden ist.[7] Die Indices von Meritt und Traill lassen einen, wie intensives Arbeiten mit ihnen mich gelehrt hat, selten im Stich. Daß es in beiden Werken Lücken in der Verarbeitung der *attischen* Inschriften gibt, war unvermeidlich und kann, da Menschenwerk unvollkommen ist, nicht Gegenstand ernstlicher Kritik sein.[8]

---

[5] Davies a. O. S. XXX: «The family and connections of each man have been traced as far as the evidence allows, even when the family continued to be traceable later than 300 B.C., and all such known relatives have been inserted in the alphabetical series ... for persons of less than first-rank political or other importance I have tried to make the prosopographical information about the members of the family as complete and up-to-date as possible...»

[6] Agora XV p. V: «Pertinent commentary on this class of document is of necessity largely prosopographical.» ... «The Prosopographical Index, then, serves in fact as the principal commentary for most of the texts.» P. 24: «But over and above all details of calendar and bureaucratic or administrative practice there stands the great mass of our prosopographical heritage. These lists name the Athenians who ruled the Athenian State.»

[7] «Una ricchissima ed eccellente raccolta di materiale ... un Kirchner *redivivus*» (D. Asheri, RFIC 101, 1973, 112–113). «Le propos ... a été accompli par Davies avec une conscience, une exhaustivité et une acribie exemplaires» (Ed. Will, RPh 100, 1974, 113–114). «With this book, Greek prosopography establishes itself at Oxford» (P. MacKendrick, Gnomon 45, 1973, 508). «D. must know more about Athenian prosopography than any other living person» (St. I. Oost, CPh 70, 1975, 74).

[8] Es soll deshalb hier darauf verzichtet werden, notwendige Ergänzungen aus den *attischen* Inschriften vorzulegen.

Was indessen schwerer wiegt und, da es bisher nicht angemerkt wurde, hier ausgesprochen und beleuchtet werden soll, ist ein beiden Werken gemeinsamer (aber
nicht auf sie beschränkter) Mangel, der vermeidbar gewesen wäre. Es ist die unzu-
reichende Berücksichtigung *außerattischer* Inschriften, in denen Athener genannt
sind. Angesichts der Größe und der Bedeutung Athens sowie der bekannten Mobili-
tät der Athener hätten die Autoren sich jedenfalls in den größeren Standardpublika-
tionen nach Athenern außerhalb Attikas umsehen und für die weniger leicht zu-
gänglichen Veröffentlichungen wenigstens die bekannteren Hilfsmittel, Indices
usw., konsultieren müssen. Dies ist in beiden Werken offensichtlich nur in unge-
nügender Weise geschehen. In dieser Hinsicht fallen beide gegenüber demjenigen
von Kirchner in bedauerlicher Weise ab, das in der Erfassung der damals bekannten, außerhalb Attikas bezeugten Athener sehr Beachtliches geleistet hat. Soweit
diese bei Kirchner verzeichnet sind, findet man sie sowohl bei Davies wie bei Meritt
und Traill; soweit Kirchner sie noch nicht kannte, hat man keine Gewähr, daß sie
in den neueren Werken erscheinen. Dafür seien einige Beispiele angeführt.

*Delphi*
Agora XV p. 436: Ξένων Ἀμαξαντεύς ist richtig identifiziert mit dem Vater des
ἐπιμελητὴς πομπῆς[9] Διονύσιος Ξένωνος Ἀμαξαντεύς vom Jahre 186/5. Es fehlt
aber jeder Hinweis darauf, daß er 197/6 in Delphi mit der Proxenie ausgezeichnet
wurde (Sylloge 585, 7), was schon bei Kirchner (PA 11327) zu finden gewesen
wäre.

Agora XV p. 352: Zu Ἀθηνόδωρος Εἰτεαῖος in der ersten Hälfte des 2. Jahrhunderts v. Chr. hätte die delphische Ehrung für Χαιρέας Ἀθηνοδώρου Εἰτεαῖος,
ca. 260 v. Chr., Erwähnung verdient (FD III 2, 80).

APF 3263: Δημάδης Δημέου Παιανιεύς. Die delphische Ehrung für den berühmten Politiker (Sylloge 297 A, jetzt FD III 4, 383) bleibt bei Davies unerwähnt.

APF 2954: Γλαυκέτης (II) Γλαυκέτου (I) Κηφισιεύς. Sein Bruder Kleochares ist
ebendort behandelt, doch fehlt die delphische Urkunde Sylloge 296 (FD III 1, 511),
die ihn, zusammen mit anderen höchst bedeutenden Athenern als Hieropoios in
Delphi, etwa im Jahre 330, anführt (sie ist S. 351 für den in gleicher Funktion genannten Lykurg erwähnt). Der gleichnamige Enkel des Kleochares ist jetzt um die
Mitte des 3. Jahrhunderts als Ritter bezeugt (J. H. Kroll, Hesperia 46, 1977, 114
nr. 32).

APF 2817: Der Enkel des Syntrierarchen Βάθυλλος Πειραιεύς aus demosthe-
nischer Zeit war zweifellos Βάθυλλος Ἀρχεβούλου Πειραιεύς, der um 284/3 in
Delphi durch die von Davies übersehene Inschrift FD III 2, 200 geehrt worden ist.

---

[9] Er ist (a. O. p. 436) irrig als «ephebe» bezeichnet.

APF 15392: Zu Χαρίδημος Παιανιεύς, Diaitetes 330/29 und Syntrierarch im Jahre 322, ist der Enkel Χαρίδημος Χαριδήμου Παιανιεύς übersehen, der am Beginn des 3. Jahrhunderts mit der Proxenie in Delphi ausgezeichnet wurde (BCH 52, 1928, 217f. nr. 22).

## Oropos

Agora XV p. 399: Εὐχάριστος Χάρητος ᾿Αφιδναῖος, und p. 467: Χάρης Εὐχαρίστου Αφιδναῖος. Hier wie auch bei Traill, Hesperia 38, 1969, 429, worauf verwiesen wird, fehlt die Ehrung des Eucharistos mit der Proxenie in Oropos, AE 1952, 196 nr. 26 = SEG 15, 267. Hinzugekommen ist seither ein Bleitäfelchen, das den Chares als Ritter um die Mitte des 3. Jahrhunderts ausweist (J. H. Kroll, Hesperia 46, 1977, 104, wo aufgrund meiner Mitteilung auch die Proxenie von Oropos erwähnt ist).

Agora XV p. 395: Zu Εὐθυκράτης Δρακοντίδου ᾿Αφιδναῖος vermißt man einen Hinweis auf das Dekret des Böotischen Bundes für seinen Nachkommen Δρακοντίδης Εὐθυκράτους (IG VII 283 = AE 1919, 84 nr. 122).

Agora XV nr. 88, 11 ist unter den Prytanen der Leontis um 250 v. Chr. ein [..c. 6 ..]ίδης Προκλέους Ἑκαλεύς genannt. Die Herstellung seines Namens wäre möglich gewesen, wenn die Proxenieurkunde aus Oropos für Προκλῆς Φιλοκωμίδου ᾿Αθηναῖος (IG VII 347), die offensichtlich einem nahen Verwandten gilt, herangezogen worden wäre. Aus der Prytanenliste ergibt sich andererseits das Demotikon des in Oropos ausgezeichneten Mannes.

## Delos

APF 13974: Φαῖδρος Καλλίου Σφήττιος. Davies hat S. 526 als seinen Enkel und als Bruder des berühmten Phaidros II den in Delos (IG XI 4, 527) geehrten Καλλίας Θυμοχάρους ᾿Αθηναῖος erkannt, dessen politische Laufbahn durch ein neues Dekret von der Agora in Athen jetzt näher beleuchtet wird (oben Kapitel IV). Wie alle früheren Gelehrten hat jedoch auch Davies den Sohn dieses Kallias übersehen, Θυμοχάρης Καλλίου ᾿Αθηναῖος, der im Jahre 277 in Delos eine Weihung dargebracht hat (IG XI 2, 164 B 1–2. 203 B 31 u. ö.). Er oder sein gleichnamiger Vetter, der Sohn des Phaidros, ist jetzt als Angehöriger des Kavalleriekorps bezeugt (Kroll, Hesperia 46, 1977, 103, der auch, nach meiner Mitteilung, auf IG XI 2, 164 verweist).

## Karthaia

Agora XV p. 418: Für Κλεόμηλος Κλεο--- Αἰγιλιεύς, Ratsherr im Jahre 303/2 (Traill, Hesperia 37, 1968, 1ff. = Agora XV 62, 327), haben weder Traill noch Meritt und Traill das Psephisma beachtet, durch das im frühen 3. Jahrhundert Karthaia auf Keos Bürgerrecht und Proxenie an Κλεόμηλος Κλεοβούλου Ἀθηναῖος verliehen hat (IG XII 5, 528). Er ist natürlich mit dem Buleuten identisch.

## Paros

APF 12413: Πυθόδωρος Νικοστράτου Ἀχαρνεύς war im Jahre 341/0 Amphiktyon in Delos. Davies S. 482 zitiert hierfür zwar Inscr. Délos 42,4, nicht aber den parischen Text vom gleichen Jahr (IG XII 5, 113), da dieser auch von A. Plassart (zu Inscr. Délos a. O.) übersehen worden war. Agora XV p. 446 verweist nur auf Davies.

## Thermos

Agora XV p. 354: Unter Αἰσχίας Ἀκροτίμου Ἰκαριεύς, wo auch dessen Sohn Akrotimos als Antragsteller erwähnt ist, fehlt die aitolische Proxenie für diesen Akrotimos von 238/7 (IG IX 1², 25, 73).

APF 126 ist Δρομέας (II) Διοκλέους Ἐρχιεύς behandelt, aber die ihm ca. 262 v. Chr. erteilte aitolische Proxenie (IG IX 1², 17, 90) ist nicht erwähnt.

## Olbia

APF 12076: Πολύστρατος Δειραδιώτης. Im Mannesstamm der vor allem durch [Lysias] XX und durch mehrere bei Keratea gefundene Grabsteine bekannten Familie wechseln die Namen Polystratos und Philopolis. Es ist Davies entgangen, daß im späteren 4. Jahrhundert Φιλόπολις Φιλοπόλιδος Δειραδιώτης in Olbia mit dem Bürgerrecht und der Proxenie ausgezeichnet wurde (E. I. Levi, Sov. Arch. 28, 1958, 234 = Inscriptiones Olbiae 1917–1965 [1968] nr. 5 mit Tafel 5). Es muß sich um einen Nachkommen des berühmten Politikers handeln. In der gleichen Urkunde wird Ξάνθιππος Ἀριστοφῶντος Ἐρχιεύς ebenso geehrt, der jedenfalls ein naher Verwandter und vielleicht der Vater der Ἐρχιεῖς Xanthippos und Aristophon ist, die nach der Mitte des 3. Jahrhunderts, unter dem Archon Diomedon, als Beitragende in einer Epidosis erscheinen (IG II² 791, 34 bzw. d 16). Die Kenntnis des Steines aus Olbia wäre auch Davies' Erörterung auf S. 172 zugute gekommen.

Die angeführten Beispiele beleuchten eine gewisse Gleichgültigkeit der in der prosopographischen Forschung führenden Gelehrten gegenüber dem nichtattischen Material. Sie ist besonders deshalb bedauerlich, weil es sich bei diesen auswärtigen Texten durchweg um Zeugnisse handelt, die die soziale Stellung der betreffenden Athener und zugleich politische oder merkantile Aktivitäten der Stadt bzw. einzelner athenischer Familien beleuchten: Ehrendekrete und Weihungen. Der geschilderte Mangel ist deshalb gravierend, weil diese Urkunden alle aus notorischen Zentren athenischen Interesses stammen: von der Insel Delos, den großen Heiligtümern in Delphi, Oropos und Thermos, oder von Plätzen, die über längere Zeit politisch oder wirtschaftspolitisch mit Athen verbunden waren wie Olbia, Paros und Karthaia. Man kann daher nicht sagen, daß diese Zeugnisse zu entlegen wären und nur durch glückliche Fügungen hätten aufgespürt werden können. Sie liegen alle in einem Bereich, auf den jede ernsthafte Bemühung um die Geschichte, die Institutionen und die Gesellschaft Athens sich ohnedies erstrecken muß.

Die Absicht dieser Bemerkungen ist nicht destruktive Kritik an unzweifelhaft sehr verdienstlichen Leistungen, sondern die Mahnung, daß jedes wissenschaftliche Bemühen um Athen im Altertum mehr als dort geschehen über die Grenzen Attikas hinauszublicken hat. Zumal für prosopographische Studien ist die hier konstatierte Beschränkung des Blickfeldes auf den engeren Umkreis der Stadt ein empfindlicher Mangel. Diese Verengung des Blickes ist aber nicht nur in den beiden Werken zu finden, an denen sie hier illustriert wurde, sondern sie ist die Regel.[10] Die Folgerung ist daher wohl berechtigt, daß in dieser Hinsicht der gegenwärtige Standard wissenschaftlichen Bemühens um eine Prosopographie der Athener niedriger ist als derjenige früherer Zeiten, wie er sich in Kirchners Werk dokumentierte.

---

[10] Ein dafür charakteristisches Beispiel mag noch genannt sein. Im Zusammenhang mit der Edition eines Dekrets der Eumolpiden hat Meritt die Familie zweier Brüder, die nacheinander Hierophanten gewesen sind, sehr eingehend behandelt (Hesperia 11, 1942, 293–298). Dazu haben J. und L.Robert bemerkt (Bull. épigr. 1944, 66): «Comme d'ordinaire le commentaire est détaillé pour tout ce qui est chronologie et prosopographie.» Und doch ist Meritt ein kapitales Zeugnis für die von ihm behandelte Familie deshalb entgangen, weil es nicht aus Attika, sondern aus Delphi stammt. Der Antragsteller Ἀμυνόμαχος Εὐκλέους Ἁλαιεύς, der das Dekret für seinen Bruder und Amtsvorgänger Ἀριστοκλῆς Περιθοίδης beantragt hat, war durch Adoption in den Demos Halai gelangt. Sein Adoptivvater Eukles ist von Meritt richtig in einem Epheben aus dem Jahr des Archons Antiphon, ca. 259/8, erkannt worden: Εὐκλῆς Εὐκλέους Ἁλαιεύς (Hesperia 7, 1938, 112 nr.20, 53). Derselbe Eukles ist aber in Delphi mit der Proxenie ausgezeichnet worden (FD III 2, 77), und zwar unter dem delphischen Archon Damotimos, zwischen 246/5 und 226/5 (G.Daux, Chronologie delphique, 1943, K 2). Er stand mithin zu dieser Zeit in einem Alter von 30–50 Jahren. Der wichtige Text ist, weil Meritt ihn übersehen hatte, auch P.MacKendrick, The Athenian Aristocracy 399 to 31 B.C., 1969, 52 mit Anm.19, entgangen.

# NACHTRÄGE

Zu S. 87 ff.:

Der in Kapitel VII behandelten Invasion der Kelten von 279 hat G. Nachtergael die erste Hälfte seines Buches: Les Galates en Grèce et les Sôtéria de Delphes, 1977, gewidmet (S. 3–205), das ich durch die Liebenswürdigkeit des Verfassers kennengelernt habe, als mein Manuskript bereits im Satz war. Unsere Ergebnisse stimmen in vielen wesentlichen Punkten überein, u. a. darin, daß die Rolle der athenischen Flotte und die Behauptung, der Athener Kallippos hätte den Oberbefehl der griechischen Streitkräfte innegehabt, erfunden sind, ferner darin, daß Pausanias die Angabe über den Schild des Kydias dem Bericht seiner Quelle aus eigenem hinzugefügt hat. Die Quellenfrage behandelt Nachtergael auf S. 15–125. Auch er konstatiert die Herodotimitation und die Glorifizierung Athens im Bericht des Pausanias.

Zu S. 122 f.:

Die Zweifel an der Zugehörigkeit von IG II² 702 zum Jahre des Archons Eubulos (Ziffer 2) sind jetzt bestätigt worden durch den Nachweis, daß der Text zwei Generationen später als bisher angenommen ist und wahrscheinlich ins Jahr 195/4 gehört (St. V. Tracy, Hesperia 47, 1978, 257–258, akzeptiert von J. Traill, ebenda 327).

Zu S. 133 ff.:

An anderem Ort werden demnächst neue Argumente vorgelegt werden, die die Datierung des Polyeuktos (Abschnitt 6) auf 246/5 entscheidend stützen, damit zugleich Diomedon für das Jahr 244/3 sichern und die Datierungen der Asklepiospriester in IG II² 1534 B auf eine neue Grundlage stellen. Dies ist auch für andere Partien des Textes von Kapitel IX von Bedeutung sowie für die Anmerkungen 17. 19. 28. 76. 79. 80. 97. 146.

# PERSONENREGISTER

## 1. Könige, Machthaber und Angehörige von Königshäusern

Akichorios, Keltenführer 87
Alexander der Große 31[52]. 39
Alexander von Korinth 71. 124. 125. 130
Antigonos I.: 4. 36. 66. 79. 107. 109
Antigonos Gonatas 54. 56[48]. 67. 68–75.
　76–78. 80. 82. 83. 83[40]. 84. 84[43]. 85. 88.
　97. 98. 99[28]. 100. 100[30.31]. 101. 102.
　102[42]. 108. 110. 111. 111[83]. 118. 119.
　122. 123. 123[39]. 124. 131
Antiochos I.: 80. 83. 88
Antiochos III.: 28[46]
Antipatros 22. 25[27.28]. 45. 95. 108
Antipatros Etesias 24f. 82. 110
Areus I.: 73. 83. 86. 111
Arsinoe II.: 82
Audoleon, König der Paionen 5[22]. 52. 80.
　98. 100. 110
Berenike I.: 80
Brennos, Keltenführer 87. 92[26]
Demetrios Poliorketes 1 – 21. 24. 26 – 31.
　34–36. 39–44. 45. 46. 48–67. 68. 72.
　76–79. 79[19]. 80. 81[30]. 82. 96. 96[9]. 98.
　103. 104[51]. 107. 107[65]. 109. 110. 119.
　134[99]
Demetrios II.: 134[99]
Eumenes II.: 28[46]
Eurydike, Gemahlin Ptolemaios' I.: 80
Halkyoneus, Sohn des Antigonos Gonatas
　72. 73
Kassander 1. 9. 12. 16–19. 26. 27. 29. 42.
　43. 96. 106. 107. 107[65]. 109
Krateros, Bruder des Antigonos Gonatas
　99[28]
Leonidas, König der Spartaner 90

Lysimachos 19. 24. 32. 46. 46[5]. 63. 64.
　65[84]. 77. 79–82. 98. 99. 110
Philipp II.: 39. 45
Philipp, Sohn des Kassander 12
Philokles, König von Sidon 5[22]. 77[6]. 81
Polemaios, Diadoche 28[46]
Polyperchon 109
Ptolemaios I.: 5[22]. 6. 24. 31. 45. 48. 52.
　56[49]. 59–67. 68. 77. 77[6]. 79–81. 81[30].
　108[67]. 109[110]
Ptolemaios II.: 5[22]. 63[79]. 75. 77[6]. 80.
　81[30]. 85. 86. 93. 101. 111. 112
Ptolemaios III.: 95. 104
Ptolemaios Keraunos 80. 81[31]. 83
Pyrrhos 46. 63–65. 63[79]. 77. 80. 82. 85.
　89[9]. 110. 111
Seleukos I.: 46. 46[5]. 60[63]. 63[79]. 64. 79. 80.
　83. 98
Spartokos III.: 52. 52[39]

## 2. Eponyme Archonten Athens

Alkibiades 117[13]. 123. 124. 126. 141. 142.
　142[145]. 144
Anaxikrates 92[27]. 113. 140
Antimachos 117[12]. 124[36]. 126[59]. 128–133.
　132[91.92]. 144. 144[152]. 145
Antipatros 74[40]. 113. 114
Antiphon 117[13]. 141. 144. 145. 152[10]
Aristion 117[13]. 144
Arrheneides 113. 114. 116. 118. 126[56]
Athenodoros 116[11]. 117[12]. 120. 135. 137–
　141. 138[128]. 140[136]. 142. 144. 145
Demokles 92[27]. 113. 123
Diogeiton 116. 116[11]. 117[12.13]. 120[29]. 126.
　144. 145

## 3. Athener (ausgenommen eponyme Archonten)

# STELLENREGISTER

## Autoren

Aischines 3, 116: 38 – 3, 122: 38

Apollodor, FGrHist 244 F 44: 100[30]. 114[6]. 118[20]

Aristoteles, Ἀθπ. 60, 1: 137[116. 118]. 138[128]

Aristoteles, Politik 4, 1300 a 20 ff.: 28[48] – 6, 1317 b 18 ff.: 28[48]

Athenaios 3, 101 E: 73[34] – 4, 128 B: 73[34] – 4, 130 D: 73[35] – 4, 167 F: 119[21] – 4, 168 E: 109[68] – 6, 235 DE: 15[65] – 6, 239 A/F: 15[65] – 6, 250 F: 23[8]. 111[84] – 10, 431 CD: 15[65]

Cicero, de officiis 2, 81–82: 31[53]

Demochares, FGrHist 75 F 2: 35[5]

Diodor 15, 29, 5: 106[61] – 18, 18, 5: 95[2] – 18, 48, 1 ff.: 109[68] – 18, 56, 1 ff.: 109[70] – 18, 64/67: 109[68] – 20, 37, 1: 66[87] – 20, 46, 1: 96[8]

Diodor v. Sinope, CAF II 420/422: 15[65]

Diogenes Laertios 2, 127: 100[29] – 4, 39: 72[28] – 4, 41: 73[31] – 5, 58: 77[6] – 7, 6: 72[26] – 7, 10: 73[31] – 7, 11: 28[48] – 7, 36: 72[26] – 7, 169: 72[27]

Dionys. Halic. de Dinarcho 2: 27[40]. 43[35] – 3: 27[40]. 43[35]. 96[8] – 9: 27[40]. 43[34] – 12: 43[35]

Duris, FGrHist 76 F 13: 35[5]

Herodot 6, 65, 3: 105[55]

Iustin 24, 1, 1: 83[41] – 24, 1, 3: 83[40] – 24, 1, 7: 83[42] – 25, 4, 4: 85[49]. 110[82]

Marmor Parium (FGrHist 239) B 10: 95[2]. 108[67] – B 21: 96[8]

Pausanias 1, 3, 5 ff.: 87[2. 4] – 1, 4, 2: 87[2]. 90[13. 14] – 1, 4, 3: 90[15] – 1, 4, 4: 90[16] – 1, 7, 3: 111[87] – 1, 9, 4: 77[8] – 1, 11, 1: 77[7] – 1, 21, 1: 14[55. 58] – 1, 25, 4: 95[2] – 1, 25, 6: 26[30] – 1, 25, 7: 1[1]. 10[40]. 12[45]. 13[51]. 96[9]. 104[51] – 1, 26, 1: 43[33]. 57[52] – 1, 26, 3: 10[42]. 42[31] – 1, 29, 10: 9[33]. 98[19] – 2, 8, 6: 95[4] – 3, 3, 5: 111[87] – 3, 6, 6: 100[30] – 7, 15, 3: 87[4]. 90[17] – 10, 19/23: 87–94. 153 – 10, 19, 4: 37[12]. 42[29] – 10, 20, 5: 91[22]. 153 – 10, 21, 2: 92[25] – 10, 21, 4: 90[18] – 10, 21, 5: 87[3]. 90[19. 20]. 153 – 10, 21, 6: 89[8] – 10, 22, 12: 92[26] – 10, 23, 9: 89[9]. 92[27] – 10, 23, 11: 92[36]

Phaedrus, fab. 5, 1: 26[30]

Philochoros, FGrHist 328 F 167: 27[40]. 96[8]

Plutarch, mor. 188 EF: 95[2] – 601 F: 77[6] – 798 E: 36[9] – 847 D: 22[1.6]. 25[27] – 847 E: 24[18] – 850 D: 27[41]. 43[35] – 850 F/851 C: 22[1] – 851 C: 22[2] – 851 D/F: 22[6]. 24[18. 19.21]. 25[24]. 51[29]. 60[62]. 77[6]. 78[15]. 107[65]. 110[80.81]

Plutarch, Arat 12/14: 31[53] – Demetrios 10: 96[8] – 12: 36[8] – 13: 28[48]. 34–44. 76[4] – 23: 107[65] – 31: 109[73] – 33: 9[36]. 13[49]. 31[51]. 66[91] – 33/34: 1[1]. 6[25] – 34: 6[25–27]. 12[45]. 40[21]. 96[9]. 104[51] – 39: 11[44] – 40: 39[19] – 41: 44[36] – 42: 44[36] – 46: 54[40] – 51: 98[21.22] – 52: 60[63] – Demosthenes 28: 95[2] – Pelopidas 14: 106[61] – Phokion 27: 95[1] – 28: 95[2] – 30: 95[2] – Pyrrhos 12: 54[40]. 63[77]. 77[7]. 109[75]

Polyän 4, 6, 20: 100[30] – 4, 7, 5: 10[37.39]. 12[45]. 18[86] – 5, 17, 1: 9[34]. 78[14]. 98[16–18]. 101[34]

Polybios 12, 13, 8/11: 25[27.28]. 26[29] – 20, 6, 8: 134[39] –

Sophokles, Elektra 1133: 105[55]

Teles, περὶ φυγῆς, ed. Hense[2], p. 23: 112[90]

Xenophon, Hellenika 5, 4, 20 ff.: 106[61] – 7, 5, 16: 105[56]

## Papyri

PHercul. 1418, col. 32: 99[28]
POxy 1235: 16[69.70] − 2082: 1[5]. 9[35]. 10[41].
   11[44]. 16[68]. 18[83−85]
SIFC 1935, 95 ff.: 8[32]

## Inschriften

AD 18, 1963, 104 nr. 1: 91[21]. 127[63] − 109
   nr. 2: 139/140 − 22 A, 1967, 38:
   78[16]. 101[36]. 116[11]. 126[59]
AE 1860, 2086 nr. 4108: IG II² 682−1892,
   46 nr. 74: 48[14] − 1911, 222: IG II² 784 −
   1919, 84 nr. 122: IG VII 283 − 1952,172
   nr. 4: 86[50] − 196 nr. 26: 136[110]. 150 −
   1960, 38 nr. 2: 19[98.100]
Agora Inv. I 7163: 23[17] − 7295: Hesperia-
   Suppl. 17, 1978, 2−4
Agora XV 62: 133[94]. 150 − 78: 23[17] − 80:
   72[22] − 81: 72[22] − 84: 121[31] − 85: IG II²
   678 − 86: Hesperia-Suppl. 1 nr. 9 − 87:
   IG II² 702 − 88: 150 − 89: 72[19] − 110:
   72[19] − 111: 72[19] − 115: 72[19] − 120:
   136[106] − 130: 136[106] − 243: 139[130] −
   244: 139[130]
AM 57, 1932, 146: 98[20] − 67, 1942, 36
   nr. 43: 122[34] − 85, 1970, 209 nr. 81/3:
   140[134] − 216 nr. 232/3: 47[9] − 221 nr.
   311/4: 88[7]−245 nr. 113/6: 48[15]
BCH 52, 1928, 217 nr. 22: 150
Dinsmoor, Archons 7: IG II² 649
FD III 1, 511: 149 − III 2,68: 93[30] − 71:
   83[39] − 72: 83[39] − 77: 152[10] − 80: 149 −
   198/200: 82[37] − 200: 149 − 203: 83[39] −
   III 4, 383: 149
Hesperia 2, 1933, 156 nr. 5: 23[10]. 102[42] −
   4, 1935, 562 nr. 40: 23[10]. 77[12] − 6, 1937,
   444 nr. 2: 140 − 7, 1938, 9 nr. 2: 135[101]
   − 100 nr. 18: 99 − 110 nr. 20: IG II²
   700 − 8,1939, 42 nr. 10: 52[31] − 9, 1940,
   80 nr. 113: IG II² 643 − 353 nr. 48: 77[6] −

11, 1942, 278 nr. 53: 8[30]. 18[90]. 20 − 281
   nr. 54: 2[9] − 287 nr. 56: IG II² 791 −
   293 ff.: 152[10] − 13, 1944, 242 nr. 7:
   8[30]. 15[66]. 18[90] − 15, 1946, 192 nr. 37:
   141[141] − 16, 1947, 63 nr. 1: 132[92] −
   23, 1954, 288 nr. 182: 23[14] − 299 nr.
   183: 23[14] − 26, 1957, 54 nr. 11: 23[17] −
   28, 1959, 174 nr. 3: 135[103] − 29, 1960,
   7 nr. 9: 8[30] − 58 nr. 87: 135[100] − 30,
   1961, 211 nr. 6: 100[32]. 104[54] − 32, 1963,
   8 nr. 8: 117[14]. 121/2. − 37, 1968, 1:
   Agora XV 62 − 13: 133[94] − 268 nr. 4:
   71[12] − 284 nr. 21: 125[51] − 38, 1969,
   419: 127[62]. 129[75] − 46, 1977, 103: 150 −
   104: 150 − 114 nr. 32: 149 − 116 nr. 37:
   48[15] − 130 nr. 77: 88[7] − 47, 1978, 281
   nr. 8 − 122[36]
Hesperia-Suppl. 1, 1937 nr. 21: IG II²
   702 − 9: 123[37] − 10: IG II² 678 − 9,
   1951, 36 nr. 27: AM 67, 1942, 36 nr.
   43 − 17, 1978, 2/4: 22[7]. 23[16]. 24[20].
   28[48]. 45/67. 77[6]. 79[19]. 81[30]. 85[48].
   93[28]. 141[141]
IG II² 334: 137[117]. 138[120] − 409: 28[48] −
   448: 22[3−5] − 469: 28[46] − 477: 102[42].
   117[14]. 123[39] − 487: 23[15] − 555: 28[48] −
   585: 32[57] − 640: 16[71] − 643: 1[7]. 4[18].
   8[30] − 644: 2[8]. 3[13] − 645: 2[1]. 8[30] − 646:
   4−7. 28[45.48]. 71[12] − 648: 8[30]. 28[48].
   71[12] − 649: 8[30]. 27[36]. 59[58]. 71[12] − 650:
   23[11]. 48[17]. 49[23]. 52[31]. 77[6] − 651: 52[31] −
   652: 60[63]. 78[10.11] − 653: 28[48]. 52[31].
   104[54] − 654: 52[31]. 93[29]. 98[23]. 104[54] −
   655: 52[31] − 657: 14[56]. 19[97]. 25[25]. 77[8].
   78[13]. 99[24.25]. 104[54] − 662: 52[31]. 64[82].
   65[85]. 77[8] − 663: 52[31]. 77[8] − 665: 116[11]
   − 666: 116[11] − 668: 72[22]. 127[63] − 672:
   28[48]. 140[38] − 674: 72[22] − 677: 71[18] −
   678: 123[37.38] − 680: 87[1] − 682: 3[12].
   24[23]. 28[48]. 29[49]. 31[50]. 46[3]. 52[32].
   53[33−36]. 54[44]. 56[47−49]. 57[53]. 58[55].
   59[59.60]. 60[62]. 61[64.68.70]. 76[1]. 77[6].
   110[81]. 141[141] − 685: 23[12]. 102[42] −

# VESTIGIA

## Beiträge zur Alten Geschichte

Herausgegeben von der Kommission für Alte Geschichte und Epigraphik
des Deutschen Archäologischen Instituts

*Lieferbare Titel*

Band 4: *Hans-Georg Kolbe*, Die Statthalter Numidiens von Gallien bis Konstantin (268–320). 1962. XII. 90 S. Geheftet

Band 5: *Franz Kiechle*, Lakonien und Sparta. 1963. XII, 276 S. Geheftet

Band 7: *Hans-Werner Ritter*, Diadem und Königsherrschaft. 1965. XIV, 191 S. Geheftet

Band 8: *Werner Dahlheim*, Struktur und Entwicklung des römischen Völkerrechts im 3. und 2. Jahrhundert v. Chr. 1968. VIII, 293 S. Leinen

Band 9: *Karl Ernst Petzold*, Studien zur Methode des Polybios und zu ihrer historischen Auswertung. 1969. IX, 223 S. Leinen

Band 10: *Eckhard Meise*, Untersuchungen zur Geschichte der Julisch-Claudischen Dynastie. 1969. XI. 269 S. Leinen

Band 11: *Jürgen von Ungern-Sternberg*, Untersuchungen zum spätrepublikanischen Notstandsrecht. 1970. X, 153 S. Leinen

Band 12: *Diederich Behrend*, Attische Pachturkunden. 1970. X, 172 S. Leinen

Band 14: *Michael Zahrnt*, Olynth und die Chalkidier. 1971. X, 280 S. und 5 Karten. Leinen

Band 15: *Michael Maaß*, Die Prohedrie des Dionysostheaters in Athen. 1972. XII, 156 S. mit 2 Textabb., 89 Abb. auf 23 Tafeln und 8 Faltplänen. Leinen

Band 16: *Peter Siewert*, Der Eid von Plataiai. 1972. XI, 118 S. und 2 Tafeln. Leinen

Band 18: *Jörg Schlumberger*, Die Epitome de Caesaribus. 1974. XV, 275 S. Leinen

Band 19: *Thomas Schwertfeger*, Der Achaiische Bund von 146 bis 27 v. Chr. 1974. X, 85 S. mit 1 Karte. Leinen

Band 20: *Kurt Raaflaub*, Dignitatis contentio. 1974. XVI, 358 S. Leinen

Band 21: *Dieter Hennig*, L. Aelius Seianus. 1975. XIII, 183 S. Leinen

Band 22: *Wilfried Gawantka*, Isopolitie. 1975. X, 234 S. Leinen

Band 23: *Jürgen von Ungern-Sternberg*, Capua im Zweiten Punischen Krieg. 1975, X, 136 S. Leinen

Band 24: *Rolf Rilinger*, Der Einfluß des Wahlleiters bei den römischen Konsulwahlen von 366 bis 50 v. Chr. 1976. X, 215 S. Leinen

Band 25: *Joachim Hopp*, Untersuchungen zur Geschichte der letzten Attaliden. 1977, XII, 167 S. Leinen

Band 26: *Bernhard Schleußner*, Die Legaten der römischen Republik. 1978. XIV, 255 S. Leinen

Band 27: *Alfred S. Bradford*, A Prosopography of Lacedaemonians from the Death of Alexander the Great, 323 B.C., to the Sack of Sparta by Alaric, A.D. 396. 1977, X, 499 S. Leinen

Band 28: *Werner Eck*, Die staatliche Organisation Italiens in der hohen Kaiserzeit. 1979, XII, 326 S. Leinen

VERLAG C.H. BECK MÜNCHEN

# CHIRON

Mitteilungen der Kommission für Alte Geschichte und Epigraphik
des Deutschen Archäologischen Instituts

Band 1. 1971
*VIII, 484 Seiten mit 12 Abbildungen im Text und 14 Tafeln. Leinen DM 72,–*

Band 2. 1972
*VIII, 616 Seiten mit 8 Abbildungen und einer Falttafel im Text, und 31 Tafeln. Leinen
DM 72,–*

Band 3. 1973
*VI, 505 Seiten mit 3 Abbildungen im Text und 7 Tafeln. Leinen DM 72,–*

Band 4. 1974
*VI, 652 Seiten mit 5 Abbildungen im Text und 43 Tafeln. Leinen DM 72,–*

Band 5. 1975
*VI, 646 Seiten mit 10 Abbildungen im Text und 51 Tafeln. Leinen DM 72,–*

Band 6. 1976
*VIII, 495 Seiten mit 27 Abbildungen im Text und 59 Tafeln. Leinen DM 72,–*

Band 7. 1977
*VI, 496 Seiten mit 7 Abbildungen im Text und 11 Tafeln. Leinen DM 72,–*

Band 8. 1978
*VI, 662 Seiten mit 6 Abbildungen im Text und 22 Tafeln. Leinen DM 72,–*

«... excels in the variety of contribution and the high quality of the articles. The
authors include internationally known scholars ... and also young academics who
present stimulating and valuable monographs.»

*German Studies (über Band 3)*

VERLAG C.H.BECK MÜNCHEN